beibl.net

365 o storïau o'r Beibl

Llyfr gwreiddiol: The 365 Day Children's Bible Storybook
Cyhoeddwyd yn wreiddiol gan Scandinavia Publishing House
Drejervej 15, 3 DK-2400 Copenhagen NV, Denmarc
Lluniau: © Gustavo Mazali
Testun: © 2015 beibl.net

Argraffiad Cymraeg cyntaf 2015
Addasiad Cymraeg: Arfon Jones (beibl.net)
Cysodi: Ynyr Roberts
Golygydd Cyffredinol: Aled Davies

Cyhoeddir mewn cydweithrediad â Chymdeithas y Beibl a beibl.net

Mae Cyhoeddiadau'r Gair yn ddiolchgar am bob cefnogaeth ac am ganiatad i gyhoeddi'r
fersiwn lliw yma gan bwyllgor beibl.net.

Mae fersiwn llawn o beibl.net hefyd ar gael mewn print gan Gymdeithas y Beibl.
ISBN 978 1859947 999
Argraffwyd yng Ngwlad Pwyl.

Cyhoeddwyd gan:
Cyhoeddiadau'r Gair, Cyngor Ysgolion Sul Cymru,
Ael y Bryn, Chwilog, Pwllheli, Gwynedd LL53 6SH.

www.ysgolsul.com

Dyma'r Beibl delfrydol i helpu ieuenctid i groesi'r bont o Feibl lliw i'r Beibl llawn.

Cyfrol liwgar sy'n cyflwyno prif hanesion a themâu'r Beibl mewn 365 o storïau cryno. Daw'r testun o beibl.net, ac mae cyfeiriadau Beiblaidd llawn wrth ymyl pob stori. Ewch i wefan www.beibl.net lle mae yna nodiadau cefndir a llu o adnoddau eraill.

Y ffordd ddelfrydol o ddarllen y Beibl drwy'r flwyddyn er mwyn gweld y darlun llawn. O'i dechrau i'w diwedd, dyma'r stori fwyaf rhyfeddol erioed.

Addas ar gyfer ysgolion a'r Ysgol Sul, ac fel Beibl i'w ddarllen yn y cartref.

365 o storïau o'r Beibl

CYHOEDDIADAU'R GAIR

Cynnwys

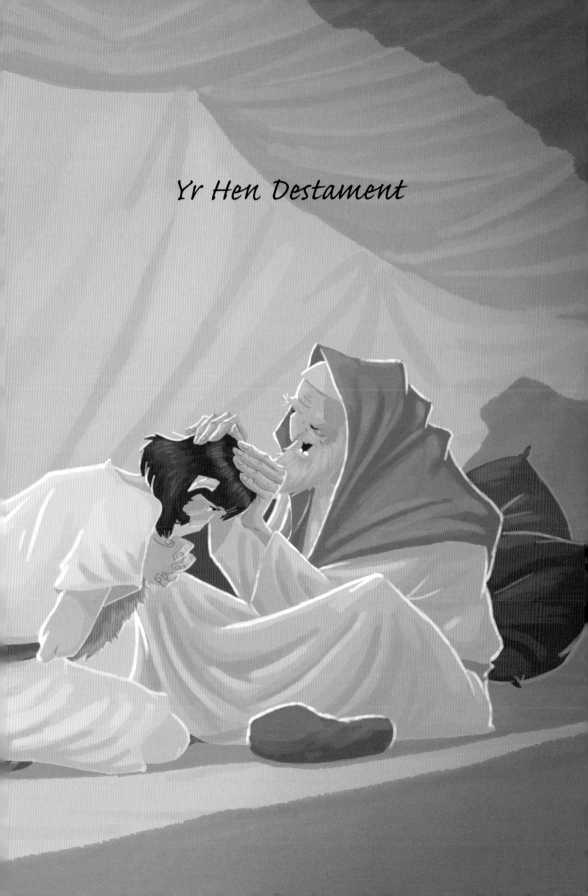

Yr Hen Destament

Diwrnod 1

Duw yn Creu y Byd

(Genesis 1:1-19)

Ar y dechrau cyntaf, dyma Duw yn creu y bydysawd a'r ddaear. Roedd y ddaear yn anhrefn gwag, ac roedd hi'n hollol dywyll dros y dŵr dwfn. Ond roedd Ysbryd Duw yn hofran dros wyneb y dŵr.

A dwedodd Duw, "Dw i eisiau golau!" a daeth golau i fod. Roedd Duw yn gweld bod hyn yn dda, a dyma Duw yn gwahanu'r golau oddi wrth y tywyllwch. Rhoddodd Duw yr enw "dydd" i'r golau a'r enw "nos" i'r tywyllwch, ac roedd nos a dydd ar y diwrnod cyntaf.

Wedyn dwedodd Duw, "Dw i eisiau cromen o aer rhwng y dyfroedd, i wahanu'r dŵr yn ddau." A dyna ddigwyddodd. Gwnaeth Duw gromen o aer, ac roedd yn gwahanu'r dŵr oddi tani oddi wrth y dŵr uwch ei phen. Rhoddodd Duw yr enw "awyr" iddi, ac roedd nos a dydd ar yr ail ddiwrnod.

Dwedodd Duw, "Dw i eisiau i'r dŵr sydd dan yr awyr gasglu i un lle, er mwyn i ddaear sych ddod i'r golwg." A dyna ddigwyddodd. Rhoddodd Duw yr enw "tir" i'r ddaear, a "moroedd" i'r dŵr. Roedd Duw yn gweld bod hyn yn dda.

Yna dwedodd Duw, "Dw i eisiau i laswellt dyfu o'r tir, a phob math o blanhigion sydd â hadau ynddyn nhw, a choed ffrwythau." A dyna ddigwyddodd. Roedd Duw yn gweld bod hyn yn dda, ac roedd nos a dydd ar y trydydd diwrnod.

Dwedodd Duw, "Dw i eisiau goleuadau yn yr awyr i wahanu'r dydd a'r nos. Byddan nhw hefyd yn arwyddion i fesur y tymhorau, y dyddiau a'r blynyddoedd. Byddan nhw'n goleuo'r ddaear o'r awyr." A dyna ddigwyddodd. Roedd Duw yn gweld bod hyn yn dda, ac roedd nos a dydd ar y pedwerydd diwrnod.

Diwrnod 2

*Duw yn Creu Pysgod, Adar
ac Anifeiliaid*
(Genesis 1:20-23, 24-25)

Dwedodd Duw, "Dw i eisiau i'r dyfroedd
fod yn orlawn o bysgod a chreaduriaid
byw eraill, a dw i eisiau i adar hedfan
yn ôl ac ymlaen yn yr awyr uwchben
y ddaear." Felly dyma Duw yn creu y
creaduriaid enfawr sydd yn y môr, a'r
holl bethau byw eraill sydd ynddo, a'r
holl wahanol fathau o adar hefyd.

Roedd Duw yn gweld bod hyn yn dda.
A dyma Duw yn eu bendithio nhw, a
dweud, "Dw i eisiau i chi gael haid o rai
bach, nes eich bod chi'n llenwi'r dŵr
sydd yn y môr, a dw i eisiau llawer o
adar ar y ddaear." Ac roedd nos a dydd
ar y pumed diwrnod.

Dwedodd Duw, "Dw i eisiau i
greaduriaid byw o bob math lenwi'r
ddaear: anifeiliaid, ymlusgiaid a
phryfed, a bywyd gwyllt o bob math."
A dyna ddigwyddodd. Roedd Duw yn
gweld bod hyn yn dda.

7

Y CREU

8

ADDA AC EFA

Diwrnod 3

Duw yn Creu Dyn a Dynes
(Genesis 1:26-27; 2:7; 2:18-23; 1:28-2:3)

Yna dwedodd Duw, "Gadewch i ni wneud pobl, i fod yn debyg i ni; i fod yn feistri sy'n gofalu am bopeth – y pysgod, yr adar, yr anifeiliaid a'r holl greaduriaid a phryfed." Felly dyma Duw yn creu pobl. Yn ddelw ohono'i hun y creodd nhw. Creodd nhw yn wryw ac yn fenyw.

Dyma'r ARGLWYDD Dduw yn siapio dyn o'r pridd. Wedyn chwythodd i'w ffroenau yr anadl sy'n rhoi bywyd, a daeth y dyn yn berson byw.

Dwedodd yr ARGLWYDD Dduw wedyn, "Dydy e ddim yn beth da i'r dyn fod ar ei ben ei hun. Dw i'n mynd i wneud cymar iddo i'w gynnal." A dyma'r ARGLWYDD Dduw yn siapio pob math o anifeiliaid ac adar o'r pridd, ac yn gwneud iddyn nhw ddod at y dyn i weld beth fyddai'n eu galw nhw. Y dyn oedd yn rhoi enw i bob un. Rhoddodd enwau i'r anifeiliaid, i'r adar, ac i'r bywyd gwyllt i gyd, ond doedd run ohonyn nhw yn gwneud cymar iddo i'w gynnal.

Felly dyma'r ARGLWYDD Dduw yn gwneud i'r dyn gysgu'n drwm. Cymerodd ddarn o ochr y dyn, a rhoi cnawd yn ei le. Wedyn dyma'r ARGLWYDD Dduw yn ffurfio dynes allan o'r darn oedd wedi ei gymryd o'r dyn, a dod â hi at y dyn. A dyma'r dyn yn dweud, "O'r diwedd! Un sydd yr un fath â fi! Asgwrn o'm hesgyrn, a chnawd o'm cnawd. 'Dynes' fydd yr enw arni, am ei bod wedi ei chymryd allan o ddyn."

A dyma Duw yn eu bendithio nhw, a dweud wrthyn nhw, "Dw i eisiau i chi gael plant, fel bod mwy a mwy ohonoch chi. Llanwch y ddaear a defnyddiwch ei photensial hi; a bod yn feistr sy'n gofalu am y pysgod, yr adar a'r holl greaduriaid sy'n byw ar y ddaear." Edrychodd Duw ar bopeth roedd wedi ei wneud, a gweld fod y cwbl yn dda iawn. Ac roedd nos a dydd ar y chweched diwrnod.

Felly gorffennodd Duw y gwaith o greu y bydysawd a phopeth sydd ynddo.

Ar y seithfed diwrnod dyma Duw yn gorffwys, am ei fod wedi gorffen ei holl waith. Bendithiodd Duw y seithfed diwrnod a'i wneud yn ddiwrnod arbennig, am mai dyna'r diwrnod roedd e wedi gorffwys ar ôl gorffen y gwaith o greu.

Diwrnod 4

Gardd Eden
(Genesis 2:8-10; 2:15-17)

Yna dyma'r ARGLWYDD Dduw yn plannu gardd tua'r dwyrain, yn Eden, a rhoi'r dyn yno. Wedyn gwnaeth yr ARGLWYDD Dduw i goed o bob math dyfu o'r tir – coed hardd gyda ffrwythau arnyn nhw oedd yn dda i'w bwyta.

Yng nghanol yr ardd roedd y goeden sy'n rhoi bywyd a'r goeden sy'n rhoi gwybodaeth am bopeth – da a drwg.

Dyma'r ARGLWYDD Dduw yn cymryd y dyn a'i osod yn yr ardd yn Eden, i'w thrin hi a gofalu amdani. A dyma fe'n rhoi gorchymyn i'r dyn: "Cei fwyta ffrwyth unrhyw goeden yn yr ardd, ond paid bwyta ffrwyth y goeden sy'n rhoi gwybodaeth am bopeth – da a drwg. Pan wnei di hynny byddi'n siŵr o farw."

ADDA AC EFA

Diwrnod 5

Adda ac Efa yn Anufudd i Dduw

(Genesis 3:1-7)

Roedd y neidr yn fwy cyfrwys na phob anifail gwyllt arall oedd yr ARGLWYDD Dduw wedi eu creu. A dyma'r neidr yn dweud wrth y wraig, "Ydy Duw wir wedi dweud, 'Peidiwch bwyta ffrwyth unrhyw goeden yn yr ardd'?"

"Na," meddai'r wraig wrth y neidr, "dŷn ni'n cael bwyta ffrwyth unrhyw goeden yn yr ardd. Dim ond am ffrwyth y goeden yng nghanol yr ardd y dwedodd Duw, 'Peidiwch bwyta ei ffrwyth hi a peidiwch ei chyffwrdd hi, rhag i chi farw.'"

Ond dyma'r neidr yn dweud wrth y wraig, "Na! Fyddwch chi ddim yn marw. Mae Duw yn gwybod y byddwch chi'n gweld popeth yn glir pan wnewch chi fwyta. Byddwch chi'n gwybod am bopeth – da a drwg – fel Duw ei hun."

Gwelodd y wraig fod ffrwyth y goeden yn edrych yn dda i'w fwyta. Roedd cael ei gwneud yn ddoeth yn apelio ati, felly dyma hi'n cymryd peth o'i ffrwyth ac yn ei fwyta. Yna rhoddodd beth i'w gŵr, oedd gyda hi, a dyma fe'n bwyta hefyd. Yn sydyn roedden nhw'n gweld popeth yn glir, ac yn sylweddoli eu bod nhw'n noeth. Felly dyma nhw'n rhwymo dail coeden ffigys wrth ei gilydd a gwneud sgertiau iddyn nhw'u hunain.

Diwrnod 6

Allan o Eden

(Genesis 3:8-13; 3:20-23)

Dyma'r dyn a'i wraig yn clywed sŵn yr ARGLWYDD Dduw yn mynd trwy'r ardd pan oedd gwynt yn dechrau codi. A dyma nhw'n mynd i guddio i ganol y coed yn yr ardd.

Galwodd yr ARGLWYDD Dduw ar y dyn, a gofyn iddo, "Ble rwyt ti?"

Atebodd y dyn, "Roeddwn i'n clywed dy sŵn di yn yr ardd, ac roedd arna i ofn am fy mod i'n noeth. Felly dyma fi'n cuddio."

"Pwy ddwedodd wrthot ti dy fod di'n noeth?" meddai Duw. "Wyt ti wedi bwyta ffrwyth y goeden ddwedais i wrthot ti am beidio ei fwyta?"

Ac meddai'r dyn, "Y wraig rwyt ti wedi ei rhoi i mi – hi roddodd y ffrwyth i mi, a dyma fi'n ei fwyta."

Yna gofynnodd yr ARGLWYDD Dduw i'r wraig, "Be ti'n feddwl ti'n wneud?"

A dyma'r wraig yn ateb, "Y neidr wnaeth fy nhwyllo i. Dyna pam wnes i ei fwyta."

Dyma'r dyn yn rhoi'r enw Efa i'w wraig, am mai hi fyddai mam pob person byw. A dyma'r ARGLWYDD Dduw yn dweud, "Mae dyn bellach yr un fath â ni, yn gwybod am bopeth – da a drwg. Rhaid peidio gadael iddo gymryd ffrwyth y goeden sy'n rhoi bywyd, neu bydd yn ei fwyta ac yn byw am byth." Felly dyma'r ARGLWYDD Dduw yn ei anfon allan o'r ardd yn Eden i drin y pridd y cafodd ei wneud ohono.

11

Diwrnod 7

Cain ac Abel

(Genesis 4:1-16)

Cafodd Adda ac Efa blentyn, sef Cain, ac meddai Efa, "Dw i wedi cael plentyn, gyda help yr ARGLWYDD." Wedyn cafodd blentyn arall, brawd i Cain, sef Abel.

Tyfodd Abel i fod yn fugail, ond roedd Cain yn trin y tir.

Adeg y cynhaeaf daeth Cain â peth o gynnyrch y tir i'w roi yn offrwm i'r ARGLWYDD. Daeth Abel â rhai o ŵyn cyntaf y praidd, a rhoi'r rhai gorau yn offrwm i Dduw. Roedd Abel a'i offrwm yn plesio'r ARGLWYDD, ond wnaeth e ddim cymryd sylw o Cain a'i offrwm e. Roedd Cain wedi gwylltio'n lân. Roedd i'w weld ar ei wyneb!

Dyma'r ARGLWYDD yn gofyn i Cain, "Ydy'n iawn dy fod ti wedi gwylltio fel yma? Pam wyt ti mor ddig? Os gwnei di beth sy'n iawn bydd pethau'n gwella. Ond os na wnei di beth sy'n iawn, mae pechod fel anifail yn llechu wrth y drws. Mae am dy gael di, ond rhaid i ti ei reoli."

Dwedodd Cain wrth ei frawd, "Gad i ni fynd allan i gefn gwlad." Yna pan oedden nhw allan yng nghefn gwlad dyma Cain yn ymosod ar ei frawd Abel a'i ladd.

Wedyn dyma'r ARGLWYDD yn dweud wrth Cain, "Ble mae Abel, dy frawd di?"

Atebodd Cain, "Dw i ddim yn gwybod. Ai fi sydd i fod i ofalu am fy mrawd?"

A dyma'r ARGLWYDD yn dweud, "Beth yn y byd wyt ti wedi'i wneud? Gwranda! Mae gwaed dy frawd yn gweiddi arna i o'r pridd. Melltith arnat ti. Rhaid i ti adael y tir yma lyncodd waed dy frawd pan wnest ti ei ladd. Byddi'n ceisio trin y tir ond yn methu cael cnwd da ohono. Byddi'n crwydro o gwmpas yn ddigyfeiriad."

Felly aeth Cain i ffwrdd oddi wrth yr ARGLWYDD a mynd i fyw i wlad Nod (sef Gwlad y Crwydro) sydd i'r dwyrain o Eden.

CAIN AC ABEL

Diwrnod 8

Noa yn Adeiladu Cwch
(Genesis 6:5-22)

Roedd poblogaeth y byd yn tyfu, ac roedd yr ARGLWYDD yn gweld bod y ddynoliaeth bellach yn ofnadwy o ddrwg. Doedden nhw'n meddwl am ddim byd ond gwneud drwg drwy'r amser. Roedd yr ARGLWYDD yn sori ei fod e wedi creu'r ddynoliaeth. Roedd wedi ei frifo a'i ddigio.

Ond roedd Noa wedi plesio'r ARGLWYDD. Roedd Noa yn ddyn da – yr unig un bryd hynny oedd yn gwneud beth oedd Duw eisiau. Roedd ganddo berthynas agos gyda Duw.

Felly dyma Duw yn dweud wrth Noa, "Dw i wedi penderfynu bod rhaid i bawb gael eu dinistrio. Mae trais a chreulondeb ym mhobman, felly dw i'n mynd i'w dinistrio nhw, a'r byd hefo nhw. Dw i am i ti adeiladu arch, sef cwch mawr, wedi ei gwneud o goed goffer. Rhanna hi yn ystafelloedd a'i selio hi y tu mewn a'r tu allan â phyg. Gwna hi'n 130 metr o hyd, 22 metr o led ac 13 metr

o uchder. Rho do ar yr arch. Rho ddrws ar ochr yr arch, a thri llawr ynddi. Dw i'n mynd i ddod â llifogydd ar y ddaear fydd yn boddi popeth sy'n anadlu. Bydd popeth byw yn marw. Ond bydda i'n gwneud ymrwymiad i ti. Byddi di'n mynd i mewn i'r arch – ti a dy feibion, dy wraig di a'u gwragedd nhw.

"Dw i am i ti fynd â dau o bob math o anifail i mewn i'r arch hefo ti i'w cadw'n fyw, sef un gwryw ac un benyw. Pob math o adar, pob math o anifeiliaid, pob math o ymlusgiaid – bydd dau o bopeth yn dod atat ti i'w cadw'n fyw. Dos â phob math o fwyd gyda ti hefyd, a'i storio. Digon o fwyd i chi ac i'r anifeiliaid."

A dyma Noa yn gwneud yn union fel roedd Duw wedi dweud wrtho.

Diwrnod 9

I mewn i'r Cwch
(Genesis 7:1, 10, 13-16)

Dyma'r ARGLWYDD yn dweud wrth Noa, "Dos i mewn i'r arch gyda dy deulu.

Ti ydy'r unig un sy'n gwneud beth dw i eisiau."

Wythnos union wedyn dyma'r llifogydd yn dod ac yn boddi'r ddaear. Ar y diwrnod y dechreuodd hi lawio, aeth Noa i'r arch gyda'i wraig, ei feibion, Shem, Cham a Jaffeth, a'u gwragedd nhw. Gyda nhw roedd y gwahanol fathau o anifeiliaid, gwyllt a dof, ymlusgiaid, adar a phryfed – popeth oedd yn gallu hedfan. Aeth y creaduriaid byw i gyd at Noa i'r arch bob yn ddau – gwryw a benyw, yn union fel roedd Duw wedi dweud wrth Noa. A dyma'r ARGLWYDD yn eu cau nhw i mewn.

NOA

Diwrnod 10

Saff yn y Cwch

(Genesis 7:17-24; 8:1-19)

Dyma'r dilyw yn para am bedwar deg diwrnod. Roedd y llifogydd yn mynd yn waeth, nes i'r arch gael ei chodi ar wyneb y dŵr. Roedd y dŵr yn codi'n uwch ac yn uwch, a'r arch yn nofio ar yr wyneb. Roedd cymaint o ddŵr nes bod hyd yn oed y mynyddoedd o'r golwg. Cafodd popeth byw ei foddi. Cafodd Duw wared â'r cwbl. Dim ond Noa a'r rhai oedd yn yr arch oedd ar ôl.

Wnaeth y dŵr ddim dechrau gostwng am bum mis. Gwnaeth Duw i wynt chwythu, a dyma lefel y dŵr yn dechrau mynd i lawr. Glaniodd yr arch ar fynyddoedd Ararat. Pedwar deg diwrnod ar ôl i'r arch lanio, dyma Noa yn agor ffenest ac yn anfon cigfran allan. Roedd hi'n hedfan i ffwrdd ac yn dod yn ôl. Wedyn dyma Noa yn anfon colomen allan, i weld os oedd y dŵr wedi mynd.

Ond roedd y golomen yn methu dod o hyd i le i glwydo, a daeth yn ôl i'r arch. Roedd y dŵr yn dal i orchuddio'r ddaear. Estynnodd Noa ei law ati a dod â hi yn ôl i mewn i'r arch.

Arhosodd wythnos cyn danfon y golomen allan eto. Y tro yma, pan oedd hi'n dechrau nosi, dyma'r golomen yn dod yn ôl gyda deilen olewydd ffres yn ei phig. Felly roedd Noa'n gwybod bod y dŵr bron wedi mynd. Arhosodd am wythnos arall cyn anfon y golomen allan eto, a'r tro yma ddaeth hi ddim yn ôl.

Dyma Noa yn symud rhan o'r gorchudd ar do'r arch a gwelodd fod y ddaear bron wedi sychu. A dyma Duw yn dweud wrth Noa, "Dos allan o'r arch, ti a dy deulu." Felly dyma Noa a'i wraig, a'i feibion a'u gwragedd nhw, yn mynd allan o'r arch. A dyma'r anifeiliaid i gyd, a'r ymlusgiaid, a'r adar yn dod allan yn eu grwpiau.

Diwrnod 11

Addewid Duw i Noa

(Genesis 9:1-16)

Dyma Duw yn bendithio Noa a'i feibion, a dweud wrthyn nhw: "Dw i eisiau i chi gael plant, fel bod mwy a mwy ohonoch chi. Llanwch y ddaear. Dw i am wneud ymrwymiad i chi a'ch disgynyddion, a hefyd gyda phob creadur byw – adar, anifeiliaid dof a phob creadur arall ddaeth allan o'r arch. Dw i'n addo na fydda i byth yn anfon dilyw eto i gael gwared â phopeth byw ac i ddinistrio'r ddaear. A dw i'n mynd i roi arwydd i chi i ddangos fod yr ymrwymiad dw i'n ei wneud yn mynd i bara am byth: Dw i'n rhoi fy mwa yn y cymylau, a bydd yn arwydd o'r ymrwymiad dw i wedi ei wneud gyda'r ddaear. Pan fydd cymylau yn yr awyr, ag enfys i'w gweld yn y cymylau, bydda i'n cofio'r ymrwymiad dw i wedi ei wneud i chi a phob creadur byw. Fydd llifogydd ddim yn dod i ddinistrio bywyd i gyd byth eto."

17

NOA

Diwrnod 12

Tŵr Babel

(Genesis 10:32-11:9)

Ar ôl y dilyw dyma ddisgynyddion Shem, Cham a Jaffeth yn rhannu i wneud y gwahanol genhedloedd yn y byd.

Ar un adeg, un iaith oedd drwy'r byd i gyd. Roedd pawb yn defnyddio'r un geiriau. Pan oedd y bobl yn symud o le i le yn y dwyrain, dyma nhw'n dod i dir gwastad yn Babilonia ac yn setlo yno. "Dewch," medden nhw, "gadewch i ni adeiladu dinas fawr i ni'n hunain, gyda thŵr uchel yn estyn i fyny i'r nefoedd. Gallwn wneud brics wedi eu tanio'n galed i'w defnyddio i adeiladu." (Roedden nhw'n defnyddio brics yn lle cerrig, a tar yn lle morter.) "Byddwn ni'n enwog, a fydd dim rhaid i ni gael ein gwasgaru drwy'r byd i gyd."

A dyma'r ARGLWYDD yn dod i lawr i edrych ar y ddinas a'r tŵr, ac meddai, "Maen nhw wedi dechrau gwneud hyn am eu bod nhw'n un bobl sy'n siarad yr un iaith. Does dim byd yn eu rhwystro nhw rhag gwneud beth bynnag maen nhw eisiau. Dewch, gadewch i ni fynd i lawr a chymysgu eu hiaith nhw, fel na fyddan nhw'n deall ei gilydd yn siarad."

Felly dyma'r ARGLWYDD yn eu gwasgaru nhw drwy'r byd i gyd, a dyma nhw'n stopio adeiladu'r ddinas. Roedd y ddinas yn cael ei galw yn Babel am mai dyna ble wnaeth yr ARGLWYDD gymysgu ieithoedd pobl, a'u gwasgaru drwy'r byd.

TŴR BABEL

19
TŴR BABEL

Diwrnod 13

Duw yn Galw Abram
(Genesis 12:1-9)

Dyma'r ARGLWYDD yn dweud wrth Abram, "Dw i am i ti adael dy wlad, dy bobl a dy deulu, a mynd i ble dw i'n ei ddangos i ti. Bydda i'n dy wneud di yn genedl fawr, ac yn dy fendithio di, a byddi'n enwog. Dw i eisiau i ti fod yn fendith i eraill. Bydda i'n bendithio'r rhai sy'n dy fendithio di ac yn melltithio unrhyw un sy'n dy fychanu di.
A bydd pobloedd y byd i gyd yn cael eu bendithio trwot ti."

Felly dyma Abram yn mynd, fel roedd yr ARGLWYDD wedi dweud wrtho. Aeth Abram â'i wraig Sarai gydag e, a Lot ei nai. Aeth â'i eiddo i gyd, a'r gweithwyr roedd wedi eu cymryd ato yn Haran, a mynd i wlad Canaan. Pan gyrhaeddon nhw yno dyma Abram yn teithio drwy'r wlad ac yn cyrraedd derwen More oedd yn lle addoli yn Sichem. Dyma'r ARGLWYDD yn ymddangos i Abram, ac yn dweud, "Dw i'n mynd i roi'r wlad yma i dy ddisgynyddion di." Felly cododd Abram allor i'r ARGLWYDD oedd wedi dod ato.

Wedyn symudodd Abram a gwersylla yn y bryniau sydd i'r dwyrain o Bethel. Cododd allor yno hefyd, ac addoli'r ARGLWYDD. Yna teithiodd yn ei flaen bob yn dipyn i gyfeiriad y Negef yn y de.

ABRAHAM

Diwrnod 14

Addewid Duw i Abram

(Genesis 15:1-7; 17:4-5)

Rywbryd wedyn, dyma'r ARGLWYDD yn siarad ag Abram mewn gweledigaeth, "Paid bod ag ofn Abram. Fi ydy dy darian di. Byddi'n derbyn gwobr fawr."

Ond meddai Abram, "O Feistr, ARGLWYDD, beth ydy'r pwynt os bydda i'n marw heb gael mab? Dwyt ti ddim wedi rhoi plant i mi, felly bydd Elieser o Ddamascus, caethwas sydd wedi bod gyda mi ers iddo gael ei eni, yn etifeddu'r cwbl!"

Ond dyma'r ARGLWYDD yn ei ateb, "Na, dim hwn fydd yn cael dy eiddo di. Dy fab naturiol di dy hun fydd yn etifeddu dy eiddo di." Yna dyma'r ARGLWYDD yn mynd ag Abram allan, a dweud wrtho, "Edrych i fyny i'r awyr. Cyfra faint o sêr sydd yna, os fedri di! Fel yna fydd dy ddisgynyddion di – yn gwbl amhosib i'w cyfri." Credodd Abram yr ARGLWYDD, a chafodd ei dderbyn i berthynas iawn gydag e.

Wedyn dwedodd yr ARGLWYDD wrtho, "Dyma'r ymrwymiad dw i'n ei wneud i ti: byddi'n dad i lawer iawn o bobloedd gwahanol. A dyna pam dw i am newid dy enw di o Abram i Abraham."

Diwrnod 15

Mab i Abraham a Sara

(Genesis 18:1-15)

Dyma'r ARGLWYDD yn ymddangos i Abraham wrth goed derw Mamre. Roedd yr haul yn boeth ganol dydd, ac roedd yn eistedd wrth y fynedfa i'w babell. Gwelodd dri dyn yn sefyll gyferbyn ag e.

Rhedodd draw atyn nhw ac ymgrymu yn isel o'u blaenau. "Fy meistr," meddai, "Plîs peidiwch â mynd. Ga i'r fraint o'ch gwahodd chi i aros yma am ychydig?"

Rhoddodd Abraham fwyd o'u blaenau, a safodd wrth eu hymyl dan y goeden tra roedden nhw'n bwyta.

"Ble mae dy wraig, Sara?" medden nhw wrth Abraham.

"Fan yna, yn y babell," atebodd yntau.

A dyma un ohonyn nhw'n dweud, "Bydda i'n dod yn ôl yr adeg yma'r flwyddyn nesa, a bydd Sara yn cael mab."

Roedd Sara y tu ôl i ddrws y babell, yn gwrando ar hyn i gyd. (Roedd Abraham a Sara mewn oed, ac roedd Sara yn rhy hen i gael plant.) Pan glywodd hi beth ddywedwyd, roedd Sara'n chwerthin ynddi ei hun ac yn meddwl, "Ydw i'n mynd i gael pleser felly? Dw i wedi hen ddarfod ac mae Abraham yn hen ddyn hefyd."

A dyma'r ARGLWYDD yn dweud wrth Abraham, "Pam wnaeth Sara chwerthin, a dweud 'Ydw i'n mynd i gael plentyn a minnau mor hen?' Dw i, yr ARGLWYDD, yn gallu gwneud unrhyw beth. Bydda i'n dod yn ôl fel y dwedais i, yr adeg yma'r flwyddyn nesa, a bydd Sara'n cael mab."

Roedd Sara wedi dychryn, a dyma hi'n ceisio gwadu'r peth, "Wnes i ddim chwerthin," meddai hi.

23

Diwrnod 16

Pechodau Sodom a Gomorra
(Genesis 18:16-32)

Pan gododd y dynion i fynd, roedden nhw'n edrych allan i gyfeiriad Sodom. Roedd Abraham wedi cerdded gyda nhw beth o'r ffordd.

Dyma'r ARGLWYDD yn dweud wrth Abraham, "Mae pobl yn cwyno yn ofnadwy yn erbyn Sodom a Gomorra, eu bod nhw'n gwneud pethau drwg iawn! Dw i am fynd i lawr i weld os ydy'r cwbl sy'n cael ei ddweud yn wir ai peidio. Bydda i'n gwybod wedyn."

"Fyddet ti ddim yn cael gwared â'r bobl dda gyda'r bobl ddrwg, fyddet ti?" meddai Abraham. "Beth petai pum deg o bobl yno sy'n byw yn iawn. Fyddet ti'n dinistrio'r lle yn llwyr a gwrthod ei arbed er mwyn y pum deg yna? Alla i ddim credu y byddet ti'n gwneud y fath beth – lladd pobl dduwiol hefo pobl ddrwg, a thrin y drwg a'r da yr un fath!

Fyddet ti byth yn gwneud hynny! Onid ydy Barnwr y byd yn gwneud beth sy'n iawn?"

A dyma'r ARGLWYDD yn ateb, "Os bydda i'n dod o hyd i bum deg o bobl dduwiol yn y ddinas, bydda i'n arbed y ddinas er eu mwyn nhw."

A dyma Abraham yn dweud eto, "Meistr, plîs paid â digio os gwna i siarad un waith eto. Beth os oes deg yno?" A dyma fe'n ateb, "Wna i ddim ei dinistrio os bydd deg yno."

Diwrnod 17

Achub Lot
(Genesis 19:1-29)

Dyma'r ddau angel yn cyrraedd Sodom pan oedd hi'n dechrau nosi. Roedd Lot yn eistedd wrth giât y ddinas.

Gofynnodd y ddau i Lot, "Oes gen ti berthnasau yma? Dos i'w nôl nhw a gadael y lle yma, achos dŷn ni'n mynd i ddinistrio'r ddinas. Mae pobl wedi bod yn cwyno'n ofnadwy am y lle, ac mae'r ARGLWYDD wedi ein hanfon ni i'w ddinistrio."

Ben bore wedyn gyda'r wawr dyma'r angylion yn dweud wrth Lot am frysio, "Tyrd yn dy flaen. Dos â dy wraig a'r ddwy ferch sydd gen ti, neu byddwch chithau'n cael eich lladd pan fydd y ddinas yn cael ei dinistrio!" Ond roedd yn llusgo'i draed, felly dyma'r dynion yn gafael yn Lot a'i wraig a'i ferched, a mynd â nhw allan o'r ddinas.

Yna dyma'r ARGLWYDD yn gwneud i dân a brwmstan syrthio o'r awyr ar Sodom a Gomorra. Cafodd y ddwy dref eu dinistrio'n llwyr, a phawb a phopeth arall yn y dyffryn, hyd yn oed y planhigion.

Dyma wraig Lot yn edrych yn ôl a syllu ar beth oedd yn digwydd, a chafodd ei throi yn golofn o halen.

Pan ddinistriodd Duw drefi'r dyffryn, roedd wedi cofio beth oedd wedi ei addo i Abraham. Roedd wedi achub Lot o ganol y dinistr.

25

ABRAHAM

Diwrnod 18

Geni Isaac
(Genesis 21:1-7, 22:1-5)

Gwnaeth yr ARGLWYDD yn union fel roedd wedi ei addo i Sara. Dyma hi'n beichiogi, ac yn cael mab i Abraham pan oedd e'n hen ddyn, ar yr union adeg roedd Duw wedi'i ddweud. Galwodd Abraham y mab gafodd Sara yn Isaac. (Roedd Abraham yn gan mlwydd oed pan gafodd Isaac ei eni.) A dyma Sara'n dweud,

"Mae Duw wedi gwneud i mi chwerthin yn llawen:
a bydd pawb sy'n clywed am y peth yn chwerthin gyda mi.
Fyddai neb erioed wedi dweud wrth Abraham,
'Bydd Sara yn magu plant'!
Ond dyma fi, wedi rhoi mab iddo, ac yntau'n hen ddyn!"

Beth amser wedyn dyma Duw yn rhoi Abraham ar brawf.

"Abraham!" meddai Duw.

"Ie, dyma fi," atebodd Abraham.

Ac meddai Duw wrtho, "Plîs, cymer dy fab Isaac – yr unig fab sydd gen ti, yr un rwyt ti'n ei garu – a dos i ardal Moreia. Yno dw i am i ti ei ladd a llosgi ei gorff yn offrwm ar un o'r mynyddoedd. Bydda i'n dangos i ti pa un."

Felly dyma Abraham yn codi'n fore, torri coed ar gyfer llosgi'r offrwm, a'u rhoi ar gefn ei asyn. Aeth â dau o'i weision ifanc gydag e, a hefyd ei fab, Isaac. A dechreuodd ar y daith i ble roedd Duw wedi dweud wrtho.

Ar ôl teithio am ddeuddydd roedd Abraham yn gweld pen y daith yn y pellter. Dwedodd wrth ei weision, "Arhoswch chi yma gyda'r asyn tra dw i a'r bachgen yn mynd draw acw. Dŷn ni'n mynd i addoli Duw, ac wedyn down ni'n ôl atoch chi."

ABRAHAM

Diwrnod 19

Duw yn Arbed Bywyd Isaac
(Genesis 22:6-13; 15-18)

Dyma Abraham yn rhoi'r coed ar gefn ei fab, Isaac. Wedyn cymerodd y tân a'r gyllell, ac aeth y ddau yn eu blaenau gyda'i gilydd.

Meddai Isaac wrth Abraham, "Dad, mae gen ti dân a choed ar gyfer llosgi'r offrwm, ond ble mae'r oen sydd i gael ei aberthu?"

"Bydd Duw ei hun yn gwneud yn siŵr fod oen gynnon ni i'w aberthu, machgen i," meddai Abraham.

Ar ôl cyrraedd y lle roedd Duw wedi sôn amdano, dyma Abraham yn adeiladu allor yno, ac yn gosod y coed ar yr allor. Wedyn dyma fe'n rhwymo ei fab Isaac ac yn ei roi i orwedd ar ben y coed ar yr allor. Gafaelodd Abraham yn y gyllell, ac roedd ar fin lladd ei fab. Ond dyma angel yr ARGLWYDD yn galw arno o'r nefoedd, "Abraham! Abraham!"

"Ie? dyma fi" meddai Abraham.

"Paid cyffwrdd y bachgen, na gwneud dim byd iddo. Dw i'n gwybod bellach dy fod ti'n parchu Duw. Roeddet ti hyd yn oed yn fodlon aberthu dy fab i mi – yr unig fab sydd gen ti."

Gwelodd Abraham hwrdd y tu ôl iddo. Roedd cyrn yr hwrdd wedi mynd yn sownd mewn drysni. Felly dyma Abraham yn cymryd yr hwrdd a'i losgi yn offrwm i Dduw yn lle ei fab.

Dyma angel yr ARGLWYDD yn galw ar Abraham eto. "Mae'r ARGLWYDD yn dweud, 'Am dy fod ti wedi gwneud beth wnest ti (roeddet ti'n fodlon aberthu dy fab i mi – yr unig fab sydd gen ti), dw i'n mynd i dy fendithio di go iawn a rhoi cymaint o ddisgynyddion i ti ag sydd o sêr yn yr awyr. Byddan nhw fel y tywod ar lan y môr. A byddan nhw'n concro dinasoedd eu gelynion. Trwy dy ddisgynyddion di bydd cenhedloedd y byd i gyd yn cael eu bendithio, am dy fod ti wedi gwneud beth ddwedais i.'"

ABRAHAM

29

ABRAHAM

Diwrnod 20

Gwraig i Isaac
(Genesis 24:1-27)

Roedd Abraham yn ddyn hen iawn. Roedd yr ARGLWYDD wedi ei fendithio ym mhob ffordd. Un diwrnod dyma Abraham yn dweud wrth ei brif was (sef yr un oedd yn gyfrifol am bopeth oedd ganddo), "Dw i eisiau i ti fynd i'm gwlad i, at fy mherthnasau, i chwilio am wraig i Isaac."

Cymerodd y gwas ddeg o gamelod ei feistr wedi eu llwytho â phob math o anrhegion, ac aeth i ffwrdd i dref Nachor yng Ngogledd Mesopotamia. Gwnaeth i'r camelod orwedd wrth y pydew dŵr oedd tu allan i'r dre. (Roedd hi'n hwyr yn y p'nawn, sef yr amser y byddai'r merched yn mynd allan i godi dŵr.) Dyma'r gwas yn gweddïo, "O ARGLWYDD, Duw fy meistr Abraham, arwain fi heddiw. Cadw dy addewid i'm meistr i. Dw i'n sefyll wrth ymyl y ffynnon yma, ac mae merched y dre yn dod allan i godi dŵr. Dw i am ofyn i un o'r merched ifanc, 'Wnei di godi dŵr i mi gael yfed?' Gad

i'r un rwyt ti wedi ei dewis i fod yn wraig i dy was Isaac ddweud, 'Gwnaf wrth gwrs! Gad i mi roi dŵr i dy gamelod di hefyd.' Bydda i'n gwybod wedyn dy fod ti wedi cadw dy addewid i'm meistr."

Cyn iddo orffen gweddïo roedd Rebeca wedi cyrraedd yno yn cario jwg dŵr ar ei hysgwydd. Aeth i lawr at y pydew, llenwi ei jwg, a dod yn ôl i fyny. Yna dyma'r gwas yn brysio draw ati a gofyn iddi, "Ga i ychydig o ddŵr i'w yfed gen ti?"

"Wrth gwrs, syr," meddai. A dyma hi'n tynnu'r jwg i lawr oddi ar ei hysgwydd ac yn rhoi diod iddo. Ar ôl gwneud hynny, dyma hi'n dweud, "Gad i mi godi dŵr i dy gamelod di hefyd." Ddwedodd y gwas ddim byd. Roedd yn sefyll yno yn syllu arni, i weld os oedd yr ARGLWYDD wedi rhoi taith lwyddiannus iddo ai peidio.

Pan oedd y camelod wedi gorffen yfed, dyma'r gwas yn rhoi modrwy drwyn werthfawr i'r ferch ifanc, a dwy freichled aur gostus hefyd. Gofynnodd iddi, "Merch pwy wyt ti? Fyddai gan dy dad le i ni aros dros nos?"

Atebodd hithau, "Dw i'n ferch i Bethwel, mab Milca a Nachor. Mae gynnon ni ddigon o wellt a bwyd i'r camelod, a lle i chithau aros dros nos."

Dyma'r gwas yn plygu i lawr ac yn addoli'r ARGLWYDD. "Bendith ar yr ARGLWYDD, Duw Abraham, fy meistr! Mae wedi bod yn gwbl ffyddlon i'w addewid. Mae'r ARGLWYDD wedi fy arwain i gartref teulu fy meistr!"

Diwrnod 21

Isaac a Rebeca
(Genesis 24:28-67)

Rhedodd Rebeca adre at ei mam, a dweud wrthi hi a phawb arall oedd yno am beth oedd wedi digwydd.

Dyma'i brawd Laban yn brysio allan i gyfarfod y dyn wrth y pydew. Aeth ato a dweud, "Tyrd, ti sydd wedi dy fendithio gan yr ARGLWYDD. Pam ti'n sefyll allan yma? Mae gen i le yn barod i ti yn y tŷ, ac mae lle i'r camelod hefyd."

Felly dyma gwas Abraham yn mynd i'r tŷ. Cafodd y camelod eu dadlwytho. Wedyn dyma fwyd yn cael ei baratoi iddyn nhw. Ond meddai'r gwas, "Dw i ddim am fwyta nes i mi ddweud pam dw i wedi dod yma."

"Iawn," meddai Laban, "dywed wrthon ni." Felly esboniodd y gwas y cwbl.

Dyma Laban a Bethwel yn dweud, "Mae'r ARGLWYDD tu ôl i hyn i gyd. Does dim byd allwn ni ei ddweud. Dyma Rebeca; dos â hi gyda ti. Mae'r ARGLWYDD wedi dangos ddigon clir mai hi sydd i fod yn wraig i fab dy feistr."

Un noson roedd Isaac wedi mynd allan am dro, a gwelodd gamelod yn dod i'w gyfeiriad. Gwelodd Rebeca Isaac hefyd. Daeth i lawr o'i chamel a gofyn i was Abraham, "Pwy ydy'r dyn acw sy'n dod i'n cyfeiriad ni?" Ac meddai'r gwas, "Fy meistr i ydy e." Felly dyma Rebeca yn rhoi fêl dros ei hwyneb.

Aeth Isaac â Rebeca i mewn i babell ei fam Sara, a'i chymryd hi'n wraig iddo'i hun. Roedd e'n ei charu hi'n fawr, ac roedd yn hapus eto ar ôl colli ei fam.

31

ISAAC

Diwrnod 22

Geni Jacob ac Esau
(Genesis 25:19-26)

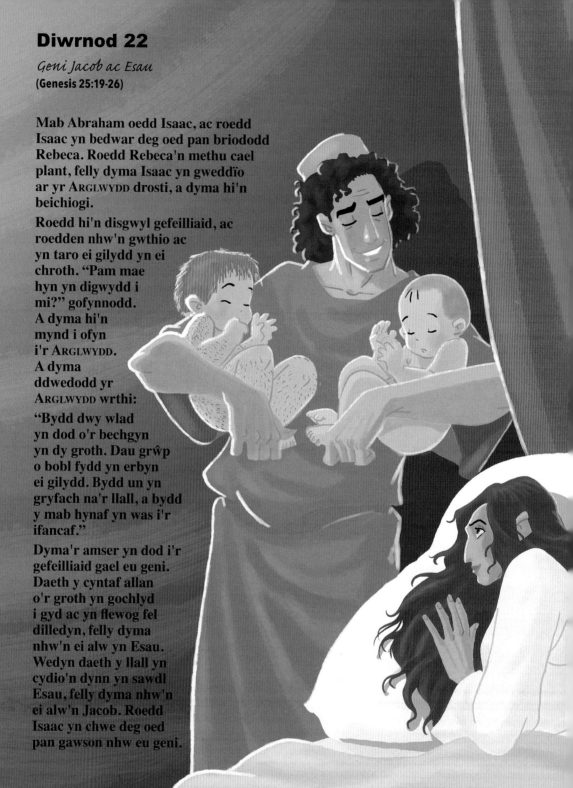

Mab Abraham oedd Isaac, ac roedd Isaac yn bedwar deg oed pan briododd Rebeca. Roedd Rebeca'n methu cael plant, felly dyma Isaac yn gweddïo ar yr ARGLWYDD drosti, a dyma hi'n beichiogi.

Roedd hi'n disgwyl gefeilliaid, ac roedden nhw'n gwthio ac yn taro ei gilydd yn ei chroth. "Pam mae hyn yn digwydd i mi?" gofynnodd. A dyma hi'n mynd i ofyn i'r ARGLWYDD. A dyma ddwedodd yr ARGLWYDD wrthi:

"Bydd dwy wlad yn dod o'r bechgyn yn dy groth. Dau grŵp o bobl fydd yn erbyn ei gilydd. Bydd un yn gryfach na'r llall, a bydd y mab hynaf yn was i'r ifancaf."

Dyma'r amser yn dod i'r gefeilliaid gael eu geni. Daeth y cyntaf allan o'r groth yn gochlyd i gyd ac yn flewog fel dilledyn, felly dyma nhw'n ei alw yn Esau. Wedyn daeth y llall yn cydio'n dynn yn sawdl Esau, felly dyma nhw'n ei alw'n Jacob. Roedd Isaac yn chwe deg oed pan gawson nhw eu geni.

Diwrnod 23

Jacob yn Twyllo Esau

(Genesis 25:27-34)

Pan oedd y bechgyn wedi tyfu roedd Esau yn heliwr gwych, wrth ei fodd yn mynd allan i'r wlad. Ond roedd Jacob yn fachgen tawel, yn hoffi aros gartre. Esau oedd ffefryn Isaac, am ei fod yn mwynhau bwyta'r anifeiliaid roedd wedi eu dal. Ond Jacob oedd ffefryn Rebeca.

Un tro pan oedd Jacob yn coginio cawl, dyma Esau yn dod i mewn wedi blino'n lân ar ôl bod allan yn hela. "Dw i bron marw eisiau bwyd," meddai. "Ga i beth o'r cawl coch yna i'w fwyta gen ti?"

"Cei os gwnei di werthu dy hawliau fel y mab hynaf i mi," meddai Jacob.

Atebodd Esau, "Fydd hawliau'r mab hynaf yn werth dim byd i mi os gwna i farw!"

"Rhaid i ti addo i mi ar lw," meddai Jacob. Felly dyma Esau yn addo ar lw, ac yn gwerthu hawliau'r mab hynaf i Jacob. Felly rhoddodd Jacob fara a chawl ffacbys i Esau. Ar ôl iddo fwyta ac yfed dyma Esau yn codi ar ei draed a cherdded allan. Roedd yn dangos ei fod yn malio dim am ei hawliau fel y mab hynaf.

Diwrnod 24

Isaac yn Bendithio Jacob
(Genesis 27:1-40)

Roedd Isaac yn hen ddyn ac yn dechrau mynd yn ddall. Dyma fe'n galw Esau, ei fab hynaf ato, a dweud, "Gwranda, dw i wedi mynd yn hen, a gallwn i farw unrhyw bryd. Cymer dy fwa, a chawell o saethau, a dos allan i hela i mi. Wedyn dw i am i ti baratoi y math o fwyd blasus dw i'n ei hoffi, i mi gael bwyta. Dw i wir eisiau dy fendithio di cyn i mi farw."

Tra roedd Isaac yn dweud hyn wrth Esau, roedd Rebeca wedi bod yn gwrando. Felly pan aeth Esau allan i hela dyma Rebeca'n mynd at Jacob a dweud wrtho, "Dewis ddau fyn gafr da i mi o'r praidd. Gwna i eu coginio a gwneud pryd blasus i dy dad – y math o fwyd mae'n ei hoffi. Cei di fynd â'r bwyd i dy dad iddo ei fwyta. Wedyn bydd e'n dy fendithio di cyn iddo farw."

"Ond mae Esau yn flewog i gyd," meddai Jacob wrth ei fam. "Croen meddal sydd gen i. Os gwnaiff dad gyffwrdd fi bydd yn gweld fy mod i'n ceisio ei dwyllo. Bydda i'n dod â melltith arna i fy hun yn lle bendith."

Ond dyma'i fam yn dweud, "Gad i'r felltith ddod arna i. Gwna di beth dw i'n ddweud. Dos i nôl y geifr."

Felly aeth Jacob i nôl y geifr, a dod â nhw i'w fam. A dyma'i fam yn eu coginio nhw, a gwneud y math o fwyd blasus roedd Isaac yn ei hoffi. Roedd dillad gorau Esau, ei mab hynaf, yn y tŷ gan Rebeca. Dyma hi'n eu cymryd nhw a gwneud i Jacob, ei mab ifancaf, eu gwisgo nhw. Wedyn dyma hi'n cymryd crwyn y myn geifr a'u rhoi nhw ar ddwylo a gwddf Jacob. Yna dyma hi'n rhoi'r bwyd blasus, gyda bara roedd hi wedi ei bobi, i'w mab Jacob.

Aeth Jacob i mewn at ei dad. "Dad," meddai.

"Ie, dyma fi," meddai Isaac. "Pa un wyt ti?"

"Esau, dy fab hynaf," meddai Jacob. "Dw i wedi gwneud beth ofynnaist ti i mi. Tyrd, eistedd i ti gael bwyta o'r helfa. Wedyn cei di fy mendithio i."

Ond meddai Isaac, "Sut yn y byd wnest ti ei ddal mor sydyn?"

A dyma Jacob yn ateb, "Yr Arglwydd dy Dduw wnaeth fy arwain i ato."

Wedyn dyma Isaac yn dweud wrth Jacob, "Tyrd yma i mi gael dy gyffwrdd di. Dw i eisiau bod yn siŵr mai Esau wyt ti."

Felly aeth Jacob at ei dad, a dyma Isaac yn gafael yn ei law. "Llais Jacob dw i'n ei glywed," meddai, "ond dwylo Esau ydy'r rhain." Felly dyma Isaac yn bendithio Jacob gan feddwl mai Esau oedd e.

Roedd Isaac newydd orffen bendithio Jacob, a Jacob prin wedi gadael, pan

ddaeth Esau i mewn ar ôl bod yn hela. Dyma yntau'n paratoi bwyd blasus, a mynd ag e i'w dad.

"Pwy wyt ti?" meddai Isaac wrtho.

"Esau, dy fab hynaf," meddai yntau.

Dechreuodd Isaac grynu drwyddo'n afreolus. "Ond pwy felly ddaeth â bwyd i mi ar ôl bod allan yn hela? Dw i newydd fwyta cyn i ti ddod i mewn, a'i fendithio fe. Bydd e wir yn cael ei fendithio!"

Pan glywodd Esau beth ddwedodd ei dad, dyma fe'n sgrechian gweiddi'n chwerw. "Bendithia fi! Bendithia fi hefyd dad!" meddai.

Ond meddai Isaac, "Mae dy frawd wedi fy nhwyllo i, a dwyn dy fendith."

"Ai dim ond un fendith sydd gen ti, dad?" meddai Esau. "Bendithia fi! Bendithia fi hefyd dad!" A dyma fe'n dechrau crïo'n uchel.

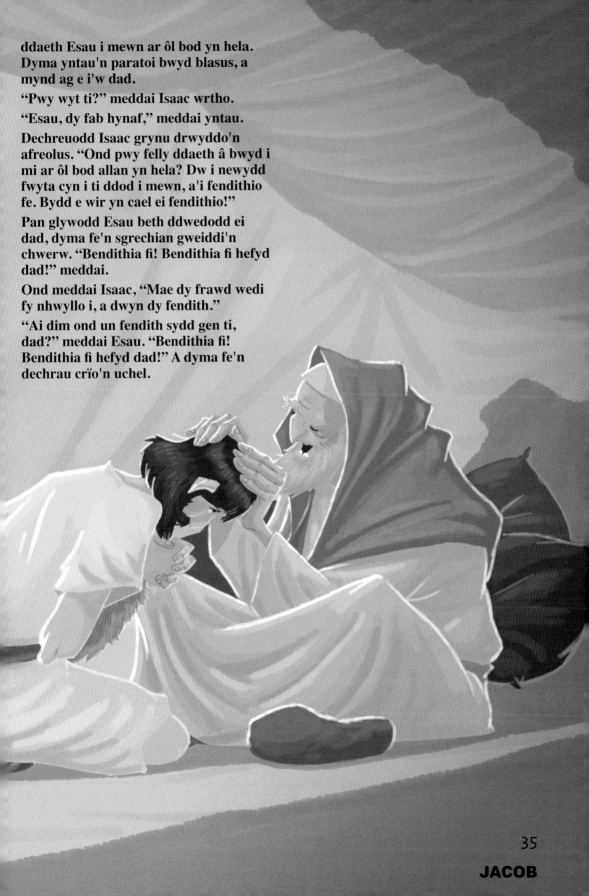

JACOB

Diwrnod 25

Rebeca yn Anfon Jacob i Ffwrdd

(Genesis 27:41-45)

Roedd Esau yn casáu Jacob o achos y fendith roedd ei dad wedi ei rhoi iddo. "Bydd dad wedi marw cyn bo hir," meddai'n breifat. "A dw i'n mynd i ladd Jacob wedyn."

Ond daeth Rebeca i glywed am beth roedd Esau yn ei ddweud. Felly dyma hi'n galw am Jacob ac yn dweud wrtho, "Mae dy frawd Esau yn bwriadu dial arnat ti trwy dy ladd di. Felly gwna di beth dw i'n ddweud. Rhaid i ti ddianc ar unwaith at fy mrawd Laban yn Haran. Aros yno gydag e am ychydig, nes bydd tymer dy frawd wedi tawelu.

Pan fydd e wedi anghofio beth wnest ti, gwna i anfon amdanat ti i ti gael dod yn ôl. Pam ddylwn i golli'r ddau ohonoch chi'r un diwrnod?"

Diwrnod 26

Breuddwyd Jacob

(Genesis 28:10-19)

Roedd Jacob wedi gadael Beersheba i fynd i Haran. Daeth i le arbennig a phenderfynu aros yno dros nos, am fod yr haul wedi machlud. Cymerodd gerrig oedd yno a'u gosod o gwmpas ei ben a gorwedd i lawr i gysgu. Cafodd freuddwyd. Roedd yn gweld grisiau yn codi'r holl ffordd o'r ddaear i'r nefoedd, ac angylion Duw yn mynd i fyny ac i lawr y grisiau, a'r ARGLWYDD yn sefyll ar dop y grisiau. "Fi ydy'r ARGLWYDD – Duw Abraham dy daid ac Isaac dy dad" meddai. "Dw i'n mynd i roi'r wlad yma lle rwyt ti'n gorwedd i ti a dy ddisgynyddion. Bydd gen ti ddisgynyddion i bob cyfeiriad – gogledd, de, gorllewin a dwyrain. Byddan nhw fel llwch ar y ddaear! A bydd pobloedd y byd i gyd yn cael eu bendithio trwot ti a dy ddisgynyddion. Dw i eisiau i ti wybod y bydda i gyda ti. Bydda i'n dy amddiffyn di ble bynnag ei di, ac yn dod â ti'n ôl yma. Wna i ddim dy adael di. Bydda i'n gwneud beth dw i wedi ei addo i ti."

Dyma Jacob yn deffro. "Mae'n rhaid bod yr ARGLWYDD yma," meddai, "a doeddwn i ddim yn sylweddoli hynny." Roedd e wedi dychryn, "Am le rhyfeddol! Mae Duw yn byw yma! Mae fel giât i mewn i'r nefoedd!"

Felly dyma Jacob yn codi'n gynnar. Cymerodd y garreg oedd wedi bod wrth ei ben, a'i gosod fel colofn, a thywallt olew drosti. Galwodd y lle yn Bethel.

37

JACOB

Diwrnod 27

Jacob a Laban ei ewythr
(Genesis 29:1-13)

Dyma Jacob yn bwrw ymlaen ar ei daith, a daeth ar draws pydew dŵr yng nghanol y wlad, a defaid yn gorwedd o gwmpas y pydew.

Gofynnodd Jacob i'r bugeiliaid oedd yno, "Ydych chi'n nabod Laban fab Nachor?"

"Ydyn," medden nhw. "Edrych, dyma Rachel, ei ferch, yn cyrraedd gyda'i defaid."

Pan welodd Jacob Rachel, merch ei ewythr Laban, aeth ati, a'i chyfarch gyda chusan. Roedd yn methu peidio crïo. Dwedodd wrth Rachel ei fod yn fab i'w modryb Rebeca. A dyma Rachel yn rhedeg i ddweud wrth ei thad.

Pan glywodd Laban y newyddion, rhuthrodd allan i gyfarfod Jacob a rhoddodd groeso brwd iddo.

Diwrnod 28

Jacob yn Priodi
(Genesis 29:15-30)

Roedd Jacob wedi aros gyda Laban am fis, ac meddai Laban wrtho, "Ddylet ti ddim bod yn gweithio i mi am ddim am dy fod yn perthyn i mi. Dywed beth rwyt ti eisiau'n gyflog." Roedd gan Laban ddwy ferch – Lea, yr hynaf, a Rachel, yr ifancaf. Roedd gan Lea lygaid hyfryd, ond roedd Rachel yn ferch siapus ac yn wirioneddol hardd.

Roedd Jacob wedi syrthio mewn cariad hefo Rachel, ac meddai wrth Laban, "Gwna i weithio i ti am saith mlynedd os ca i briodi Rachel."

Felly dyma Jacob yn gweithio am saith mlynedd er mwyn cael priodi Rachel. Ond roedd fel ychydig ddyddiau i Jacob am ei fod yn ei charu hi gymaint.

Ar ddiwedd y saith mlynedd dyma Jacob yn dweud wrth Laban, "Dw i wedi gweithio am yr amser wnaethon ni gytuno, felly rho fy ngwraig i mi." Felly dyma Laban yn trefnu parti i ddathlu, ac yn gwahodd pobl y cylch i gyd i'r parti. Ond ar ddiwedd y noson daeth Laban â'i ferch Lea at Jacob, a dyma Jacob yn cysgu gyda hi.

Y bore wedyn cafodd Jacob sioc. Aeth at Laban a dweud, "Roeddwn i wedi gweithio i ti er mwyn cael Rachel. Pam wyt ti wedi fy nhwyllo i?"

Ac meddai Laban, "Mae'n groes i'r arferiad yn ein gwlad ni i'r ferch ifancaf briodi o flaen yr hynaf. Disgwyl nes bydd yr wythnos yma o ddathlu drosodd, a gwna i roi Rachel i ti hefyd os gwnei di weithio i mi am saith mlynedd arall."

Felly gweithiodd Jacob i Laban am saith mlynedd arall.

JACOB

Diwrnod 29

Jacob yn Dianc
(Genesis 31:1-21)

Clywodd Jacob fod meibion Laban yn cwyno amdano. "Mae Jacob wedi cymryd popeth oddi ar dad. Mae wedi dod yn gyfoethog ar draul ein tad ni!"

Dyma'r ARGLWYDD yn dweud wrth Jacob, "Dos yn ôl adre at dy deulu a dy bobl. Bydda i gyda ti." Felly dyma Jacob yn anfon rhywun i nôl Rachel a Lea, a dod â nhw allan i'r wlad lle roedd y preiddiau. Dwedodd wrthyn nhw, "Mae'r ddwy ohonoch yn gwybod mor galed dw i wedi gweithio i'ch tad. Ond mae'ch tad wedi gwneud ffŵl ohono i, a newid fy nghyflog dro ar ôl tro. Ond wnaeth Duw ddim gadael iddo wneud niwed i mi. Pan oedd yn dweud, 'Y brychion fydd dy gyflog

di,' roedd yr anifeiliaid i gyd yn cael rhai bach oedd yn frych. Os oedd yn dweud, 'Y brithion fydd dy gyflog di,' roedd yr anifeiliaid i gyd yn cael rhai bach oedd yn frith. Felly Duw oedd yn rhoi anifeiliaid eich tad i mi.

"Ces i freuddwyd. Dyma angel Duw yn dweud wrtho i "Dos! dw i eisiau i ti adael y wlad yma a mynd yn ôl i'r wlad ble cest ti dy eni.'" A dyma Rachel a Lea yn ei ateb, "Gwna beth mae Duw wedi ei ddweud wrthot ti."

Felly dyma Jacob yn paratoi i fynd. Rhoddodd ei blant a'i wragedd ar gefn camelod. Casglodd ei anifeiliaid a'i eiddo i gyd i fynd adre at ei dad Isaac yn Canaan.

Ond dyma Rachel yn dwyn yr eilun-ddelwau teuluol tra roedd Laban wedi mynd i gneifio ei ddefaid. Ac roedd Jacob hefyd yn twyllo Laban drwy redeg i ffwrdd heb ddweud wrtho.

Diwrnod 30

Laban yn mynd ar ôl Jacob
(Genesis 31:22-42)

Ddeuddydd wedyn dyma Laban yn darganfod fod Jacob wedi mynd. Felly aeth Laban a'i berthnasau ar ei ôl.

Ar ôl teithio am wythnos roedden nhw bron â'i ddal ym mryniau Gilead. Ond dyma Duw yn siarad â Laban mewn breuddwyd y noson honno. Dwedodd wrtho, "Paid ti dweud dim byd i fygwth Jacob."

Roedd Jacob wedi codi gwersyll ym mryniau Gilead. A dyma Laban yn mynd at Jacob a dweud, "Beth rwyt ti wedi'i wneud? Ti wedi fy nhwyllo i. Ti wedi cymryd fy merched i ffwrdd fel tasen nhw'n garcharorion rhyfel! Dw i'n derbyn fod gen ti hiraeth go iawn am dy dad a'i deulu, ond pam roedd rhaid i ti ddwyn fy nuwiau?"

A dyma Jacob yn ei ateb, "Wnes i redeg i ffwrdd am fod arna i ofn. Roeddwn i'n meddwl y byddet ti'n cymryd dy ferched oddi arna i. Bydd pwy bynnag sydd wedi cymryd dy dduwiau di yn marw!" (Doedd Jacob ddim yn gwybod fod Rachel wedi eu dwyn nhw.)

41

Felly dyma Laban yn mynd i bebyll Jacob, Lea, a'r ddwy forwyn, ond methu dod o hyd i'r eilun-ddelwau. Ond roedd Rachel wedi cymryd yr eilun-ddelwau a'u rhoi nhw yn y bag cyfrwy ar ei chamel, ac yna eistedd arnyn nhw. Er i Laban chwilio ym mhobman wnaeth e ddim dod o hyd iddyn nhw.

Erbyn hyn roedd Jacob wedi gwylltio, "Dw i wedi gweithio fel caethwas i ti am ugain mlynedd. Roedd rhaid i mi weithio am un deg pedair blynedd i briodi dy ddwy ferch, a chwe blynedd arall am dy anifeiliaid. Ond roedd Duw wedi gweld sut roeddwn i'n cael fy nhrin ac mor galed roeddwn i wedi gweithio. A dyna pam wnaeth e dy geryddu di neithiwr."

Diwrnod 31

Gwneud Cytundeb

(Genesis 31:43-55)

Meddai Laban wrth Jacob, "Fy merched i ydy'r rhain, ac mae'r plant yma yn wyrion ac wyresau i mi. Sut alla i wneud drwg i'm merched a'u plant? Tyrd, gad i'r ddau ohonon ni wneud cytundeb gyda'n gilydd. Bydd Duw yn dyst rhyngon ni." Felly dyma nhw'n casglu cerrig ac yn eu codi'n garnedd, a chael pryd o fwyd gyda'i gilydd yno.

"Mae'r garnedd yma yn dystiolaeth ein bod ni wedi gwneud cytundeb," meddai Laban. "Boed i'r ARGLWYDD ein gwylio ni'n dau pan na fyddwn ni'n gweld ein

gilydd. Os gwnei di gam-drin fy merched i neu briodi merched eraill, er bod neb arall yno, cofia fod Duw yn gweld popeth wnei di."

Ac meddai, "Mae'r garnedd yma a'r golofn yn ein hatgoffa ni o hyn: Dw i ddim i ddod heibio'r lle yma i wneud drwg i ti, a dwyt ti ddim i ddod heibio'r fan yma i wneud drwg i mi."

Felly dyma Jacob yn gwneud adduned i'r Duw roedd ei dad Isaac yn ei addoli. A dyma fe'n cyflwyno aberth i Dduw ar y mynydd a gwahodd ei deulu i gyd i fwyta. A dyma nhw'n aros yno drwy'r nos.

Yn gynnar y bore wedyn dyma Laban yn rhoi cusan i'w ferched a'u plant ac yn eu bendithio nhw cyn troi am adre.

Diwrnod 32

Jacob yn ymladd gyda Duw
(Genesis 32:1-32)

Aeth Jacob ymlaen ar ei daith, a dyma fe'n anfon negeswyr at ei frawd Esau yn ardal Seir yn Edom. "Dwedwch wrtho, 'Dyma mae dy was Jacob yn ei ddweud: Dw i wedi bod yn aros gyda Laban. Mae gen i ychen, asynnod, defaid a geifr, gweision a morynion. Dw i'n anfon i ddweud wrthot ti yn y gobaith y gwnei di fy nerbyn i.'"

Pan ddaeth y negeswyr yn ôl at Jacob dyma nhw'n dweud wrtho, "Aethon ni at dy frawd Esau, ac mae ar ei ffordd i dy gyfarfod di. Mae pedwar cant o ddynion gydag e."

Roedd gan Jacob ofn am ei fywyd. Rhannodd y bobl oedd gydag e yn ddau grŵp. "Os bydd Esau yn ymosod ar un grŵp," meddyliodd, "bydd y grŵp arall yn gallu dianc."

Gweddïodd Jacob, "Plîs wnei di'n achub i o afael fy mrawd Esau? Mae gen i ofn iddo ymosod arna i, a lladd y gwragedd a'r plant."

Ar ôl aros yno dros nos anfonodd Jacob rai o'i anifeiliaid yn rhodd i Esau. Dwedodd wrth y gwas fyddai'n arwain y grŵp cyntaf, "Pan fydd fy mrawd Esau yn dy gyfarfod di dywed wrtho, 'Dy was

Jacob piau'r rhain. Mae'n eu hanfon nhw yn anrheg i ti syr.'" Dwedodd yr un peth wrth yr ail was a'r trydydd, a'r gweision oedd yn dilyn yr anifeiliaid.

Roedd Jacob yn gobeithio y byddai'r anrhegion yn ei dawelu cyn i'r ddau gyfarfod wyneb yn wyneb. Roedd yn gobeithio y byddai Esau yn ei dderbyn wedyn. Felly cafodd yr anifeiliaid eu hanfon o'i flaen. Ond arhosodd Jacob yn y gwersyll y noson honno.

Yn ystod y nos dyma Jacob yn codi a chroesi rhyd Jabboc gyda'i ddwy wraig, ei ddwy forwyn a'i un deg un mab. Ar ôl mynd â nhw ar draws dyma fe'n anfon pawb a phopeth arall oedd ganddo drosodd.

Roedd Jacob ar ei ben ei hun. A dyma ddyn yn dod ac ymladd gydag e nes iddi wawrio. Pan welodd y dyn ei fod e ddim yn ennill, dyma fe'n taro Jacob yn ei glun a'i rhoi o'i lle. "Gad i mi fynd," meddai'r dyn, "mae hi'n dechrau gwawrio."

"Na!" meddai Jacob,

"wna i ddim gadael i ti fynd nes i ti fy mendithio i."

Felly dyma'r dyn yn gofyn iddo, "Beth ydy dy enw di?"

"Jacob," meddai.

A dyma'r dyn yn dweud wrtho, "Fyddi di ddim yn cael dy alw yn Jacob o hyn ymlaen. Israel fydd dy enw di. Am dy fod ti wedi ymladd gyda Duw a phobl, ac wedi ennill."

Gofynnodd Jacob iddo, "Beth ydy dy enw di?"

"Pam rwyt ti'n gofyn am fy enw i?" meddai'r dyn. Ac wedyn dyma fe'n bendithio Jacob.

"Dw i wedi gweld Duw wyneb yn wyneb," meddai Jacob, "a dw i'n dal yn fyw!"

Diwrnod 33

Jacob ac Esau yn cyfarfod
(Genesis 33:1-17)

Edrychodd Jacob a gweld Esau yn dod yn y pellter gyda phedwar cant o ddynion. Rhoddodd y ddwy forwyn a'u plant ar y blaen, wedyn Lea a'i phlant hi, a Rachel a Joseff yn olaf. Aeth Jacob ei hun o'u blaenau nhw i gyd. Ymgrymodd yn isel saith gwaith wrth iddo agosáu at ei frawd. Ond rhedodd Esau ato a'i gofleidio'n dynn a'i gusanu. Roedd y ddau ohonyn nhw'n crïo.

Pan welodd Esau y gwragedd a'r plant, gofynnodd "Pwy ydy'r rhain?"

A dyma Jacob yn ateb, "Dyma'r plant mae Duw wedi bod mor garedig â'u rhoi i dy was."

"Beth oedd dy fwriad di yn anfon yr anifeiliaid yna i gyd ata i?" meddai Esau.

Atebodd Jacob, "Er mwyn i'm meistr fy nerbyn i."

"Mae gen i fwy na digon, fy mrawd," meddai Esau. "Cadw beth sydd piau ti."

"Na wir, plîs cymer nhw," meddai Jacob. "Os wyt ti'n fy nerbyn i, derbyn nhw fel anrheg gen i. Mae Duw wedi bod mor garedig ata i. Mae gen i bopeth dw i eisiau." Am ei fod yn pwyso arno dyma Esau yn ei dderbyn.

Wedyn dyma Esau yn dweud, "I ffwrdd â ni felly! Gwna i'ch arwain chi."

Ond atebodd Jacob, "Dos di o flaen dy was. Bydda i'n dod yn araf ar dy ôl di – mor gyflym ac y galla i gyda'r anifeiliaid a'r plant. Gwna i dy gyfarfod di yn Seir."

"Gad i mi adael rhai o'r dynion yma i fynd gyda ti," meddai Esau wedyn.

"I beth?" meddai Jacob. "Mae fy meistr wedi bod mor garedig yn barod."

Felly dyma Esau yn troi'n ôl am Seir. Ond aeth Jacob i'r cyfeiriad arall, i Swccoth. Dyma fe'n adeiladu tŷ iddo'i hun yno, a chytiau i'w anifeiliaid gysgodi.

47

JACOB

Diwrnod 34

Breuddwyd Joseff
(Genesis 37:1-11)

Dyma Jacob yn setlo yn y rhan o wlad Canaan roedd ei dad Isaac wedi ymfudo iddi.

Pan oedd ei fab Joseff yn un deg saith oed, roedd gyda'i frodyr yn gofalu am y preiddiau. Roedd ei dad yn caru Joseff fwy na'i feibion eraill i gyd, ac roedd wedi gwneud côt sbesial iddo. Ond roedd ei frodyr yn ei gasáu, a ddim yn gallu dweud run gair caredig wrtho.

Ond wedyn cafodd Joseff freuddwyd. Pan ddwedodd wrth ei frodyr am y freuddwyd roedden nhw'n ei gasáu e fwy fyth. "Gwrandwch ar y freuddwyd yma ges i," meddai wrthyn nhw. "Roedden ni i gyd wrthi'n rhwymo ysgubau mewn cae. Yn sydyn dyma fy ysgub i'n codi ac yn sefyll yn syth. A dyma'ch ysgubau chi yn casglu o'i chwmpas ac yn ymgrymu iddi!"

"Wyt ti'n meddwl dy fod ti'n frenin neu rywbeth?" medden nhw. "Wyt ti'n mynd i deyrnasu droson ni?" Ac roedden nhw'n ei gasáu e fwy fyth o achos y freuddwyd a beth ddwedodd e wrthyn nhw.

Wedyn cafodd Joseff freuddwyd arall, a dwedodd am honno wrth ei frodyr hefyd. "Dw i wedi cael breuddwyd arall," meddai. "Roedd yr haul a'r lleuad ac un deg un o sêr yn ymgrymu o'm blaen i." Ond pan ddwedodd wrth ei dad a'i frodyr am y freuddwyd, dyma'i dad yn dweud y drefn wrtho. "Sut fath o freuddwyd ydy honna?" meddai wrtho. "Wyt ti'n meddwl fy mod i a dy fam a dy frodyr yn mynd i ddod ac ymgrymu o dy flaen di?"

Roedd ei frodyr yn genfigennus ohono. Ond roedd ei dad yn cadw'r peth mewn cof.

Diwrnod 35

Taflu Joseff i bydew
(Genesis 37:12-24)

Roedd ei frodyr wedi mynd ag anifeiliaid eu tad i bori wrth ymyl Sichem. A dyma'i dad yn dweud wrth Joseff, "Dos i weld sut mae dy frodyr, a sut mae'r praidd. Wedyn tyrd yn ôl i ddweud wrtho i."

Dyma Joseff yn dod o hyd i'w frodyr yn Dothan.

Roedden nhw wedi ei weld yn dod o bell. Cyn iddo gyrraedd dyma nhw'n cynllwynio i'w ladd. "Edrychwch, mae'r breuddwydiwr mawr yn dod!" medden nhw. "Gadewch i ni ei ladd. Gallwn ei daflu i mewn i bydew, a dweud fod anifail gwyllt wedi ei ladd. Cawn weld beth ddaw o'i freuddwydion wedyn!"

Dyma Reuben yn digwydd clywed beth ddwedon nhw, a llwyddodd i achub bywyd Joseff. "Na, gadewch i ni beidio â'i ladd," meddai wrthyn nhw. "Peidiwch tywallt gwaed. Taflwch e i mewn i'r pydew yma yn yr anialwch, ond peidiwch gwneud niwed iddo." (Bwriad Reuben oedd achub Joseff, a mynd ag e yn ôl at ei dad.)

Felly pan ddaeth Joseff at ei frodyr, dyma nhw'n tynnu ei gôt oddi arno a'i daflu i mewn i bydew.

Diwrnod 36

Cymryd Joseff i'r Aifft
(Genesis 37:25-36)

Pan oedd brodyr Joseff yn eistedd i lawr i fwyta, dyma nhw'n gweld carafán o Ismaeliaid yn teithio o gyfeiriad Gilead. Roedd ganddyn nhw gamelod yn cario gwm balm a myrr i lawr i'r Aifft. A dyma Jwda'n dweud wrth ei frodyr, "Dewch, gadewch i ni werthu Joseff i'r Ismaeliaid acw. Ddylen ni ddim gwneud niwed iddo. Wedi'r cwbl mae yn frawd i ni." A dyma'r brodyr yn cytuno. Felly pan ddaeth y masnachwyr o Midian heibio, dyma nhw'n tynnu Joseff allan o'r pydew, a'i werthu i'r Ismaeliaid am ugain darn o arian. A dyma'r Ismaeliaid yn mynd â Joseff gyda nhw i'r Aifft.

Yna dyma'r brodyr yn cymryd côt Joseff, lladd gafr a throchi'r gôt yng ngwaed yr anifail. Wedyn dyma nhw'n mynd â'r gôt sbesial at eu tad, a dweud, "Daethon ni o hyd i hon. Pwy sydd piau hi? Ai côt dy fab di ydy hi neu ddim?" Dyma Jacob yn nabod y gôt. "Ie, côt fy mab i ydy hi! Mae'n rhaid bod anifail gwyllt wedi ymosod arno a'i rwygo'n ddarnau!"

A dyma fe'n rhwygo ei ddillad a gwisgo sachliain. A buodd yn galaru am ei fab am amser hir. Roedd ei feibion a'i ferched i gyd yn ceisio ei gysuro, ond roedd yn gwrthod codi ei galon. "Dw i'n mynd i fynd i'r bedd yn dal i alaru am fy mab," meddai. Ac roedd yn beichio crïo.

51

Diwrnod 37

Yn nhŷ Potiffar
(Genesis 39:1-6)

Cafodd Joseff ei gymryd i lawr i'r Aifft gan yr
Ismaeliaid. A dyma un o swyddogion y Pharo,
sef Potiffar, capten y gwarchodlu, yn ei brynu e
ganddyn nhw. Roedd yr ARGLWYDD yn gofalu am
Joseff. Roedd pethau'n mynd yn dda iddo wrth iddo
weithio yn nhŷ ei feistr yn yr Aifft. Sylwodd ei feistr
fod yr ARGLWYDD yn gofalu am Joseff a bod popeth
roedd e'n ei wneud yn llwyddo. Felly am fod Joseff
yn ei blesio, gwnaeth Potiffar e'n was personol iddo'i
hun. Joseff oedd yn rhedeg popeth oedd yn digwydd
yn y tŷ, am fod Potiffar wedi rhoi'r cwbl oedd
ganddo yn ei ofal. Ac o'r diwrnod y cafodd Joseff ei
benodi i'r swydd roedd yr ARGLWYDD yn bendithio
tŷ'r Eifftiwr a'i dir. Felly Joseff oedd yn gofalu am
bopeth. Doedd Potiffar yn gorfod poeni am ddim
byd ond beth roedd e i'w fwyta.

53

JOSEFF

Diwrnod 38

Joseff yn y carchar
(Genesis 39:7-20)

Roedd Joseff yn ddyn ifanc cryf a golygus. Roedd gwraig Potiffar yn ffansïo Joseff, ac meddai wrtho, "Tyrd i'r gwely hefo fi." Ond gwrthododd Joseff, a dweud wrthi, "Mae fy meistr yn trystio fi'n llwyr. Mae e wedi rhoi popeth sydd ganddo yn fy ngofal i. Dydy e'n cadw dim oddi wrtho i ond ti, gan mai ei wraig e wyt ti. Felly sut allwn i feiddio gwneud y fath beth, a phechu yn erbyn Duw?"

Ond un diwrnod, pan aeth e i'r tŷ i wneud ei waith, a neb arall yno, dyma hi'n gafael yn ei ddillad, a dweud, "Tyrd i'r gwely hefo fi!" Ond dyma Joseff yn gadael ei gôt allanol yn ei llaw, ac yn rhedeg allan. Pan welodd hi ei fod wedi gadael ei gôt dyma hi'n galw ar weision y tŷ a dweud, "Edrychwch, mae fy ngŵr wedi dod â'r Hebrëwr aton ni i'n cam-drin ni. Ceisiodd fy nhreisio i. Pan glywodd fi'n gweiddi a sgrechian gadawodd ei gôt wrth fy ymyl a dianc."

Cadwodd y dilledyn wrth ei hymyl nes i Potiffar ddod adre. Wedyn dwedodd yr un stori wrtho fe. "Daeth yr Hebrëwr yna ddoist ti ag e yma i mewn ata i a cheisio fy nghamdrin i!"

Roedd Potiffar yn gynddeiriog a taflodd Joseff i'r carchar.

JOSEFF

Diwrnod 39

Joseff yn esbonio ystyr breuddwydion
(Genesis 40:1-23)

Roedd prif-fwtler a phen-pobydd y palas brenhinol wedi pechu yn erbyn eu meistr, brenin yr Aifft, a thaflodd nhw i'r carchar ble roedd Joseff.

Un noson dyma'r ddau yn cael breuddwyd, ac roedd ystyr arbennig i'r ddwy freuddwyd. Pan aeth Joseff i mewn atyn nhw y bore wedyn, sylwodd fod y ddau yn poeni am rywbeth. Dyma nhw'n dweud wrtho, "Mae'r ddau ohonon ni wedi cael breuddwydion, ond does neb yn gallu esbonio'r ystyr i ni." Atebodd Joseff, "Dim ond Duw sy'n gallu esbonio'r ystyr. Dwedwch wrtho i beth oedd y breuddwydion."

Felly dyma'r prif-fwtler yn dweud wrth Joseff, "Yn fy mreuddwyd i roeddwn i'n gweld gwinwydden a thair cangen arni. Dechreuodd flaguro a blodeuo, ac wedyn roedd sypiau o rawnwin yn aeddfedu arni. Roedd cwpan y Pharo yn fy llaw. A dyma fi'n cymryd y grawnwin a gwasgu eu sudd i mewn i gwpan y Pharo, a'i roi iddo i'w yfed."

Dwedodd Joseff wrtho, "Dyma'r ystyr. Mae'r tair cangen y cynrychioli tri diwrnod. O fewn tri diwrnod bydd y Pharo yn rhoi dy swydd yn ôl i ti. Ond cofia amdana i pan fydd pethau'n mynd yn dda arnat ti. Gwna ffafr â mi, a sonia wrth y Pharo amdana i, i minnau gael dod allan o'r carchar yma. Ddeuddydd wedyn rhoddodd y Pharo ei swydd yn ôl i'r prif-fwtler, fel roedd Joseff wedi dweud. Ond anghofiodd yn llwyr am Joseff.

Diwrnod 40

Breuddwyd y Pharo
(Genesis 41:1-32)

Aeth dwy flynedd gyfan heibio.
A dyma'r Pharo yn cael breuddwyd.
Roedd yn sefyll wrth yr afon Nil, a
dyma saith o wartheg, oedd yn edrych
yn dda ac wedi eu pesgi, yn dod allan
o'r afon a dechrau pori ar y lan. Ac
wedyn dyma saith o wartheg eraill yn
dod allan o'r afon ar eu holau. Roedd
golwg denau, wael ar y rhain. A dyma'r
gwartheg tenau, gwael yn bwyta'r
gwartheg oedd yn edrych yn dda. Ac
wedyn dyma'r Pharo'n deffro. Pan
aeth yn ôl i gysgu cafodd freuddwyd
arall. Gwelodd saith tywysen o rawn,
rhai oedd yn edrych yn llawn ac yn
iach, yn tyfu ar un gwelltyn. A dyma
saith dywysen arall yn tyfu ar eu holau,
rhai gwael wedi eu crino gan wynt y
dwyrain. A dyma'r tywysennau gwael
yn llyncu'r tywysennau iach. Deffrodd
y Pharo a sylweddoli mai breuddwyd
arall oedd hi.

Y bore wedyn roedd yn teimlo'n
anesmwyth, felly galwodd swynwyr doeth
yr Aifft i'w weld. Dwedodd wrthyn nhw
am ei freuddwyd ond doedd neb yn gallu
esbonio'r ystyr iddo.

Yna dyma'r prif-fwtler yn mynd i siarad
â'r Pharo, "Dw i newydd gofio rhywbeth,"
meddai. "Roedd y Pharo wedi gwylltio
gyda'i weision, ac wedi fy anfon i a'r pen-
pobydd i'r carchar. Cafodd y ddau ohonon
ni freuddwyd ar yr un noson. Roedd
Hebrëwr ifanc yn y carchar. Pan ddwedon
wrtho am ein breuddwydion, dyma fe'n
esbonio ystyr y ddwy freuddwyd.
A digwyddodd popeth yn union fel roedd
wedi dweud."

Felly dyma'r Pharo yn anfon am Joseff;
a dyma nhw'n dod ag e allan o'i gell dan
ddaear ar frys. Ar ôl iddo siafio a gwisgo
dillad glân, dyma fe'n cael ei ddwyn o
flaen y Pharo. A dyma'r Pharo yn dweud
wrtho, "Dw i'n deall dy fod ti'n gallu
dehongli breuddwydion." Atebodd
Joseff, "Dim fi. Duw ydy'r unig un sy'n
gallu dweud wrth y Pharo sut fydd e'n
llwyddo." Felly dyma'r Pharo'n dweud
wrth Joseff am ei freuddwydion. Yna
dyma Joseff yn dweud wrth y Pharo,
"Yr un ystyr sydd i'r ddwy freuddwyd.
Mae Duw wedi dangos i'r Pharo beth mae
ar fin ei wneud. Saith mlynedd ydy'r saith
o wartheg sy'n edrych yn dda, a saith
mlynedd ydy'r saith dywysen iach. Mae
saith mlynedd yn dod pan fydd digonedd o
fwyd yng ngwlad yr Aifft. Ond bydd saith
mlynedd o newyn yn dilyn, a fydd dim sôn
am y blynyddoedd llewyrchus am fod y
newyn mor ddifrifol."

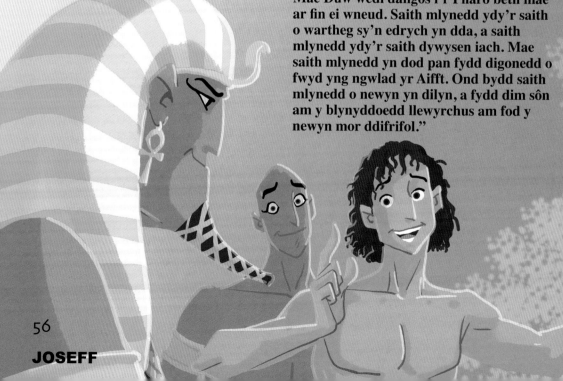

57

JOSEFF

Diwrnod 41

Joseff yn brif-weinidog yr Aifft

(Genesis 41:33-45)

Meddai Joseff, "Dylai'r Pharo ddewis dyn galluog a doeth i reoli gwlad yr Aifft. Dylai benodi swyddogion ar hyd a lled y wlad, i gasglu un rhan o bump o gynnyrch y tir yn ystod y saith mlynedd o ddigonedd. Dylen nhw gasglu'r cnydau yma o'r blynyddoedd da. A dylid storio'r grawn ar gyfer y saith mlynedd o newyn sy'n mynd i daro gwlad yr Aifft. Wedyn fydd y newyn ddim yn rhoi diwedd llwyr ar y wlad."

Roedd y cyngor roddodd Joseff yn gwneud sens i'r Pharo a'i swyddogion. A dwedodd y Pharo wrth ei swyddogion, "Ydyn ni'n mynd i ddod o hyd i unrhyw un tebyg i'r dyn yma? Mae Ysbryd Duw ynddo."

Felly dyma'r Pharo yn dweud wrth Joseff, "Gan fod Duw wedi dangos hyn i gyd i ti, dw i'n rhoi'r gwaith o reoli'r cwbl i ti. Dw i'n dy osod di yn bennaeth ar wlad yr Aifft i gyd." Tynnodd ei sêl-fodrwy oddi ar ei fys a'i rhoi hi ar fys Joseff. Wedyn dyma fe'n arwisgo Joseff â gŵn o liain main drud a rhoi cadwyn aur am ei wddf. Gwnaeth iddo deithio yn ei ail gerbyd, gyda rhai yn gweiddi o'i flaen "I lawr ar eich gliniau!"

Felly dyma Joseff yn mynd ati i reoli gwlad yr Aifft.

Diwrnod 42

Saith mlynedd o newyn

(Genesis 41:46-57)

Tri deg oed oedd Joseff pan ddechreuodd weithio i'r Pharo, brenin yr Aifft. Dyma fe'n teithio drwy wlad yr Aifft i gyd. Yn ystod y saith mlynedd o ddigonedd cafwyd cnydau gwych yn y wlad. Casglodd Joseff y grawn oedd dros ben yn yr Aifft a'i storio yn y trefi. Ym mhob tref roedd yn storio cynnyrch yr ardal o'i chwmpas. Llwyddodd i storio swm aruthrol fawr o ŷd. Roedd fel y tywod ar lan y môr. Roedd rhaid stopio ei bwyso i gyd am fod gormod ohono.

Dyma'r saith mlynedd o ddigonedd yng ngwlad yr Aifft yn dod i ben. A dechreuodd saith mlynedd o newyn, yn union fel roedd Joseff wedi dweud. Roedd newyn yn y gwledydd o gwmpas i gyd ond roedd bwyd i'w gael yn yr Aifft. Pan oedd y newyn wedi dod a tharo'r Aifft, dyma'r bobl yn galw ar y Pharo am fwyd. A dyma'r Pharo yn dweud, "Ewch i weld Joseff, a gwnewch beth bynnag mae e'n ddweud." Pan oedd y newyn yn lledu drwy'r byd, agorodd Joseff y stordai a dechrau gwerthu ŷd i bobl yr Aifft. Roedd pobl o bob gwlad yn dod i'r Aifft at Joseff i brynu ŷd am fod y newyn mor drwm yn y gwledydd hynny i gyd.

59

JOSEFF

Diwrnod 43

Brodyr Joseff yn mynd i'r Aifft
(Genesis 42:1-24)

Clywodd Jacob fod ŷd ar werth yn yr Aifft. "Dw i wedi clywed fod ŷd yn yr Aifft," meddai wrth ei feibion. "Ewch i lawr yno i brynu peth i ni er mwyn i ni gael byw yn lle marw." Felly dyma ddeg o frodyr Joseff yn mynd i lawr i'r Aifft i brynu ŷd. Ond wnaeth Jacob ddim anfon Benjamin, brawd Joseff, gyda'r brodyr eraill. Roedd arno ofn i rywbeth ddigwydd iddo.

Joseff oedd yn rheoli gwlad yr Aifft, a fe oedd yn gwerthu'r ŷd i bobl. A daeth brodyr Joseff yno ac yn ymgrymu o'i flaen. Dyma Joseff yn eu nabod nhw, ond doedden nhw ddim wedi ei nabod e.

"O ble dych chi'n dod?" meddai.

A dyma nhw'n ateb, "O wlad Canaan. Dŷn ni wedi dod yma i brynu bwyd. Mae dy weision yn ddeuddeg brawd. Dŷn ni i gyd yn feibion i'r un dyn. Mae'r ifancaf adre gyda'n tad, ac mae un wedi marw."

Dyma Joseff yn cofio'r breuddwydion roedd wedi eu cael amdanyn nhw. Ac meddai wrthyn nhw, "Ysbiwyr ydych chi! Dych chi wedi dod i weld lle fyddai'n hawdd i chi ymosod ar y wlad!

Dw i'n mynd i'ch profi chi. Os ydych chi wir yn ddynion gonest, bydd rhaid i un ohonoch chi aros yma yn y carchar, a chaiff y lleill ohonoch chi fynd ag ŷd yn ôl i'ch teuluoedd. Ond rhaid i chi ddod â'ch brawd ifancaf yma ata i. Wedyn bydda i'n gwybod eich bod chi'n dweud y gwir, a fydd dim rhaid i chi farw."

Dyma'r brodyr yn cytuno. Ond medden nhw wrth ei gilydd, "Dŷn ni'n talu'r pris am beth wnaethon ni i Joseff. Roedden ni'n gweld yn iawn gymaint roedd e wedi dychryn, pan oedd yn pledio am drugaredd. Ond wnaethon ni ddim gwrando. Dyna pam mae hyn i gyd wedi digwydd i ni."

"Ddwedais i wrthoch chi am beidio gwneud niwed i'r bachgen, ond wnaethoch chi ddim gwrando," meddai Reuben. "A nawr mae'n rhaid i ni dalu am dywallt ei waed!" (Doedden nhw ddim yn sylweddoli fod Joseff yn deall popeth roedden nhw'n ei ddweud. Roedd wedi bod yn siarad â nhw drwy gyfieithydd.) Dyma Joseff yn eu gadael nhw ac yn torri i lawr i grïo.

Pan ddaeth yn ôl i siarad â nhw eto, dyma fe'n dewis Simeon i'w gadw yn y ddalfa, a gorchymyn ei rwymo yn y fan a'r lle.

61

Diwrnod 44

Brodyr Joseff yn mynd yn ôl i Canaan
(Genesis 42:25-38)

Dyma Joseff yn gorchymyn llenwi sachau ei frodyr ag ŷd a rhoi arian pob un ohonyn nhw yn ôl yn ei sach.

Pan wnaethon nhw stopio i aros dros nos, agorodd un ohonyn nhw ei sach i fwydo'i asyn. A dyna lle roedd ei arian yng ngheg y sach. Aeth i ddweud wrth ei frodyr, "Mae fy arian wedi cael ei roi yn ôl. Roedd yn y sach!" Roedden nhw wedi dychryn go iawn. "Be mae Duw wedi ei wneud?" medden nhw.

Pan gyrhaeddon nhw adre i wlad Canaan at eu tad Jacob, dyma nhw'n dweud wrtho am bopeth oedd wedi digwydd.

"Dych chi'n fy ngwneud i'n ddi-blant fel hyn," meddai Jacob. "Mae Joseff wedi mynd. Mae Simeon wedi mynd. A nawr dych chi am gymryd Benjamin oddi arna i! Mae popeth yn fy erbyn i."

Yna dyma Reuben yn dweud wrth ei dad, "Os gwna i ddim dod ag e'n ôl atat ti, cei ladd fy nau fab i. Gad i mi fod yn gyfrifol amdano. Dof i ag e'n ôl."

Ond meddai Jacob, "Na, dydy fy mab i ddim yn mynd gyda chi. Dw i'n hen ddyn. Petai rhywbeth yn digwydd iddo ar y daith byddai'r golled yn ddigon i'm gyrru i'r bedd."

Diwrnod 45

Jacob yn gadael i Benjamin fynd i'r Aifft

(Genesis 43:1-23)

Roedd y newyn yn mynd yn waeth yn y wlad. Pan oedd yr ŷd ddaethon nhw o'r Aifft wedi gorffen, dyma Jacob yn dweud wrth ei feibion, "Ewch yn ôl i brynu ychydig mwy o fwyd."

Ond dyma Jwda'n dweud wrtho, "Os gwnei di anfon Benjamin gyda ni, awn ni i lawr i brynu bwyd i ti. Ond os wyt ti ddim yn fodlon iddo ddod, wnawn ni ddim mynd chwaith."

Felly dyma eu tad yn dweud wrthyn nhw, "O'r gorau, ond ewch â peth o gynnyrch gorau'r wlad yn eich paciau, yn anrheg i'r dyn. Ewch â'r arian oedd yng ngheg eich sachau yn ôl. Camgymeriad oedd hynny mae'n siŵr."

Dyma nhw'n teithio i lawr i'r Aifft, a dyma nhw'n mynd at brif swyddog tŷ Joseff, a dweud wrtho, "Syr. Daethon ni i lawr y tro cyntaf i brynu ŷd. Ar ein ffordd adre dyma ni'n stopio dros nos ac agor ein sachau, a dyna lle roedd arian pob un ohonon ni yng ngheg ei sach! Felly dŷn ni wedi dod â'r cwbl yn ôl. Does gynnon ni ddim syniad pwy roddodd yr arian yn ein sachau ni."

"Mae popeth yn iawn," meddai'r swyddog. "Mae'n rhaid bod eich Duw chi wedi rhoi'r arian yn ôl yn eich sachau. Gwnes i dderbyn eich arian chi." A dyma fe'n dod â Simeon allan atyn nhw.

63

JOSEFF

Diwrnod 46

Joseff a Benjamin
(Genesis 43:24-34)

Ar ôl i'r swyddog fynd â nhw i dŷ Joseff, rhoddodd ddŵr iddyn nhw i olchi eu traed, a bwydodd eu hasynnod nhw. Pan ddaeth Joseff adre dyma nhw'n cyflwyno anrhegion iddo, ac yn ymgrymu o'i flaen. Gofynnodd iddyn nhw "Sut mae'ch tad yn cadw? Ydy e'n dal yn fyw?"

"Mae dy was, ein tad, yn fyw ac yn iach," medden nhw. A dyma nhw'n ymgrymu yn isel o'i flaen.

Yna dyma Joseff yn gweld ei frawd Benjamin, mab ei fam. "Ai hwn ydy'r brawd bach y sonioch chi amdano?" gofynnodd. "Bendith Duw arnat ti fy machgen i." Ond roedd rhaid i Joseff frysio allan o'r ystafell. Roedd ei deimladau at ei frawd yn cael y gorau arno, ac aeth i ystafell breifat ac wylo yno. Ar ôl golchi ei wyneb daeth yn ôl allan. Gan reoli ei deimladau, dyma fe'n gorchymyn dod â'r bwyd o'u blaenau.

Cafodd y brodyr eu gosod i eistedd o'i flaen mewn trefn, o'r hynaf i'r ifancaf. Ac roedden nhw'n edrych ar ei gilydd wedi syfrdanu. Rhoddodd Joseff beth o'r bwyd oedd wedi ei osod o'i flaen e iddyn nhw. Roedd digon o fwyd i bump o ddynion wedi ei roi o flaen Benjamin! Felly buon nhw'n yfed gydag e nes roedden nhw wedi meddwi.

65

JOSEFF

Diwrnod 47

Y gwpan gafodd ei dwyn
(Genesis 44:1-17)

Dyma Joseff yn dweud wrth brif swyddog ei dŷ, "Llanw sachau'r dynion â chymaint o ŷd ag y gallan nhw ei gario. Wedyn rho arian pob un ohonyn nhw yng ngheg ei sach. Rho fy nghwpan arian i yng ngheg sach yr ifancaf ohonyn nhw."

Wrth iddi wawrio'r bore wedyn cychwynnodd y dynion ar eu taith adre. Doedden nhw ddim wedi mynd yn bell o'r ddinas, pan ddwedodd Joseff wrth ei brif swyddog, "Dos ar ôl y dynion yna! Pan fyddi di wedi eu dal nhw, gofyn iddyn nhw, 'Pam dych chi wedi gwneud drwg i mi ar ôl i mi fod mor garedig atoch chi?' Gofyn pam maen nhw wedi dwyn fy nghwpan arian i."

Pan ddaliodd y swyddog nhw, dyna ddwedodd e. A dyma nhw'n ei ateb, "Syr, fyddai dy weision byth yn meiddio gwneud peth felly! Os ydy'r gwpan gan unrhyw un ohonon ni, dylai hwnnw farw, a bydd y gweddill ohonon ni'n gaethweision i'n meistr."

Dyma nhw i gyd yn tynnu eu sachau i lawr ar unwaith ac yn eu hagor. Edrychodd y swyddog yn y sachau i gyd. A dyna lle roedd y gwpan, yn sach Benjamin. Dyma nhw'n rhwygo eu dillad. Yna dyma nhw'n llwytho'r asynnod eto, a mynd yn ôl i'r ddinas.

Gofynnodd Joseff iddyn nhw, "Pam ydych chi wedi gwneud hyn? Bydd yr un roedd y gwpan ganddo yn gaethwas i mi. Mae'r gweddill ohonoch chi yn rhydd i fynd adre at eich tad."

Diwrnod 48

Jwda'n pledio ar ran Benjamin
(Genesis 44:14-34)

Dyma Jwda'n gofyn i Joseff, "Fy meistr, plîs gad i dy was gael gair gyda ti. Paid bod yn ddig. Rwyt ti fel y Pharo. Roedd fy meistr wedi gofyn i'w weision, 'Oes gynnoch chi dad, neu frawd arall?' A dyma ninnau'n dweud, 'Mae ein tad yn hen ddyn, ac mae gynnon ni frawd bach gafodd ei eni pan oedd dad mewn oed. Mae brawd y bachgen wedi marw. Fe ydy unig blentyn ei fam sydd ar ôl, ac mae ei dad yn ei garu'n fawr.'

"Gwnes i addo i dad y byddwn i'n edrych ar ei ôl e. Felly plîs, gad i mi aros yma yn gaethwas i'm meistr yn lle'r bachgen. Gad i'r bachgen fynd adre gyda'i frodyr. Sut alla i fynd adre at fy nhad heb y bachgen? Allwn i ddim diodde gweld y boen fyddai hynny'n ei achosi i dad."

67

JOSEFF

Diwrnod 49

Joseff yn dweud y gwir

(Genesis 45:1-15)

Doedd Joseff ddim yn gallu rheoli ei deimladau o flaen pawb oedd o'i gwmpas. "Pawb allan!" meddai wrth ei weision. Felly wnaeth neb aros gydag e pan ddwedodd wrth ei frodyr pwy oedd e.

"Joseff ydw i!" meddai, "Ydy dad yn dal yn fyw?"

Ond allai ei frodyr ddweud dim. Roedden nhw'n sefyll yn fud o'i flaen.

Ac meddai Joseff, "Plîs dewch yn nes. Joseff, eich brawd chi, ydw i, yr un wnaethoch chi ei werthu i'r Aifft. Peidiwch ypsetio na beio'ch hunain am fy ngwerthu i. Duw anfonodd fi yma o'ch blaen chi i achub bywydau.

Dydy'r newyn yn y wlad yma ddim ond wedi para am ddwy flynedd hyd yn hyn. Mae pum mlynedd arall o newyn i ddod pan fydd y cnydau'n methu. Mae Duw wedi fy anfon i yma o'ch blaen chi er mwyn i rai ohonoch chi gael byw, ac i chi gael eich achub mewn ffordd ryfeddol. Brysiwch adre i ddweud wrth dad fod Joseff ei fab yn bennaeth ar wlad yr Aifft i gyd. Dwedwch wrtho am bopeth dych chi wedi ei weld. Dewch â dad i lawr yma ar unwaith."

Wedyn dyma fe'n taflu ei freichiau am Benjamin a'i gofleidio. Roedd y ddau ohonyn nhw yn crïo ym mreichiau ei gilydd. Yna, yn dal i grïo, cusanodd ei frodyr eraill i gyd.

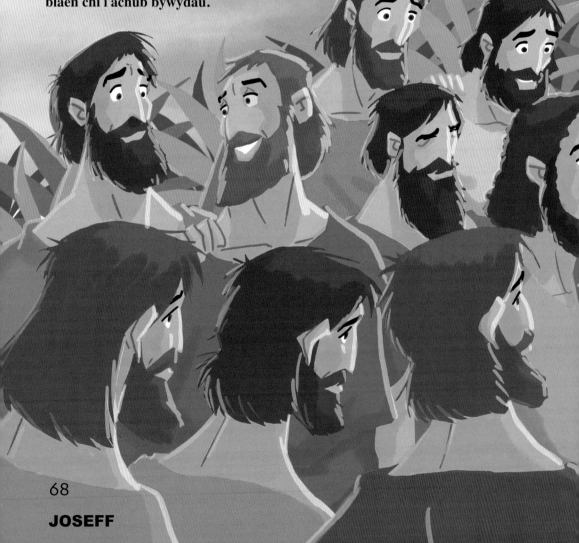

Diwrnod 50

Y Pharo'n croesawu teulu Joseff

(Genesis 45:16-28)

Dyma'r newyddion yn cyrraedd palas y Pharo – "Mae brodyr Joseff wedi dod yma." Roedd y Pharo a'i swyddogion yn hapus iawn. A dyma'r Pharo yn dweud wrth Joseff, "Dywed wrth dy frodyr: 'Llwythwch eich anifeiliaid a mynd yn ôl i Canaan. Cymerwch wagenni o'r Aifft i'ch plant a'ch gwragedd a'ch tad gael teithio yn ôl ynddyn nhw. Peidiwch poeni am eich dodrefn. Cewch y gorau o bopeth sydd yma yn yr Aifft.'"

Felly dyna wnaeth meibion Jacob. Dyma nhw'n gadael yr Aifft ac yn dod at eu tad yng ngwlad Canaan. "Mae Joseff yn dal yn fyw!" medden nhw wrtho. "Fe sy'n rheoli gwlad yr Aifft i gyd."

Bu bron i galon Jacob stopio. Doedd e ddim yn credu ei glustiau. Ond pan ddwedon nhw bopeth oedd Joseff wedi ei ddweud wrthyn nhw, a pan welodd y wagenni roedd Joseff wedi eu hanfon, dyma Jacob yn dechrau dod ato'i hun. "Dyna ddigon!" meddai. "Mae Joseff yn fyw. Rhaid i mi fynd i'w weld cyn i mi farw."

69

JOSEFF

Diwrnod 51

Teulu Joseff yn setlo yn yr Aifft

(Genesis 47:1-12)

Cafodd Joseff ei gerbyd yn barod, a mynd i gyfarfod ei dad. Pan ddaeth at ei dad dyma fe'n ei gofleidio'n dynn, a bu'n crio ar ei ysgwydd am hir.

Ar ôl iddyn nhw gyrraedd gwlad yr Aifft dyma Joseff yn mynd at y Pharo a dweud wrtho, "Mae dad a'm brodyr i wedi dod yma o wlad Canaan." Dewisodd bump o'i frodyr i fynd gydag e, a'u cyflwyno i'r Pharo. Gofynnodd y Pharo i'r brodyr, "Beth ydy'ch gwaith chi?"

A dyma nhw'n ateb, "Mae dy weision yn fugeiliaid. Dyna mae'r teulu wedi ei wneud ers cenedlaethau. Does dim porfa i'n hanifeiliaid ni yn Canaan am fod y newyn mor drwm yno." A dyma'r

Pharo yn dweud wrth Joseff, "Gad i dy dad a dy frodyr setlo yn y rhan orau o'r wlad. Gad iddyn nhw fynd i fyw yn ardal Gosen. A dewis y rhai gorau ohonyn nhw i ofalu am fy anifeiliaid i."

Wedyn aeth Joseff â'i dad Jacob at y Pharo i'w gyflwyno iddo. Gofynnodd y Pharo i Jacob, "Faint ydy'ch oed chi?"

"Dw i wedi crwydro'r hen fyd yma ers cant tri deg o flynyddoedd," meddai Jacob. "Bywyd byr, a digon o drafferthion. Dw i ddim wedi cael byw mor hir â'm hynafiaid." A dyma Jacob yn bendithio'r Pharo cyn ei adael.

Felly dyma Joseff yn trefnu lle i'w dad a'i frodyr fyw yn y rhan orau o wlad yr Aifft, fel roedd y Pharo wedi dweud.

72

JOSEFF

71

JOSEFF

Diwrnod 52

Jacob yn bendithio meibion Joseff
(Genesis 48:1-2; 8-22)

Rywbryd wedyn clywodd Joseff fod ei dad yn sâl. Felly aeth i'w weld gyda'i ddau fab Manasse ac Effraim. Pan ddywedwyd wrth Jacob fod ei fab Joseff wedi dod i'w weld dyma fe'n bywiogi ac yn eistedd i fyny yn ei wely.

Doedd Jacob ddim yn gweld yn dda iawn. Roedd wedi colli ei olwg wrth fynd yn hen.

"Pwy ydy'r rhain?" meddai Jacob.

"Dyma'r meibion roddodd Duw i mi yma," meddai Joseff wrth ei dad. A dyma Jacob yn dweud, "Tyrd â nhw ata i, i mi gael eu bendithio nhw." Felly dyma Joseff yn mynd â'i feibion yn nes at ei dad. Ond dyma Jacob yn croesi ei freichiau a rhoi ei law dde ar ben Effraim (yr ifancaf o'r ddau) a'i law chwith ar ben Manasse (y mab hynaf).

Pan sylwodd Joseff fod ei dad wedi rhoi ei law dde ar ben Effraim, dwedodd wrtho, "Na, paid dad. Hwn ydy'r mab hynaf. Rho dy law dde ar ei ben e."

Ond gwrthododd ei dad. "Dw i'n gwybod be dw i'n wneud, fy mab," meddai. "Bydd hwn hefyd yn dod yn genedl fawr o bobl. Ond bydd ei frawd bach yn fwy nag e. Bydd ei ddisgynyddion yn llawer iawn o bobloedd gwahanol."

Wedyn dyma Jacob yn dweud wrth Joseff, "Fel y gweli, dw i ar fin marw. Ond bydd Duw gyda ti, ac yn mynd â ti yn ôl i wlad dy hynafiaid. Dw i am roi siâr fwy i ti nag i dy frodyr – sef llethrau'r mynydd a gymerais oddi ar yr Amoriaid."

Diwrnod 53

Addewid Joseff
(Genesis 50:15-21)

Ar ôl i'w tad farw, roedd brodyr Joseff yn dechrau ofni, "Beth os ydy Joseff yn dal yn ddig hefo ni? Beth os ydy e am dalu'r pwyth yn ôl am yr holl ddrwg wnaethon ni iddo?" Felly dyma nhw'n anfon neges at Joseff: "Roedd dad wedi dweud wrthon ni cyn iddo farw, 'Dwedwch wrth Joseff: Plîs maddau i dy frodyr am y drwg wnaethon nhw, yn dy drin di mor wael.' Felly dyma ni, gweision y Duw roedd dy dad yn ei addoli. O, plîs wnei di faddau i ni am beth wnaethon ni?"

Pan glywodd Joseff hyn dyma fe'n dechrau crïo. Yna daeth ei frodyr a syrthio o'i flaen, a dweud, "Byddwn ni'n gaethweision i ti."

Ond dyma Joseff yn ateb, "Peidiwch bod ag ofn. Ai Duw ydw i? Roeddech chi am wneud drwg i mi, ond dyma Duw yn troi y drwg yn beth da. Roedd ganddo eisiau achub bywydau llawer o bobl, a dyna dych chi'n weld heddiw. Felly peidiwch bod ag ofn. Gwna i ofalu amdanoch chi a'ch plant."

Felly rhoddodd Joseff dawelwch meddwl iddyn nhw wrth siarad yn garedig gyda nhw.

73

JOSEFF

Diwrnod 54

Caethweision yn yr Aifft

(Exodus 1:6-14)

Roedd Joseff a'i frodyr a'r genhedlaeth yna i gyd wedi marw. Ond roedd eu disgynyddion, pobl Israel, yn cael mwy a mwy o blant. Roedd cymaint ohonyn nhw roedden nhw'n cael eu gweld fel bygythiad. Roedden nhw ym mhobman – yn llenwi'r wlad!

Aeth amser hir heibio, a daeth brenin newydd i deyrnasu yn yr Aifft, un oedd yn gwybod dim byd am Joseff. A dyma fe'n dweud wrth ei bobl, "Gwrandwch. Mae yna ormod o Israeliaid yn y wlad yma! Rhaid i ni feddwl beth i'w wneud.

Os bydd y niferoedd yn dal i dyfu, a rhyfel yn torri allan, byddan nhw'n helpu'n gelynion i ymladd yn ein herbyn ni. Gallen nhw hyd yn oed ddianc o'r wlad."

Felly dyma'r Eifftiaid yn cam-drin pobl Israel a'u gorfodi i weithio am ddim iddyn nhw, a gosod meistri gwaith i gadw trefn arnyn nhw. A dyma nhw'n adeiladu Pithom a Rameses yn ganolfannau storfeydd i'r Pharo. Ond er bod yr Eifftiaid yn eu gweithio nhw mor galed, roedd eu niferoedd yn dal i gynyddu a mynd ar wasgar. Felly dechreuodd yr Eifftiaid eu cam-drin nhw fwy fyth. Roedd bywyd yn chwerw go iawn iddyn nhw, wrth i'r Eifftiaid wneud iddyn nhw weithio mor galed. Roedden nhw'n gwneud brics a chymysgu morter ac yn slafio oriau hir yn y caeau hefyd.

MOSES

Diwrnod 55

Gorchymyn y brenin
(Exodus 1:15-22)

Dyma frenin yr Aifft yn siarad â bydwragedd yr Hebreaid, Shiffra a Pwa, a dweud wrthyn nhw, "Pan fyddwch chi'n gofalu am wragedd Hebreig wrth iddyn nhw eni plant, os mai bachgen fydd yn cael ei eni, dw i eisiau i chi ei ladd e'n syth; ond cewch adael i'r merched fyw."

Ond am fod y bydwragedd yn parchu Duw, wnaethon nhw ddim beth roedd brenin yr Aifft wedi ei orchymyn iddyn nhw. Dyma nhw'n cadw'r bechgyn yn fyw. A dyma frenin yr Aifft yn eu galw nhw eto, a gofyn "Beth dych chi'n wneud? Pam dych chi'n gadael i'r bechgyn fyw?"

A dyma'r bydwragedd yn ateb, "Dydy'r gwragedd Hebreig ddim yr un fath â gwragedd yr Aifft – maen nhw'n gryfion, ac mae'r plant yn cael eu geni cyn i ni gyrraedd yno!"

Am fod y bydwragedd wedi parchu Duw, rhoddodd Duw deuluoedd iddyn nhw hefyd.

Roedd niferoedd pobl Israel yn dal i dyfu; roedden nhw'n mynd yn gryfach ac yn gryfach. Felly dyma'r Pharo yn rhoi gorchymyn i'w bobl: "Mae pob bachgen sy'n cael ei eni i'r Hebreaid i gael ei daflu i Afon Nil, ond cewch adael i'r merched fyw."

75

MOSES

Diwrnod 56

Geni Moses

(Exodus 2:1-4)

Bryd hynny roedd dyn o deulu Lefi wedi priodi gwraig ifanc oedd hefyd yn un o ddisgynyddion Lefi. A dyma'r wraig yn beichiogi, ac yn cael mab.

Pan welodd hi'r babi bach hyfryd, dyma hi'n ei guddio am dri mis. Ond ar ôl hynny roedd hi'n amhosib ei guddio. Felly dyma hi'n cymryd basged frwyn, a'i selio gyda tar. Yna rhoi'r babi yn y fasged, a'i osod yng nghanol y brwyn ar lan yr afon Nil. A dyma chwaer y plentyn yn mynd i sefyll heb fod yn rhy bell, i weld beth fyddai'n digwydd iddo.

Diwrnod 57

Tywysoges yn achub y babi
(Exodus 2:5-10)

Daeth merch y Pharo i lawr at yr afon i ymdrochi, tra roedd ei morynion yn cerdded ar lan yr afon. A dyma hi'n sylwi ar y fasged yng nghanol y brwyn, ac anfon caethferch i'w nôl. Agorodd y fasged, a gweld y babi bach – bachgen, ac roedd yn crïo. Roedd hi'n teimlo trueni drosto. "Un o blant yr Hebreaid ydy hwn," meddai.

Yna dyma chwaer y plentyn yn mynd at ferch y Pharo, a gofyn, "Ga i fynd i nôl un o'r gwragedd Hebreig i fagu'r plentyn i chi?"

A dyma ferch y Pharo yn dweud, "Ie, gwna hynny!"

Felly dyma hi'n mynd adre i nôl mam y babi. A dyma ferch y Pharo yn dweud wrthi, "Dw i eisiau i ti gymryd y plentyn yma, a'i fagu i mi. Gwna i dalu cyflog i ti am wneud hynny." Felly aeth y wraig a'r plentyn adre.

Yna, pan oedd y plentyn yn ddigon hen, dyma hi'n mynd ag e at ferch y Pharo, a dyma hithau'n ei fabwysiadu yn fab iddi ei hun. Rhoddodd yr enw Moses iddo.

MOSES

Diwrnod 58

Moses yn helpu caethwas

(Exodus 2:11-14)

Flynyddoedd wedyn, pan oedd Moses wedi tyfu'n oedolyn, aeth allan at ei bobl, a gweld fel roedden nhw'n cael eu cam-drin. Gwelodd Eifftiwr yn curo Hebrëwr – un o'i bobl ei hun! Ar ôl edrych o'i gwmpas i wneud yn siŵr fod neb yn ei weld, dyma fe'n taro'r Eifftiwr a'i ladd, a chladdu ei gorff yn y tywod.

Pan aeth allan y diwrnod wedyn, gwelodd ddau Hebrëwr yn dechrau ymladd gyda'i gilydd. A dyma Moses yn dweud wrth yr un oedd ar fai, "Pam wyt ti'n ymosod ar dy ffrind?"

A dyma'r dyn yn ei ateb, "Pwy sydd wedi rhoi'r hawl i ti ein rheoli ni a'n barnu ni? Wyt ti am fy lladd i fel gwnest ti ladd yr Eifftiwr yna?"

Roedd Moses wedi dychryn, a meddyliodd, "Mae'n rhaid bod pobl yn gwybod beth wnes i."

Diwrnod 59

Jethro yn croesawu Moses

(Exodus 2:15-21)

Dyma'r Pharo yn dod i glywed am y peth, ac roedd am ladd Moses. Felly dyma Moses yn dianc oddi wrtho a mynd i wlad Midian.

Pan gyrhaeddodd yno, eisteddodd wrth ymyl rhyw ffynnon. Roedd gan offeiriad Midian saith merch, a dyma nhw'n dod at y ffynnon, a dechrau codi dŵr i'r cafnau er mwyn i ddefaid a geifr eu tad gael yfed. Daeth grŵp o fugeiliaid yno a'u gyrru nhw i ffwrdd. Ond dyma Moses yn achub y merched, ac yn codi dŵr i'w defaid nhw.

Pan aeth y merched adre at eu tad, Reuel, dyma fe'n gofyn iddyn nhw, "Pam ydych chi wedi dod adre mor gynnar heddiw?"

A dyma nhw'n dweud wrtho, "Daeth rhyw Eifftiwr a'n hachub ni rhag y bugeiliaid, ac yna codi dŵr i'r praidd." A dyma fe'n gofyn i'w ferched, "Ble mae e? Pam yn y byd wnaethoch chi adael y dyn allan yna? Ewch i'w nôl, a gofyn iddo ddod i gael pryd o fwyd gyda ni."

Cytunodd Moses i aros gyda nhw, a dyma Jethro yn rhoi ei ferch Seffora yn wraig iddo.

MOSES

Diwrnod 60

Y berth oedd ar dân

(Exodus 3:1-10)

Roedd Moses yn gofalu am ddefaid a geifr ei dad-yng-nghyfraith, Jethro. A dyma fe'n arwain y praidd i'r ochr draw i'r anialwch. Daeth at fynydd Duw, sef Mynydd Sinai.

Yno, dyma angel yr ARGLWYDD yn ymddangos iddo o ganol fflamau perth oedd ar dân. Wrth edrych, roedd yn gweld fod y berth yn fflamau tân, ond doedd hi ddim yn cael ei llosgi. "Anhygoel!" meddyliodd. "Rhaid i mi fynd yn nes i weld beth sy'n digwydd – pam nad ydy'r berth yna wedi llosgi'n ulw."

Pan welodd yr ARGLWYDD ei fod yn mynd draw i edrych, dyma Duw yn galw arno o ganol y berth, "Moses! Moses!"

"Dyma fi," meddai Moses.

A dyma Duw yn dweud wrtho, "Paid dod dim nes. Tyn dy sandalau; ti'n sefyll ar dir cysegredig!" Yna dyma fe'n dweud,

"Fi ydy Duw dy dad; Duw Abraham, Duw Isaac, a Duw Jacob." A dyma Moses yn cuddio ei wyneb, am fod ganddo ofn edrych ar Dduw.

Yna meddai'r ARGLWYDD wrtho, "Dw i wedi gweld sut mae fy mhobl i'n cael eu cam-drin yn yr Aifft. Dw i wedi clywed cri pobl Israel am help, a dw i wedi gweld mor greulon ydy'r Eifftiaid atyn nhw. Felly tyrd. Dw i'n mynd i dy anfon di at y Pharo, i arwain fy mhobl allan o'r Aifft."

Diwrnod 61

Moses yn gwneud gwyrthiau
(Exodus 4:1-9, 3:13-18)

Dyma Moses yn dweud wrth Dduw, "Beth os wnân nhw ddim fy nghredu i? Beth os ddwedan nhw, 'Wnaeth yr ARGLWYDD ddim dangos ei hun i ti.'?"

Felly dyma'r ARGLWYDD yn dweud wrtho, "Beth ydy honna yn dy law di?"

A dyma fe'n ateb, "Ffon." "Tafla hi ar lawr," meddai'r ARGLWYDD. Dyma fe'n taflu'r ffon ar lawr, a dyma hi'n troi'n neidr. A dyma Moses yn cilio'n ôl yn reit sydyn. Ond dyma'r ARGLWYDD yn dweud wrtho, "Estyn dy law a gafael ynddi wrth ei chynffon." Pan wnaeth Moses hynny dyma hi'n troi yn ôl yn ffon yn ei law. "Gwna di hyn, a byddan nhw'n credu wedyn fod yr ARGLWYDD, Duw eu hynafiaid wedi ymddangos i ti – Duw Abraham, Isaac a Jacob."

Yna dyma'r ARGLWYDD yn dweud wrtho, "Rho dy law dan dy glogyn." Felly dyma fe'n rhoi ei law dan ei glogyn, ond pan dynnodd hi allan roedd brech fel gwahanglwyf drosti – roedd yn wyn fel yr eira!

Yna dyma'r ARGLWYDD yn dweud eto, "Rho dy law yn ôl dan dy glogyn." Felly dyma Moses yn rhoi ei law yn ôl dan ei glogyn, a pan dynnodd hi allan y tro yma, roedd hi'n iach eto fel gweddill ei groen!

"Os byddan nhw'n gwrthod dy gredu di pan welan nhw'r arwydd cyntaf, falle y gwnân nhw gredu'r ail arwydd," meddai'r ARGLWYDD. "Os byddan nhw'n dal i wrthod credu, yna cymer ddŵr o afon Nil a'i dywallt ar y tir sych. Bydd y dŵr yn troi'n waed ar y tir sych."

Dyma Moses yn dweud, "Os gwna i fynd at bobl Israel a dweud wrthyn nhw, 'Mae Duw eich hynafiaid chi wedi fy anfon i atoch chi,' byddan nhw'n gofyn i mi, 'Beth ydy ei enw e?' Beth ddylwn i ddweud wedyn wrthyn nhw?"

"FI YDY'R UN YDW I," meddai Duw wrth Moses. Rhaid i ti ddweud bobl Israel, 'Mae FI YDY wedi fy anfon i atoch chi.' Bydd yr arweinwyr yn dy gredu di wedyn."

81

MOSES

Diwrnod 62

Aaron a Moses
(Exodus 4:10-17, 27-31)

Ond wedyn dyma Moses yn dweud wrth yr Arglwydd, "Plîs, Meistr, dw i ddim yn siaradwr da iawn – dw i erioed wedi bod, a fydda i byth chwaith."

"Iawn! Beth am dy frawd Aaron, y Lefiad? Dw i'n gwybod ei fod e'n gallu siarad yn dda. Mae e ar ei ffordd i dy gyfarfod di. Bydd e'n siarad ar dy ran di gyda'r bobl, a byddi di fel 'duw' yn dweud wrtho beth i'w ddweud. Bydda i'n dy helpu di a'i helpu fe i siarad, ac yn dangos i chi beth i'w wneud."

Dyma'r Arglwydd yn dweud wrth Aaron, "Dos i'r anialwch i gyfarfod Moses." Felly dyma fe'n mynd ac yn cyfarfod Moses wrth fynydd Duw, a'i gyfarch gyda chusan. A dyma Moses yn dweud wrth Aaron bopeth roedd yr Arglwydd wedi ei anfon i'w ddweud, ac am yr arwyddion gwyrthiol roedd i'w gwneud.

Galwodd Moses ac Aaron arweinwyr Israel at ei gilydd. A dyma Aaron yn dweud wrthyn nhw am bopeth roedd yr Arglwydd wedi ei ddweud wrth Moses. Yna dyma'r bobl yn gweld yr arwyddion gwyrthiol ac yn ei gredu. Pan glywon nhw fod yr Arglwydd wedi gweld sut roedden nhw'n cael eu cam-drin, dyma nhw'n plygu i lawr yn isel i'w addoli.

Diwrnod 63

Gad i'm pobl fynd yn rhydd
(Exodus 5:1-5, 22; 7:3-13)

Aeth Moses ac Aaron at y Pharo, a dweud wrtho, "Dyma mae'r Arglwydd, Duw Israel, yn ei ddweud: 'Gad i'm pobl fynd yn rhydd, iddyn nhw gynnal gŵyl i mi yn yr anialwch.'"

Ond dyma'r Pharo'n ateb, "A pwy ydy'r Arglwydd yma dw i i fod i wrando arno? Dw i ddim yn gwybod pwy ydy e, a dw i ddim yn mynd i adael i Israel fynd yn rhydd ychwaith!"

A dyma nhw'n ei ateb, "Plîs, gad i ni deithio i'r anialwch i aberthu i'r Arglwydd ein Duw, rhag iddo ein taro ni gyda haint ofnadwy neu ryfel."

"Moses, Aaron," meddai'r brenin, "dych chi'n stopio'r bobl rhag mynd ymlaen gyda'u gwaith! Ewch yn ôl i weithio!"

Dyma Moses yn mynd yn ôl at yr Arglwydd, a dweud, "O! Feistr, pam ti'n trin dy bobl fel yma?"

A dyma'r Arglwydd yn ei ateb, "Fydd y Pharo ddim yn gwrando. Felly bydda i'n taro'r Aifft, eu cosbi nhw'n llym, ac yn arwain fy mhobl Israel allan o'r wlad. Wedyn bydd pobl yr Aifft yn deall mai fi ydy'r Arglwydd pan fydda i'n taro'r Aifft ac arwain pobl Israel allan o'i gwlad nhw."

Dyma Moses ac Aaron yn gwneud yn union fel roedd yr Arglwydd wedi dweud wrthyn nhw. Pan aethon nhw at y Pharo, dyma Aaron yn taflu ei ffon ar lawr a dyma hi'n troi'n neidr anferth. Ond yna dyma'r Pharo yn galw am ddewiniaid yr Aifft, oedd yn gwneud yr un math o beth drwy hud a lledrith. Dyma nhw i gyd yn taflu eu ffyn ar lawr, a dyma'r ffyn yn troi'n nadroedd. Ond dyma ffon Aaron yn llyncu eu ffyn nhw i gyd!

Ond roedd y Pharo mor ystyfnig ag erioed. Roedd yn gwrthod gwrando.

MOSES

83

MOSES

Diwrnod 64

Gwaed a llyffaint

(Exodus 7:14-24)

Dyma'r ARGLWYDD yn dweud wrth Moses, "Mae'r Pharo mor ystyfnig. Dywed wrtho, 'Mae'r ARGLWYDD, Duw yr Hebreaid, wedi fy anfon i atat ti i ddweud, "Gad i'm pobl fynd yn rhydd, iddyn nhw fy addoli i yn yr anialwch!" Ond hyd yn hyn rwyt ti wedi gwrthod gwrando.' Yna dywed wrth Aaron am estyn ei ffon dros ddyfroedd yr Aifft."

Dyma Moses ac Aaron yn gwneud yn union fel roedd yr ARGLWYDD wedi gorchymyn. Codi'r ffon a taro dŵr Afon Nil o flaen llygaid y Pharo a'i swyddogion. A dyma ddŵr Afon Nil yn troi'n waed. Dyma'r pysgod yn yr afon yn marw, ac roedd y dŵr yn drewi mor ofnadwy, doedd pobl yr Aifft ddim yn gallu ei yfed. Roedd gwaed drwy wlad yr Aifft i gyd – yn yr afonydd, y camlesi, y corsydd a hyd yn oed yn y bwcedi a'r cafnau! Ond dyma ddewiniaid yr Aifft yn gwneud yr un peth drwy hud a lledrith.

Dyma'r Pharo'n mynd yn ôl i'w balas, yn poeni dim am y peth. Ond roedd pobl gyffredin yr Aifft yn gorfod cloddio am ddŵr, am eu bod yn methu yfed dŵr Afon Nil.

Diwrnod 65

Gwybed a phryfed
(Exodus 8:16-32)

Dyma'r ARGLWYDD yn dweud wrth Moses, "Dywed wrth Aaron am estyn ei ffon a taro'r pridd ar lawr, iddo droi'n wybed dros wlad yr Aifft i gyd." A dyna wnaethon nhw. Roedd gwybed ym mhobman, ar bobl ac anifeiliaid.

Ceisiodd y dewiniaid wneud yr un peth gyda'i hud a lledrith, ond roedden nhw'n methu. "Duw sydd tu ôl i hyn!" medden nhw. Ond roedd y Pharo yn dal yr un mor ystyfnig, ac yn gwrthod gwrando.

Dyma'r ARGLWYDD yn dweud wrth Moses, "Coda'n fore, a sefyll o flaen y Pharo pan fydd yn mynd i lawr at yr afon. Dywed wrtho, 'Dyma mae'r ARGLWYDD yn ei ddweud, "Gad i'm pobl fynd yn rhydd! Os byddi di'n gwrthod dw i'n mynd i anfon heidiau o bryfed i dy boeni di, dy swyddogion a dy bobl. Bydd eich tai yn llawn pryfed, byddan nhw hyd yn oed ar lawr ym mhobman."'"

A dyna wnaeth yr ARGLWYDD. Daeth haid trwchus o bryfed i mewn i balas y Pharo, tai ei swyddogion, a thrwy wlad yr Aifft i gyd. Roedd y pryfed yn difetha'r wlad.

A dyma'r Pharo yn galw am Moses ac Aaron, a dweud wrthyn nhw, "Iawn, ewch i aberthu i'ch Duw! Nawr, gweddïwch drosto i."

A dyma Moses yn dweud, "Yn syth ar ôl i mi fynd allan, bydda i'n gweddïo ar yr ARGLWYDD ac yn gofyn iddo anfon y pryfed i ffwrdd. Ond paid ceisio'n twyllo ni eto."

Felly dyma Moses yn gadael y Pharo, ac yn gweddïo ar yr ARGLWYDD. A dyma'r ARGLWYDD yn gyrru'r pryfed i ffwrdd oddi wrth y Pharo, ei swyddogion a'i bobl. Doedd dim un ar ôl! Ond dyma'r Pharo'n troi'n ystyfnig unwaith eto, ac yn gwrthod gadael i'r bobl fynd.

85

MOSES

Diwrnod 66

Haint a chwyddau septig
(Exodus 9:1-12)

Yna dyma'r ARGLWYDD yn dweud wrth Moses, "Dos at y Pharo a dweud wrtho, "Gad i'm pobl fynd yn rhydd! Os byddi di'n gwrthod, bydd yr ARGLWYDD yn taro dy anifeiliaid di i gyd gyda haint ofnadwy – y ceffylau, y mulod, y camelod, y gwartheg i gyd, a'r defaid a geifr."

Y diwrnod wedyn dyma anifeiliaid yr Eifftiaid i gyd yn marw, ond wnaeth dim un o anifeiliaid pobl Israel farw. Ond roedd y Pharo mor ystyfnig ac erioed, ac yn gwrthod gadael i'r bobl fynd.

Yna dyma'r ARGLWYDD yn dweud wrth Moses ac Aaron, "Cymerwch ddyrneidiau o ludw o ffwrnais, a chael Moses i'w daflu i'r awyr o flaen llygaid y Pharo. Bydd yn lledu fel llwch mân dros wlad yr Aifft i gyd, ac yn achosi chwyddau fydd yn troi'n septig ar gyrff pobl ac anifeiliaid drwy'r wlad."

Felly dyma nhw'n cymryd lludw o ffwrnais a mynd i sefyll o flaen y Pharo. A dyma Moses yn ei daflu i'r awyr, ac roedd yn achosi chwyddau oedd yn troi'n septig ar gyrff pobl ac anifeiliaid. Doedd y dewiniaid ddim yn gallu cystadlu gyda Moses. Roedd y chwyddau dros eu cyrff nhw hefyd, fel pawb arall yn yr Aifft. Ond roedd y Pharo yn fwy ystyfnig fyth. Roedd yn gwrthod gwrando arnyn nhw, fel roedd yr ARGLWYDD wedi dweud wrth Moses.

86

MOSES

Diwrnod 67

Locustiaid
(Exodus 10:1-20)

Dyma Moses yn estyn ei ffon dros wlad yr Aifft. A dyma'r ARGLWYDD yn gwneud i wynt o'r dwyrain chwythu drwy'r dydd a'r nos. Erbyn iddi wawrio y bore wedyn roedd y gwynt wedi dod â locustiaid drwy'r wlad i gyd, o un pen i'r llall. Roedd y ddaear yn ddu gan locustiaid, a dyma nhw'n difetha pob planhigyn a phob ffrwyth ar bob coeden. Doedd yna ddim planhigyn na deilen werdd ar ôl drwy wlad yr Aifft i gyd!

Dyma'r Pharo yn galw Moses ac Aaron ar frys. Meddai wrthyn nhw, "Plîs maddeuwch i mi yr un tro yma, a gweddïo y bydd yr ARGLWYDD eich Duw yn cymryd y pla marwol yma i ffwrdd."

Felly dyma Moses yn gadael y Pharo ac yn gweddïo ar yr ARGLWYDD. A dyma'r ARGLWYDD yn gwneud i'r gwynt droi, a chwythu'n gryf o gyfeiriad y gorllewin. Dyma'r gwynt yn codi'r locustiaid a'u chwythu nhw i gyd i'r Môr Coch.

Ond dyma'r ARGLWYDD yn gwneud y Pharo yn ystyfnig eto. Roedd yn gwrthod gadael i bobl Israel fynd.

87

MOSES

Diwrnod 68

Tywyllwch a marwolaeth
(Exodus 10:21-23, Exodus 11:1-8)

Yna dyma'r ARGLWYDD yn dweud wrth Moses, "Estyn dy law i fyny i'r awyr, a gwneud i dywyllwch ddod dros wlad yr Aifft – tywyllwch dychrynllyd!" Felly dyma Moses yn estyn ei law i fyny i'r awyr, ac roedd hi'n dywyll fel y fagddu drwy wlad yr Aifft am dri diwrnod. Doedd pobl ddim yn gallu gweld ei gilydd, a doedd neb yn gallu mynd allan am dri diwrnod!

Yna dyma'r ARGLWYDD yn dweud wrth Moses, "Dw i'n mynd i daro'r Pharo a gwlad yr Aifft un tro olaf. Bydd e'n eich gollwng chi'n rhydd wedyn, heb unrhyw amodau. Yn wir, bydd e'n eich gyrru chi allan o'r wlad."

A dyma Moses yn mynd at y Pharo a dweud, "Dyma mae'r ARGLWYDD yn ei ddweud: 'Tua canol nos bydda i'n mynd trwy wlad yr Aifft, a bydd pob mab hynaf drwy'r wlad yn marw – o fab hynaf y Pharo ar ei orsedd i fab hyna'r gaethferch sy'n troi y felin law, a hyd yn oed pob anifail gwryw oedd y cyntaf i gael ei eni. Bydd pobl yn wylofain drwy wlad yr Aifft i gyd. Ond fydd dim yn bygwth pobl Israel na'u hanifeiliaid – dim hyd yn oed ci yn cyfarth! Byddwch chi'n deall wedyn fod yr ARGLWYDD yn gwahaniaethu rhwng yr Eifftiaid a phobl Israel.'"

MOSES

Diwrnod 69

Duw yn cadw ei addewid

(Exodus 12:1-41)

Dyma'r ARGLWYDD yn dweud wrth Moses ac Aaron, "Dwedwch wrth bobl Israel: Ar y degfed o'r mis yma rhaid i bob teulu gymryd oen neu fyn gafr i'w ladd. Wedyn maen nhw i gymryd peth o'r gwaed a'i roi ar ochrau ac ar dop ffrâm y drws i'r tŷ. Rhaid iddyn nhw ei rostio y noson honno. A dyma sut mae i gael ei fwyta: Rhaid i chi fod wedi gwisgo fel petaech ar fin mynd ar daith, gyda'ch sandalau ar eich traed a'ch ffon gerdded yn eich llaw. Rhaid ei fwyta ar frys. Pasg

yr ARGLWYDD ydy e. Dw i'n mynd i fynd trwy wlad yr Aifft y noson honno, a taro pob mab hynaf, a phob anifail gwryw oedd yn gyntaf i gael ei eni. Pan fydda i'n gweld y gwaed ar ffrâm drysau eich tai chi , bydda i'n pasio heibio i chi. Fydd y pla yma ddim yn eich lladd chi pan fydda i'n taro gwlad yr Aifft."

Yna digwyddodd y peth! Ganol nos y noson honno dyma'r ARGLWYDD yn taro meibion hynaf yr Eifftiaid. Roedd wylofain drwy'r wlad i gyd, am fod rhywun o bob teulu wedi marw. A dyma'r Pharo yn galw am Moses ac Aaron yng nghanol y nos, a dweud wrthyn nhw, "Ewch o ma! I ffwrdd â chi! Gadewch lonydd i'm pobl!"

Diwrnod 70

Yr Exodus

(Exodus 13:17-22)

Pan wnaeth y Pharo adael i'r bobl fynd, wnaeth Duw ddim eu harwain nhw i wlad y Philistiaid, er mai dyna fyddai'r ffordd gyntaf. Doedd gan Dduw ddim eisiau i'r bobl newid eu meddyliau a mynd yn ôl i'r Aifft pan oedd y Philistiaid yn bygwth rhyfela yn eu herbyn nhw. Felly dyma Duw yn mynd â'r bobl drwy'r anialwch at y Môr Coch.

Roedd yr ARGLWYDD yn arwain y ffordd mewn colofn o niwl yn ystod y dydd, a cholofn o dân yn y nos. Felly roedden nhw'n gallu teithio yn y dydd neu'r nos. Roedd y golofn o niwl gyda nhw bob amser yn y dydd, a'r golofn o dân yn y nos.

Aeth pobl Israel allan o'r Aifft fel byddin yn ei rhengoedd. A dyma Moses yn mynd ag esgyrn Joseff gyda nhw. Roedd Joseff wedi gwneud i bobl Israel addo, "Dw i'n gwybod y bydd Duw yn gofalu amdanoch chi. Dw i eisiau i chi fynd â'm hesgyrn i gyda chi o'r lle yma."

Dyma nhw'n gadael Swccoth ac yn gwersylla yn Etham wrth ymyl yr anialwch.

Diwrnod 71

Y Pharo a'r eu holau

(Exodus 14:1-14)

Dyma'r ARGLWYDD yn dweud wrth Moses: "Dywed wrth bobl Israel am droi yn ôl a gwersylla ar lan y môr, yn union gyferbyn â Baal-tseffon. Bydd y Pharo yn meddwl,

'Dydy pobl Israel ddim yn gwybod ble i droi. Maen nhw wedi eu dal rhwng yr anialwch a'r môr!' Bydda i'n gwneud y Pharo yn ystyfnig unwaith eto, a bydd yn dod ar eich holau. Ond bydda i'n cael fy anrhydeddu drwy beth fydd yn digwydd i'r Pharo a'i fyddin, a bydd pobl yr Aifft yn dod i ddeall mai fi ydy'r ARGLWYDD." Felly dyma bobl Israel yn gwneud beth ddwedodd Moses.

Pan ddywedwyd wrth frenin yr Aifft fod y bobl wedi dianc, dyma fe a'i swyddogion yn newid eu meddyliau, "Beth oedd ar ein pennau ni?" medden nhw, "Dŷn ni wedi gadael i'n caethweision fynd yn rhydd!" Felly dyma'r Eifftiaid yn mynd ar eu holau gyda'i ceffylau a'u cerbydau rhyfel a'u milwyr i gyd.

Wrth i'r Pharo a'i fyddin agosáu, dyma bobl Israel yn eu gweld nhw'n dod tuag atyn nhw. Roedden nhw wedi dychryn am eu bywydau, a dyma nhw'n gweiddi ar yr ARGLWYDD, a dweud wrth Moses, "Wyt ti wedi dod â ni allan i'r anialwch i farw am fod dim lle i'n claddu ni yn yr Aifft? Dwedon ni pan oedden ni yn yr Aifft, 'Gad lonydd i ni ddal ati i weithio i'r Eifftiaid. Mae'n well gwneud hynny na mynd i farw yn yr anialwch!'"

Ond dyma Moses yn dweud wrth y bobl, "Peidiwch bod ag ofn! Arhoswch chi, a cewch weld sut bydd yr ARGLWYDD yn eich achub chi. Fyddwch chi ddim yn gweld yr Eifftiaid acw byth eto. Mae'r ARGLWYDD yn mynd i ymladd drosoch chi. Does rhaid i chi wneud dim!"

91

MOSES

Diwrnod 72

Croesi'r Môr Coch

(Exodus 14:15-31)

Dyma'r ARGLWYDD yn dweud wrth Moses, "Dywed wrth bobl Israel am fynd yn eu blaenau. Cymer di dy ffon, a'i hestyn tuag at y môr. Bydd y môr yn hollti, a bydd pobl Israel yn gallu mynd drwy ei ganol ar dir sych! Bydda i'n gwneud yr Eifftiaid mor ystyfnig, byddan nhw'n ceisio mynd ar eich holau drwy'r môr. Ond bydda i'n cael fy anrhydeddu o achos beth fydd yn digwydd i'r Pharo a'i fyddin gyda'i holl gerbydau a'i farchogion. A bydd yr Eifftiaid yn dod i ddeall mai fi ydy'r ARGLWYDD."

Dyma Moses yn estyn ei law tuag at y môr, a dyma'r ARGLWYDD yn dod â gwynt cryf o'r dwyrain i chwythu drwy'r nos a gwneud i'r môr fynd yn ôl. Dyma'r môr yn gwahanu, ac roedd gwely'r môr yn llwybr sych drwy'r canol. A dyma bobl Israel yn mynd trwy ganol y môr ar dir sych, a'r dŵr fel wal bob ochr iddyn nhw.

Yna dyma'r Eifftiaid yn mynd ar eu holau i ganol y môr – ceffylau a cherbydau rhyfel a marchogion y Pharo i gyd. A dyma'r ARGLWYDD yn dweud wrth Moses, "Estyn dy law tuag at y môr, i'r dŵr lifo yn ôl dros yr Eifftiaid, eu cerbydau rhyfel a'u marchogion." Felly dyma Moses yn estyn ei law tuag at y môr, a dyma'r môr yn mynd yn ôl i'w le wrth iddi wawrio. Roedd yr Eifftiaid yn ceisio dianc, ond dyma'r ARGLWYDD yn eu boddi nhw yng nghanol y môr. Roedd pobl Israel yn gweld cyrff yr Eifftiaid yn gorwedd ar lan y dŵr.

Ar ôl gweld nerth anhygoel yr ARGLWYDD yn ymladd yn erbyn yr Eifftiaid, roedden nhw'n ei drystio fe a'i was Moses.

Diwrnod 73

Dŵr i'r sychedig

(Exodus 15:1-27)

Dyma Moses a pobl Israel yn canu'r gân yma i'r ARGLWYDD:

"Dw i am ganu i'r ARGLWYDD
a dathlu ei fuddugoliaeth:
Mae e wedi taflu'r ceffylau
a'u marchogion i'r môr!
Yr ARGLWYDD ydy ei enw e.
Mae'r ARGLWYDD yn rhyfelwr."

Yna dyma Miriam y broffwydes, chwaer Aaron, yn gafael mewn drwm llaw, a dyma'r merched i gyd yn codi drymiau a mynd ar ei hôl gan ddawnsio.

Roedd Miriam yn canu'r gytgan:

"Canwch i'r ARGLWYDD
i ddathlu ei fuddugoliaeth!
Mae wedi taflu'r ceffylau
a'u marchogion i'r môr!"

Dyma Moses yn cael pobl Israel i symud ymlaen oddi wrth y Môr Coch. Buon nhw'n cerdded yn yr anialwch am dri diwrnod heb ddod o hyd i ddŵr. Yna dyma nhw'n cyrraedd Mara, ond roedden nhw'n methu yfed y dŵr yno am ei fod mor chwerw. "Beth ydyn ni'n mynd i'w yfed?" medden nhw.

Wedyn dyma nhw'n cyrraedd Elim, lle roedd un deg dwy o ffynhonnau a saith deg o goed palmwydd. A dyma nhw'n gwersylla yno wrth ymyl y ffynhonnau.

93

MOSES

Diwrnod 74

Bwyd i'r newynog
(Exodus 16:1-27)

Yna dyma bobl Israel yn gadael Elim. Pan oedden nhw yn yr anialwch dyma nhw i gyd yn dechrau ymosod ar Moses ac Aaron. "Byddai'n well petai'r ARGLWYDD wedi gadael i ni farw yn yr Aifft! O leia roedd gynnon ni ddigon o gig a bwyd i'w fwyta yno. Ond rwyt ti wedi dod â ni i gyd allan i'r anialwch yma i lwgu i farwolaeth!"

Felly dyma Moses ac Aaron yn dweud wrth bobl Israel, "Erbyn gyda'r nos heno, byddwch chi'n gwybod mai'r ARGLWYDD sydd wedi dod â chi allan o wlad yr Aifft. Dŷn ni'n neb. Fe ydy'r un dych chi wedi bod yn ymosod arno, nid ni." Ac meddai Moses, "Bydd yr ARGLWYDD yn rhoi cig i chi ei fwyta gyda'r nos, a digonedd o fara yn y bore."

Gyda'r nos dyma soflieir yn dod ac yn glanio yn y gwersyll – roedden nhw dros bobman! Yna yn y bore roedd haenen o wlith o gwmpas y gwersyll. Pan oedd y gwlith wedi codi roedd rhyw stwff tebyg i haen denau o farrug yn gorchuddio'r anialwch. Pan welodd pobl Israel e, dyma nhw'n gofyn i'w gilydd, "Beth ydy e?"

A dyma Moses yn dweud wrthyn nhw, "Dyma'r bara mae'r ARGLWYDD wedi ei roi i chi i'w fwyta." Galwodd pobl Israel y stwff yn "manna". Roedd yn edrych fel hadau coriander, yn wyn, ac yn blasu fel bisgedi wedi eu gwneud gyda mêl.

MOSES

Diwrnod 75

Y bobl yn amau
(Exodus 17:1-7)

Dyma bobl Israel i gyd yn gadael Anialwch Sin ac yn teithio yn eu blaenau bob yn dipyn, fel roedd yr ARGLWYDD wedi dweud. A dechreuodd y bobl ddadlau gyda Moses, a dweud "Rhowch ddŵr i ni i'w yfed!"

Atebodd Moses, "Pam ydych chi'n swnian? Pam ydych chi'n profi'r ARGLWYDD?"

Ond roedd y fath syched ar y bobl. "Pam yn y byd wnest ti ddod â ni allan o'r Aifft?" medden nhw. "Dŷn ni i gyd yn mynd i farw o syched – ni a'n plant a'n hanifeiliaid!"

Dyma Moses yn gweddïo'n daer ar yr ARGLWYDD, a dyma'r ARGLWYDD yn ateb, "Dw i eisiau i ti daro'r graig, a bydd dŵr yn llifo allan ohoni, i'r bobl gael yfed." A dyma Moses yn gwneud hynny o flaen llygaid arweinwyr Israel.

MOSES

Diwrnod 76

Moses yn siarad â Duw

(Exodus 19:1-18)

Ddau fis union ar ôl iddyn nhw adael yr Aifft dyma bobl Israel yn cyrraedd Anialwch Sinai, a gwersylla yno wrth droed y mynydd.

Yna dyma Moses yn dringo i fyny'r mynydd i gyfarfod gyda Duw, a dyma'r ARGLWYDD yn galw arno o'r mynydd, "Dywed wrth ddisgynyddion Jacob, sef pobl Israel: 'Dych chi wedi gweld beth wnes i i'r Eifftiaid. Dw i wedi eich cario chi ar adenydd eryr a dod â chi yma. Nawr, os gwnewch chi wrando arna i byddwch chi'n drysor sbesial i mi o blith holl wledydd y byd. Fi sydd piau'r ddaear gyfan, a byddwch chi'n genedl sanctaidd.' Dyna'r neges rwyt i i'w rhoi i bobl Israel."

Felly dyma Moses yn mynd yn ôl ac yn galw arweinwyr Israel at ei gilydd, a rhannu gyda nhw beth roedd yr ARGLWYDD wedi ei ddweud. Roedd ymateb y bobl yn unfrydol: "Byddwn ni'n gwneud popeth mae'r ARGLWYDD yn ei ddweud."

Dau ddiwrnod wedyn, yn y bore, roedd yna fellt a tharanau, a daeth cwmwl trwchus i lawr ar y mynydd. Roedd y bobl i gyd yn crynu mewn ofn. Dyma Moses yn arwain y bobl allan o'r gwersyll i gyfarfod Duw, a dyma nhw'n sefyll wrth droed y mynydd. Roedd mwg yn gorchuddio Mynydd Sinai, am fod yr ARGLWYDD wedi dod i lawr arno mewn tân.

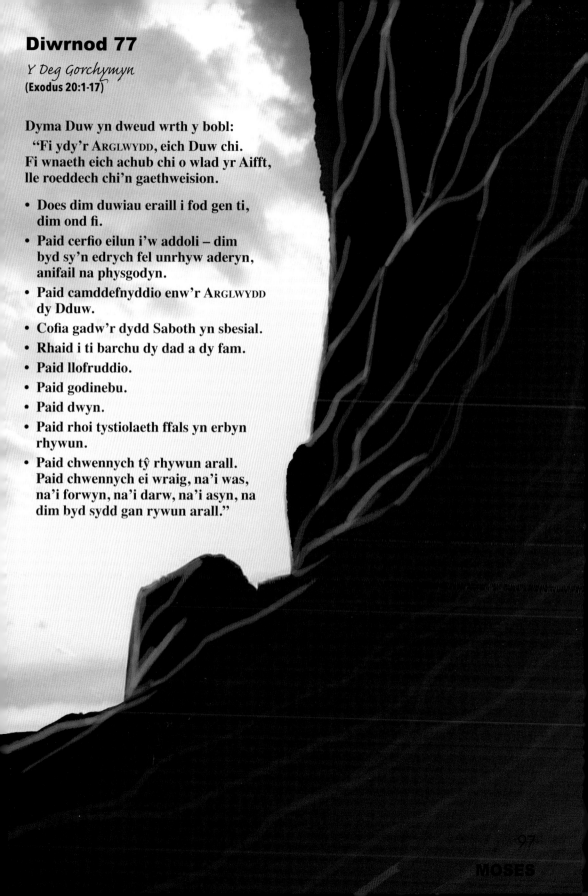

Diwrnod 77

Y Deg Gorchymyn
(Exodus 20:1-17)

Dyma Duw yn dweud wrth y bobl:

"Fi ydy'r ARGLWYDD, eich Duw chi.
Fi wnaeth eich achub chi o wlad yr Aifft,
lle roeddech chi'n gaethweision.

- Does dim duwiau eraill i fod gen ti,
  dim ond fi.
- Paid cerfio eilun i'w addoli – dim
  byd sy'n edrych fel unrhyw aderyn,
  anifail na physgodyn.
- Paid camddefnyddio enw'r ARGLWYDD
  dy Dduw.
- Cofia gadw'r dydd Saboth yn sbesial.
- Rhaid i ti barchu dy dad a dy fam.
- Paid llofruddio.
- Paid godinebu.
- Paid dwyn.
- Paid rhoi tystiolaeth ffals yn erbyn
  rhywun.
- Paid chwennych tŷ rhywun arall.
  Paid chwennych ei wraig, na'i was,
  na'i forwyn, na'i darw, na'i asyn, na
  dim byd sydd gan rywun arall."

MOSES

Diwrnod 78

"Dw i'n mynd i anfon angel o'ch blaen chi, i'ch cadw chi'n saff pan fyddwch chi'n teithio, ac i'ch arwain i'r lle dw i wedi ei baratoi ar eich cyfer chi. Gwrandwch arno, a gwnewch beth mae e'n ddweud. Os gwnewch chi wrando arno, a gwneud beth dw i'n ddweud, bydda i'n ymladd yn erbyn y gelynion fydd yn codi yn eich erbyn chi. Peidiwch plygu i lawr i addoli eu duwiau nhw, na dilyn eu harferion nhw. Addolwch yr Arglwydd eich Duw, a bydd e'n rhoi bara i chi ei fwyta a dŵr i chi ei yfed, ac yn eich cadw chi'n iach. Fydd yna ddim gwragedd sy'n methu cael plant, na gwragedd beichiog yn colli eu plant, a bydd pawb yn cael byw yn hir.

"Bydda i'n achosi braw wrth i bobl eich gweld chi'n dod. Byddan nhw'n dianc oddi wrthoch chi. Bydda i'n achosi panig llwyr. Ond fydd hyn ddim yn digwydd i gyd ar yr un pryd. Does gen i ddim eisiau i'r wlad droi'n anialwch, ac anifeiliaid gwylltion yn cymryd drosodd. Bydda i'n eu gyrru nhw allan bob yn dipyn, i roi cyfle i'ch poblogaeth chi dyfu digon i lenwi'r wlad.

"Bydda i'n gosod ffiniau i chi o'r Môr Coch i Fôr y Canoldir, ac o'r anialwch i Afon Ewffrates. Bydda i'n gwneud i chi goncro'r wlad, a byddwch yn gyrru'r bobloedd sy'n byw yno allan. Rhaid i chi beidio gwneud cytundeb gwleidyddol gyda nhw, na chael dim i'w wneud â'i duwiau nhw. Dŷn nhw ddim i gael byw yn y wlad, rhag iddyn nhw wneud i chi bechu yn fy erbyn i ac addoli eu duwiau nhw."

Diwrnod 79

Dyma Moses yn ysgrifennu popeth ddwedodd yr Arglwydd. Yn gynnar y bore wedyn dyma fe'n codi allor wrth droed y mynydd, ac un deg dwy o golofnau o'i chwmpas – un ar gyfer pob un o ddeuddeg llwyth Israel.

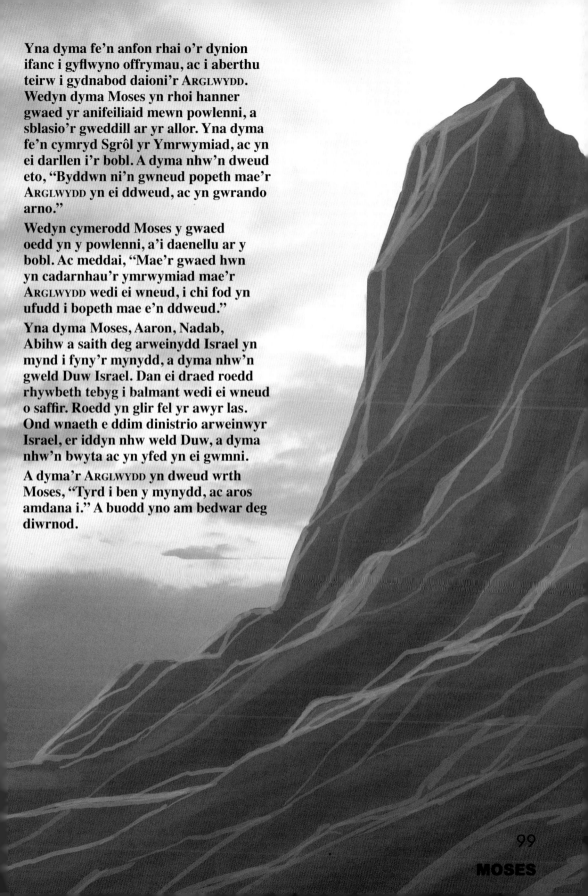

Yna dyma fe'n anfon rhai o'r dynion
ifanc i gyflwyno offrymau, ac i aberthu
teirw i gydnabod daioni'r ARGLWYDD.
Wedyn dyma Moses yn rhoi hanner
gwaed yr anifeiliaid mewn powlenni, a
sblasio'r gweddill ar yr allor. Yna dyma
fe'n cymryd Sgrôl yr Ymrwymiad, ac yn
ei darllen i'r bobl. A dyma nhw'n dweud
eto, "Byddwn ni'n gwneud popeth mae'r
ARGLWYDD yn ei ddweud, ac yn gwrando
arno."

Wedyn cymerodd Moses y gwaed
oedd yn y powlenni, a'i daenellu ar y
bobl. Ac meddai, "Mae'r gwaed hwn
yn cadarnhau'r ymrwymiad mae'r
ARGLWYDD wedi ei wneud, i chi fod yn
ufudd i bopeth mae e'n ddweud."

Yna dyma Moses, Aaron, Nadab,
Abihw a saith deg arweinydd Israel yn
mynd i fyny'r mynydd, a dyma nhw'n
gweld Duw Israel. Dan ei draed roedd
rhywbeth tebyg i balmant wedi ei wneud
o saffir. Roedd yn glir fel yr awyr las.
Ond wnaeth e ddim dinistrio arweinwyr
Israel, er iddyn nhw weld Duw, a dyma
nhw'n bwyta ac yn yfed yn ei gwmni.

A dyma'r ARGLWYDD yn dweud wrth
Moses, "Tyrd i ben y mynydd, ac aros
amdana i." A buodd yno am bedwar deg
diwrnod.

Diwrnod 80

Tarw ifanc o aur
(Exodus 32:1-12)

Pan welodd y bobl fod Moses yn hir iawn yn dod i lawr o'r mynydd, dyma nhw'n casglu o gwmpas Aaron a dweud wrtho, "Tyrd, gwna rywbeth. Gwna dduwiau i ni i'n harwain. Pwy ŵyr beth sydd wedi digwydd i'r Moses yna wnaeth ein harwain ni allan o'r Aifft!"

Felly dyma Aaron yn dweud wrthyn nhw, "Cymerwch y modrwyau aur sydd yng nghlustiau eich gwragedd a'ch meibion a'ch merched, a dewch â nhw i mi." Cymerodd yr aur ganddyn nhw, a gwneud eilun ar siâp tarw ifanc allan ohono.

A dyma'r bobl yn dweud, "O Israel! Dyma'r duwiau ddaeth â ti allan o'r Aifft!" Eisteddodd y bobl i lawr i wledda ac yfed, ac yna codi i ymgolli mewn rhialtwch paganaidd.

Dyma'r ARGLWYDD yn dweud wrth Moses, "Brysia, dos yn ôl i lawr! Mae dy bobl di, y rhai ddaethost ti â nhw allan o wlad yr Aifft, wedi troi i ffwrdd oddi wrth beth wnes i orchymyn. Dw i wedi digio'n lân gyda nhw, a dw i'n mynd i'w dinistrio nhw."

Ond dyma Moses yn ceisio tawelu'r ARGLWYDD, a dweud wrtho, "O ARGLWYDD, paid bod mor ddig gyda dy bobl!"

Diwrnod 81

Moses yn dinistrio'r eilun

(Exodus 32:15-20)

A dyma Moses yn dechrau yn ôl i lawr o ben y mynydd. Roedd yn cario dwy lech y dystiolaeth yn ei ddwylo. Duw ei hun oedd wedi ysgrifennu arnyn nhw.

Pan gyrhaeddodd y gwersyll a gweld yr eilun o darw ifanc, a'r bobl yn dawnsio'n wyllt, dyma Moses yn colli ei dymer yn lân. Taflodd y llechi oedd yn ei ddwylo ar lawr, a dyma nhw'n malu'n deilchion. Yna dyma fe'n cymryd yr eilun o darw ifanc a'i doddi yn y tân. Wedyn ei falu'n lwch mân, ei wasgaru ar y dŵr, a gwneud i bobl Israel ei yfed.

MOSES

Diwrnod 82

Duw yn garedig
(Exodus 33:12-23)

Dyma Moses yn dweud wrth yr Arglwydd, "Ti wedi bod yn dweud wrtho i, 'Tyrd â'r bobl yma allan,' ond dwyt ti ddim wedi gadael i mi wybod pwy fydd yn mynd hefo fi. Rwyt ti hefyd wedi dweud, 'Dw i wedi dy ddewis di, ac wedi bod yn garedig atat ti.' Os ydy hynny'n wir, dangos i mi beth rwyt ti am ei wneud, i mi ddeall yn well a dal ati i dy blesio di. A cofia mai dy bobl di ydy'r rhain."

Dyma'r Arglwydd yn ei ateb, "Bydda i fy hun yn mynd, ac yn gwneud yn siŵr y byddi di'n iawn."

A dyma Moses yn ei ateb, "Wnawn ni ddim symud cam os na ddoi di gyda ni. Sut arall mae pobl yn mynd i wybod mor garedig rwyt ti wedi bod? Sut arall maen nhw i wybod ein bod ni'n sbesial ac yn wahanol i bawb arall drwy'r byd i gyd?"

Dyma'r Arglwydd yn dweud wrth Moses, "Iawn, bydda i'n gwneud beth rwyt ti'n ei ofyn. Ti wedi fy mhlesio i, a dw i wedi dy ddewis di."

Yna dyma Moses yn dweud, "Dangos dy ysblander i mi."

A dyma'r Arglwydd yn ateb, "Dw i am adael i ti gael cipolwg bach o mor dda ydw i. A dw i'n mynd i gyhoeddi fy enw, 'yr Arglwydd' o dy flaen di. Ond gei di ddim gweld fy wyneb i. Does neb yn edrych arna i ac yn byw wedyn."

A dyma'r Arglwydd yn dweud, "Edrych, mae yna le i ti sefyll ar y graig yn y fan yma. Pan fydd fy ysblander i'n mynd heibio, bydda i'n dy guddio di mewn hollt yn y graig, a rhoi fy llaw drosot ti wrth i mi fynd heibio. Wedyn bydda i'n cymryd fy llaw i ffwrdd, a gadael i ti edrych ar fy nghefn i. Does neb yn cael gweld fy wyneb i."

Diwrnod 83

Dwy lechen garreg newydd.
(Exodus 34:1-9)

Dyma'r ARGLWYDD yn dweud wrth Moses, "Cerfia ddwy lechen garreg fel y rhai cyntaf. Gwna i ysgrifennu arnyn nhw beth oedd ar y llechi wnest ti eu malu. Bydd barod i ddringo mynydd Sinai yn y bore, a sefyll yno ar ben y mynydd i'm cyfarfod i."

Felly dyma Moses yn cerfio dwy lechen garreg fel y rhai cyntaf. Yna'n gynnar y bore wedyn aeth i fyny i ben Mynydd Sinai. A dyma'r ARGLWYDD yn dod i lawr yn y cwmwl, sefyll yna gydag e, a chyhoeddi mai ei enw ydy yr ARGLWYDD.

Pasiodd heibio o'i flaen a chyhoeddi, "Yr ARGLWYDD! Yr ARGLWYDD! mae'n Dduw caredig a thrugarog; mae mor amyneddgar, a'i haelioni a'i ffyddlondeb yn anhygoel! Mae'n dangos cariad di-droi'n-ôl am fil o genedlaethau, ac yn maddau beiau, gwrthryfel a phechod."

Ar unwaith dyma Moses yn ymgrymu yn isel i addoli, a dweud, "Meistr, os ydw i wedi dy blesio di, wnei di fynd gyda ni? Mae'r bobl yma yn ystyfnig, ond plîs wnei di faddau ein beiau a'n pechod ni, a'n derbyn ni yn bobl arbennig i ti dy hun?"

MOSES

Diwrnod 84

Y bobl yn cwyno eto
(Numeri 11:4-15)

Roedd pobl Israel yn crïo eto, ac yn cwyno, "Pam gawn ni ddim cig i'w fwyta? Pan oedden ni yn yr Aifft roedd gynnon ni ddigonedd o bysgod i'w bwyta, a pethau fel ciwcymbyrs, melons, cennin, nionod a garlleg. Ond yma y cwbl sydd gynnon ni ydy'r manna yma!"

Roedd y manna'n disgyn ar lawr y gwersyll dros nos gyda'r gwlith. Byddai'r bobl yn mynd allan i'w gasglu, ac yna'n gwneud blawd ohono gyda melinau llaw, neu drwy ei guro mewn mortar. Wedyn ei ferwi mewn crochan, a gwneud bara tenau ohono.

Dyma Moses yn clywed y bobl i gyd yn crïo tu allan i'w pebyll. Roedd yr ARGLWYDD wedi digio go iawn gyda nhw, ac roedd Moses yn gweld fod pethau'n ddrwg. A dyma Moses yn gofyn i'r ARGLWYDD, "Pam wyt ti'n trin fi mor wael? Beth dw i wedi ei wneud o'i le? Mae'r bobl yma'n ormod o faich! Ydyn nhw'n blant i mi? Maen nhw'n cwyno'n ddi-stop, 'Rho gig i ni i'w fwyta! Dŷn ni eisiau cig!' Mae'r cwbl yn ormod i mi! Alla i ddim gwneud hyn ar fy mhen fy hun. Os mai fel yma wyt ti am fy nhrin i, byddai'n well gen i farw! Gwna ffafr â mi a lladd fi nawr! Alla i gymryd dim mwy!"

Diwrnod 85

Yr ARGLWYDD yn anfon soflieir
(Numeri 11:31-35)

Dyma'r ARGLWYDD yn gyrru gwynt wnaeth gario soflieir o gyfeiriad y môr, a gwneud iddyn nhw ddisgyn o gwmpas y gwersyll. Roedd soflieir am filltiroedd i bob cyfeiriad, yn hedfan tua metr a hanner uwch wyneb y ddaear. Buodd y bobl wrthi ddydd a nos y diwrnod hwnnw, a'r diwrnod wedyn, yn casglu'r soflieir. Wnaeth neb gasglu llai na llond deg basged fawr! Ond tra roedden nhw'n bwyta'r cig, a prin wedi dechrau ei gnoi, dyma'r ARGLWYDD yn dangos mor ddig oedd e, ac yn gadael i bla ofnadwy daro'r bobl.

Cafodd y lle hwnnw ei alw yn 'Beddau'r Gwancus', am mai dyna ble cafodd y bobl oedd yn awchu am gig eu claddu.

Diwrnod 86

Miriam ac Aaron yn eiddigeddus
(Numeri 12:1-15)

Roedd Moses yn ddyn gostyngedig iawn. Doedd neb llai balch drwy'r byd i gyd. Ond roedd Miriam ac Aaron wedi dechrau ei feirniadu, am ei fod wedi priodi dynes ddu o Affrica. "Ai dim ond trwy Moses mae'r Arglwydd yn siarad?" medden nhw. "Ydy e ddim wedi siarad trwon ni hefyd?"

Roedd yr Arglwydd wedi eu clywed nhw. Felly dyma fe'n galw ar Moses, Aaron a Miriam i ddod at Babell Presenoldeb Duw. A dyma'r Arglwydd yn dod i lawr mewn colofn o niwl o flaen mynedfa'r Tabernacl. Dyma fe'n dweud wrth Aaron a Miriam i gamu ymlaen, a dyma nhw'n gwneud hynny. Yna dyma fe'n dweud wrthyn nhw,

"Gwrandwch yn ofalus ar beth dw i'n ddweud: Os oes proffwyd gyda chi, dw i'r Arglwydd yn siarad â'r person hwnnw drwy weledigaeth a breuddwyd.

Ond mae fy ngwas Moses yn wahanol. Dw i'n gallu ei drystio fe'n llwyr. Dw i'n siarad ag e wyneb yn wyneb – yn gwbl agored. Does dim ystyr cudd. Felly pam oeddech chi mor barod i'w feirniadu?"

Roedd yr Arglwydd wedi digio go iawn gyda nhw, a dyma fe'n mynd i fwrdd. Ac wrth i'r cwmwl godi oddi ar y Tabernacl, roedd croen Miriam wedi troi'n wyn gan wahanglwyf.

Pan welodd Aaron y gwahanglwyf arni dyma fe'n galw ar Moses, "Meistr, plîs paid cymryd yn ein herbyn ni. Dŷn ni wedi bod yn ffyliaid, ac wedi pechu!"

A gweddïodd Moses ar yr Arglwydd, "O Dduw, plîs wnei di ei hiacháu hi?"

A dyma'r Arglwydd yn ei ateb, "Cau hi allan o'r gwersyll am saith diwrnod, a bydd hi'n cael dod yn ôl wedyn."

Wnaeth y bobl ddim teithio yn eu blaenau nes roedd Miriam yn ôl gyda nhw.

MOSES

107

Diwrnod 87

Anfon ysbiwyr i wlad Canaan

(Numeri 13:1-24)

Dyma'r ARGLWYDD yn dweud wrth Moses: "Anfon ddynion i archwilio gwlad Canaan, sef y tir dw i'n ei roi i bobl Israel. Anfon un arweinydd o bob llwyth."

Pan anfonodd Moses nhw i archwilio gwlad Canaan, dwedodd fel hyn: "Edrychwch i weld sut wlad ydy hi. Ydy'r bobl yn gryf neu'n wan? Oes yna lawer ohonyn nhw, neu dim ond ychydig? Sut dir ydy e? Da neu drwg? Oes gan y trefi waliau i'w hamddiffyn, neu ydyn nhw'n agored? Beth am y pridd? Ydy e'n ffrwythlon neu'n wael? Oes yna fforestydd yno? Byddwch yn ddewr! Ewch yno, a dewch â peth o gynnyrch y tir yn ôl gyda chi."

Felly i ffwrdd â nhw. A dyma nhw'n archwilio'r wlad, yr holl ffordd o anialwch Sin yn y de i Rechob, wrth Fwlch Chamath yn y gogledd.

Wrth fynd trwy'r Negef dyma nhw'n cyrraedd tref Hebron. Roedd yr Achiman, y Sheshai a'r Talmai yn byw yno, sef disgynyddion Anac.

Pan gyrhaeddon nhw ddyffryn Eshcol dyma nhw'n torri cangen oddi ar winwydden gyda un swp o rawnwin arni. Roedd rhaid cael dau ddyn i'w chario ar bolyn rhyngddyn nhw. A dyma nhw'n casglu pomgranadau a ffigys hefyd.

Diwrnod 88

Yr ysbiwyr yn dod yn ôl
(Numeri 13:25-33)

Ar ôl bod yn archwilio'r wlad am bedwar deg diwrnod, dyma'r dynion yn mynd yn ôl at Moses ac Aaron a phobl Israel. Dyma nhw'n dweud wrth Moses, "Aethon ni i'r wlad lle gwnest ti'n hanfon ni. Mae'n dir ffrwythlon – tir lle mae llaeth a mêl yn llifo! A dyma beth o'i ffrwyth. Ond mae'r bobl sy'n byw yno yn gryfion, ac maen nhw'n byw mewn trefi caerog mawr. Ac yn waeth na hynny, mae disgynyddion Anac yn byw yno. "

Ond yna dyma un o'r dynion, Caleb, yn galw ar y bobl i fod yn dawel. "Gadewch i ni fynd, a chymryd y wlad! Gallwn ni ei choncro!" meddai.

Ond dyma'r dynion eraill oedd wedi mynd i archwilio'r wlad yn dweud, "Na, allwn ni ddim ymosod ar y bobl yno. Maen nhw'n llawer rhy gryf i ni!" A dyma nhw'n rhoi adroddiad gwael i bobl Israel. "Mae'r bobl welon ni yno yn anferth! Roedd yno gewri, ac roedden ni'n teimlo'n fach fel pryfed wrth eu hymyl nhw!"

109

MOSES

Diwrnod 89

Moses yn siarad â phobl Israel
(Deuteronomium 8:1-18)

Dyma Moses yn dweud wrth bobl Israel, "Peidiwch anghofio'r blynyddoedd dych chi wedi eu treulio yn yr anialwch. Roedd yr ARGLWYDD yn eich dysgu chi a'ch profi chi, i weld os oeddech chi wir yn mynd i wneud beth roedd e'n ddweud. Profodd chi drwy wneud i chi fynd heb fwyd, ac wedyn eich bwydo chi gyda'r manna. Roedd e eisiau i chi ddeall mai nid bwyd ydy'r unig beth mae pobl angen i fyw. Maen nhw angen gwrando ar bopeth mae'r ARGLWYDD yn ei ddweud. Am bedwar deg o flynyddoedd wnaeth eich dillad chi ddim treulio, a wnaeth eich traed chi ddim chwyddo.

"Dw i eisiau i chi ddeall fod yr ARGLWYDD eich Duw yn eich disgyblu chi fel mae rhieni yn disgyblu eu plentyn. Felly gwnewch beth mae e'n ddweud, byw fel mae e eisiau i chi fyw, a'i barchu. Mae'r ARGLWYDD eich Duw yn mynd â chi i wlad dda, sy'n llawn nentydd, ffynhonnau a ffrydiau o ddŵr yn llifo rhwng y bryniau. Gwlad lle mae digon o ŷd a haidd, gwinwydd, coed ffigys, pomgranadau, ac olewydd, a mêl hefyd. Bydd gynnoch chi fwy na digon i'w fwyta, a byddwch yn moli'r ARGLWYDD eich Duw. Gwyliwch rhag i chi droi'n rhy hunanfodlon, ac anghofio'r ARGLWYDD eich Duw, wnaeth eich achub chi o wlad yr Aifft, lle roeddech chi'n gaethweision. Gwyliwch rhag i chi ddechrau meddwl, 'Fi fy hun sydd wedi ennill y cyfoeth yma i gyd.' Cofiwch mai'r ARGLWYDD eich Duw ydy'r un sy'n rhoi'r gallu yma i chi. Os cofiwch chi hynny, bydd e'n cadarnhau yr ymrwymiad wnaeth e ar lw i'ch hynafiaid chi."

Diwrnod 90

Moses yn marw
(Deuteronomium 34:1-10)

Dyma Moses yn mynd o anialwch
Moab i ben Mynydd Nebo. Dyma'r
ARGLWYDD yn dangos y wlad gyfan iddo,
a dweud wrtho, "Dyma'r wlad wnes i
ei haddo i Abraham, Isaac a Jacob pan
ddwedais, 'Dw i'n mynd i'w rhoi hi i'ch
disgynyddion chi.' Dw i wedi gadael i ti
ei gweld, ond dwyt ti ddim yn mynd i
gael croesi drosodd yno."

Felly dyma Moses, gwas yr
ARGLWYDD, yn marw yno yn Moab,
fel roedd yr ARGLWYDD wedi dweud.
Cafodd ei gladdu yng ngwlad Moab
wrth ymyl Beth-peor, ond
does neb yn gwybod yn
union yn ble hyd heddiw. Roedd
Moses yn gant dau ddeg oed pan fuodd
farw, ond roedd yn dal i weld yn glir, ac
mor gryf ac erioed.

Buodd pobl Israel yn galaru ar ôl Moses
am fis cyfan, ar wastatir Moab. Fuodd
yna erioed broffwyd arall tebyg i
Moses yn Israel – roedd Duw yn
delio gydag e wyneb yn wyneb.

Diwrnod 91

Josua yn arwain pobl Israel
(Josua 1:1-9)

Dyma'r ARGLWYDD yn dweud wrth Josua, gwas Moses: "Mae Moses fy ngwas wedi marw. Dos, a croesi'r Afon Iorddonen. Dw i eisiau i ti arwain y bobl yma i'r tir dw i'n ei roi i chi. Fel gwnes i addo i Moses, dw i'n mynd i roi i chi bob modfedd sgwâr fyddwch chi'n cerdded arno. Bydda i gyda ti, fel roeddwn i gyda Moses. Bydd yn gryf a dewr. Ti'n mynd i arwain y bobl yma i goncro'r wlad wnes i addo ei rhoi i'w hynafiaid. Ond rhaid i ti fod yn gryf ac yn ddewr iawn! Gwna'n siŵr dy fod yn gwneud popeth mae'r Gyfraith roddodd Moses i ti yn ei ddweud. Paid crwydro oddi wrthi o gwbl, a byddi di'n llwyddo beth bynnag wnei di. Darllen sgrôl y Gyfraith yma yn rheolaidd. Myfyria arni ddydd a nos, a'i dysgu, er mwyn i ti wneud beth mae'n ei ddweud. Dyna sut fyddi di'n llwyddo. Dw i'n dweud eto, bydd yn gryf a dewr! Paid bod ag ofn na panicio. Dw i, yr ARGLWYDD dy Dduw, yn mynd i fod gyda ti bob cam o'r ffordd!"

Diwrnod 92

Llwythau'r dwyrain yn addo helpu

(Josua 1:10-15)

Dyma Josua yn gorchymyn i arweinwyr y llwythau: "Ewch drwy'r gwersyll a dweud wrth bawb i gael eu hunain yn barod. Y diwrnod ar ôl yfory dych chi'n mynd i groesi'r Afon Iorddonen, a dechrau concro'r tir mae'r ARGLWYDD eich Duw yn ei roi i chi."

Yna dyma Josua yn troi at lwythau Reuben, Gad, a hanner llwyth Manasse, a dweud: "Cofiwch beth ddwedodd Moses, gwas yr ARGLWYDD, wrthoch chi. Mae'r ARGLWYDD eich Duw yn rhoi'r tir yma, sydd i'r dwyrain o'r Afon Iorddonen, i chi setlo i lawr arno.

Gall eich gwragedd a'ch plant a'ch anifeiliaid aros yma. Ond rhaid i bob dyn sy'n gallu ymladd groesi'r afon o flaen gweddill eich brodyr, yn barod i frwydro gyda nhw."

113

JOSUA

Diwrnod 93

Rahab yn helpu'r ysbiwyr
(Josua 2:1-7)

Dyma Josua yn anfon dau ysbïwr allan o'r gwersyll yn Sittim, a dweud wrthyn nhw: "Dw i eisiau i chi ddarganfod beth allwch chi am y wlad, yn arbennig tref Jericho."

Felly, i ffwrdd a nhw, a dyma nhw'n mynd i dŷ putain o'r enw Rahab, ac aros yno dros nos. Ond dyma rhywun yn dweud wrth frenin Jericho, "Mae rhai o ddynion Israel wedi dod yma i ysbïo'r wlad."

Felly dyma'r brenin yn anfon milwyr at Rahab, "Tyrd â'r dynion allan. Ysbiwyr ydyn nhw, wedi dod i edrych dros y wlad." Ond roedd Rahab wedi cuddio'r dynion. Roedd wedi mynd â nhw i ben to'r tŷ, a'i cuddio nhw dan y pentyrrau o lin roedd hi wedi eu gosod allan yno. Dyma hi'n ateb y milwyr, "Mae'n wir, roedd yna ddynion wedi dod ata i, ond doeddwn i ddim yn gwybod o ble roedden nhw'n dod. Pan oedd hi'n tywyllu, a giât y ddinas ar fin cael ei chau dros nos, dyma nhw'n gadael. Dw i ddim yn gwybod i ba gyfeiriad aethon nhw. Os brysiwch chi, gallwch chi eu dal nhw!"

Felly dyma weision y brenin yn mynd i chwilio amdanyn nhw ar hyd y ffordd sy'n arwain at Afon Iorddonen.

114

JOSUA

Diwrnod 94

Rahab yn gofyn ffafr
(Josua 2:8-14)

Cyn i'r ysbiwyr fynd i gysgu'r noson honno, dyma Rahab yn mynd i siarad â nhw. Meddai wrthyn nhw, "Dw i'n gwybod yn iawn fod yr ARGLWYDD yn mynd i roi'r wlad yma i chi. Mae gan bawb eich ofn chi. Dŷn ni wedi clywed sut wnaeth yr ARGLWYDD sychu'r Môr Coch o'ch blaenau chi pan ddaethoch chi allan o'r Aifft.

A hefyd, sut wnaethoch chi ddinistrio dau frenin yr Amoriaid yr ochr arall i'r Afon Iorddonen. Mae'r ARGLWYDD eich Duw chi yn Dduw yn y nefoedd uchod ac i lawr yma ar y ddaear! Dw i eisiau i chi addo i mi o flaen yr ARGLWYDD, na fyddwch chi'n lladd neb yn fy nheulu – dad, mam, fy mrodyr a'm chwiorydd, na neb arall yn y teulu."

A dyma'r dynion yn addo iddi, "Os gwnei di ddim dweud wrth neb amdanon ni, byddwn ni'n cadw'n haddewid i ti pan fydd yr ARGLWYDD yn rhoi'r wlad yma i ni. Boed i ni dalu gyda'n bywydau os cewch chi'ch lladd!"

115

116
OSUA

Diwrnod 95

Yr ysbiwyr yn dianc
(Josua 2:15-24)

Roedd wal allanol tŷ Rahab yn rhan o wal y ddinas. Felly dyma Rahab yn gollwng yr ysbiwyr i lawr ar raff o ffenest ei thŷ. "Ewch i gyfeiriad y bryniau," meddai wrthyn nhw. "Fydd y dynion sydd ar eich holau chi ddim yn dod o hyd i chi wedyn. Cuddiwch yno am dri diwrnod, i roi cyfle iddyn nhw ddod yn ôl. Wedyn gallwch fynd ar eich ffordd."

Dyma'r dynion yn dweud wrthi, "Allwn ni ddim ond cadw'r addewid wnaethon ni i ti ar un amod: Pan fyddwn ni'n ymosod ar y wlad, rhwyma'r rhaff goch yma iddi hongian allan o'r ffenest wnaethon ni ddianc trwyddi. A rhaid i ti gasglu dy deulu i gyd at ei gilydd yn y tŷ.

Os bydd unrhyw un yn gadael y tŷ ac yn cael ei ladd, nhw eu hunain fydd ar fai. Ac os byddi di'n dweud wrth unrhyw un amdanon ni, fyddwn ni ddim yn gyfrifol am dorri'r addewid."

"Digon teg," meddai hithau. A dyma hi'n eu hanfon nhw i ffwrdd, ac yn rhwymo'r rhaff goch i'r ffenest.

Dyma nhw'n mynd i'r bryniau, ac yn aros yno am dri diwrnod – digon o amser i'r dynion oedd yn chwilio amdanyn nhw fynd yn ôl. Roedd y rheiny wedi bod yn edrych amdanyn nhw ym mhobman ar hyd y ffordd, ond wedi methu dod o hyd iddyn nhw.

Yna dyma'r ddau ddyn yn dod i lawr o'r bryniau, croesi Afon Iorddonen, a mynd at Josua i roi adroddiad iddo o beth oedd wedi digwydd. "Does dim amheuaeth," medden nhw. "Mae'r ARGLWYDD yn mynd i roi'r wlad i gyd i ni! Mae'r bobl i gyd yn ofni am eu bywydau!"

Diwrnod 96

Yr Arch yn arwain y ffordd
(Josua 3:1-8)

Yn gynnar y bore wedyn, dyma Josua a phobl Israel i gyd yn mynd at yr Iorddonen. Dyma nhw'n aros yno cyn croesi'r afon. Ddeuddydd wedyn dyma'r arweinwyr yn mynd trwy'r gwersyll i roi gorchymyn i'r bobl, "Pan fyddwch chi'n gweld Arch Ymrwymiad yr ARGLWYDD eich Duw yn cael ei chario gan yr offeiriaid, rhaid i chi ei ddilyn. Ond peidiwch mynd yn rhy agos ati. Cadwch bellter o ryw hanner milltir rhyngoch chi a'r Arch. Wedyn byddwch yn gweld pa ffordd i fynd."

A dyma Josua'n dweud wrth y bobl, "Mae'r ARGLWYDD yn mynd i wneud rhywbeth hollol ryfeddol i chi yfory."

Yna dyma fe'n dweud wrth yr offeiriaid, "Codwch Arch yr Ymrwymiad, ac ewch o flaen y bobl." A dyma nhw'n gwneud hynny.

Dyma'r ARGLWYDD yn dweud wrth Josua, "O heddiw ymlaen dw i'n mynd i dy wneud di'n arweinydd mawr yng ngolwg pobl Israel. Byddan nhw'n gwybod fy mod i gyda ti, fel roeddwn i gyda Moses. Dw i eisiau i ti ddweud wrth yr offeiriaid sy'n cario Arch yr Ymrwymiad, 'Pan ddowch chi at lan Afon Iorddonen, cerddwch i mewn i'r dŵr a sefyll yno.'"

119

Diwrnod 97

Pobl Israel yn croesi Afon Iorddonen
(Josua 3:9-17; 4:10-18)

Felly dyma Josua yn galw ar bobl
Israel, "Dewch yma i glywed beth mae'r
ARGLWYDD eich Duw yn ei ddweud!
Dyma sut byddwch chi'n gweld fod y
Duw byw gyda chi, a'i fod yn mynd i
yrru allan eich gelynion. Edrychwch!
Mae Arch Ymrwymiad Meistr y ddaear
gyfan yn barod i'ch arwain chi ar draws
yr Afon Iorddonen! Dewiswch un deg
dau o ddynion o lwythau Israel – un o

bob llwyth. Pan fydd traed yr
offeiriaid sy'n cario'r Arch yn
cyffwrdd dŵr yr afon, bydd y dŵr
yn stopio llifo ac yn codi'n bentwr."
Felly dyma'r offeiriaid oedd yn cario'r
Arch yn mynd o'u blaenau. Dyma nhw'n
dod at yr afon, a pan gyffyrddodd eu
traed y dŵr dyma'r dŵr yn stopio llifo.
Doedd dim dŵr o gwbl yn llifo i'r Môr
Marw. Safodd yr offeiriaid ar wely'r
Afon Iorddonen, tra roedd pobl Israel i
gyd yn croesi'r afon ar frys.

"Dewch i fyny o wely'r afon!" meddai
Josua wrth yr offeiriaid, a dyma nhw'n
dod. Pan oedden nhw wedi cyrraedd y
tir sych, dyma ddŵr yr afon yn dechrau
llifo eto, a gorlifo fel o'r blaen.

Y diwrnod hwnnw gwnaeth yr ARGLWYDD
Josua yn arweinydd mawr yng ngolwg
pobl Israel. Roedden nhw'n ei barchu e
tra buodd e byw, yn union fel roedden
nhw wedi parchu Moses.

Diwrnod 98

Codi Cerrig Coffa

(Josua 4:1-9)

Pan oedd y genedl gyfan wedi croesi'r Iorddonen, dyma'r ARGLWYDD yn dweud wrth Josua: "Dewis un deg dau o ddynion – un o bob llwyth. Dywed wrthyn nhw am gymryd cerrig o wely'r afon, o'r union fan lle roedd yr offeiriaid yn sefyll. Maen nhw i fynd â'r cerrig, a'i gosod nhw i lawr lle byddwch chi'n gwersylla heno."

Dyma Josua'n galw'r dynion at ei gilydd a dweud wrthyn nhw: "Ewch o flaen Arch yr ARGLWYDD eich Duw i ganol yr Iorddonen. Yno, mae pob un ohonoch chi i godi carreg ar ei ysgwydd. Yn y dyfodol, pan fydd eich plant yn gofyn, 'Beth ydy'r cerrig yma?', gallwch ddweud wrthyn nhw fod y dŵr wedi stopio llifo wrth i'r Arch groesi. A bod y cerrig i atgoffa pobl Israel o beth ddigwyddodd."

Diwrnod 99

Brwydr Jericho
(Josua 7:1-14)

Roedd giatiau Jericho wedi eu cau'n dynn am fod ganddyn nhw ofn pobl Israel. Doedd neb yn cael mynd i mewn nac allan o'r ddinas.

A dyma'r ARGLWYDD yn dweud wrth Josua, "Dw i'n mynd i roi dinas Jericho i ti. Byddi di'n concro ei brenin a'i byddin! Dw i eisiau i dy fyddin di fartsio o gwmpas Jericho un waith bob dydd am chwe diwrnod. Mae saith offeiriad i gerdded o flaen yr Arch, pob un ohonyn nhw yn cario corn hwrdd.

Yna ar y seithfed diwrnod rhaid martsio o gwmpas y ddinas saith gwaith, gyda'r offeiriad yn chwythu'r cyrn hwrdd. Wedyn pan fydd yr offeiriad yn seinio un nodyn hir ar y cyrn hwrdd, rhaid i'r fyddin i gyd weiddi'n uchel. Bydd waliau'r ddinas yn syrthio, a bydd y fyddin yn gallu mynd yn syth i mewn i'r ddinas."

Felly dyma Josua yn galw'r offeiriad ato, ac yn dweud wrthyn nhw, "Codwch Arch yr Ymrwymiad, a rhoi saith offeiriad i fynd o'i blaen, pob un ohonyn nhw yn cario corn hwrdd."

Yn gynnar y bore wedyn dyma'r saith offeiriad yn mynd allan o flaen Arch yr ARGLWYDD, pob un yn chwythu ei gorn hwrdd. Dyma nhw'n martsio o gwmpas y ddinas, a gwneud yr un peth am chwe diwrnod.

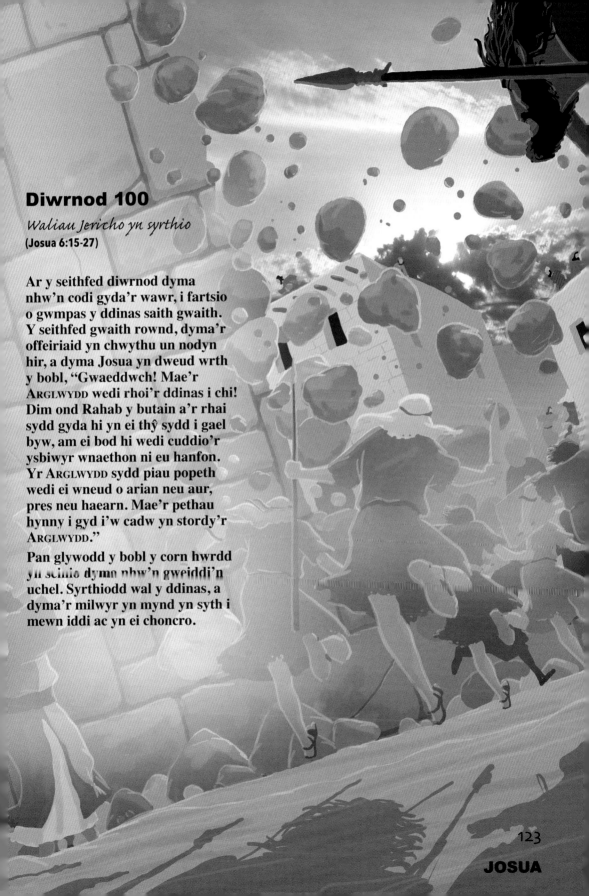

Diwrnod 100

Waliau Jericho yn syrthio
(Josua 6:15-27)

Ar y seithfed diwrnod dyma nhw'n codi gyda'r wawr, i fartsio o gwmpas y ddinas saith gwaith. Y seithfed gwaith rownd, dyma'r offeiriaid yn chwythu un nodyn hir, a dyma Josua yn dweud wrth y bobl, "Gwaeddwch! Mae'r ARGLWYDD wedi rhoi'r ddinas i chi! Dim ond Rahab y butain a'r rhai sydd gyda hi yn ei thŷ sydd i gael byw, am ei bod hi wedi cuddio'r ysbiwyr wnaethon ni eu hanfon. Yr ARGLWYDD sydd piau popeth wedi ei wneud o arian neu aur, pres neu haearn. Mae'r pethau hynny i gyd i'w cadw yn stordy'r ARGLWYDD."

Pan glywodd y bobl y corn hwrdd yn seinio dyma nhw'n gweiddi'n uchel. Syrthiodd wal y ddinas, a dyma'r milwyr yn mynd yn syth i mewn iddi ac yn ei choncro.

Diwrnod 101

Josua yn gorchymyn i'r haul sefyll yn yr awyr

(Josua 10:1-15)

Clywodd Adoni-sedec, brenin Jerwsalem, fod pobl Gibeon wedi gwneud cytundeb heddwch gydag Israel, a'u bod nhw'n byw gyda nhw. Felly dyma fe'n anfon neges at frenhinoedd eraill yr ardal: "Dewch gyda mi i ymosod ar Gibeon. Maen nhw wedi gwneud cytundeb heddwch gyda Josua a phobl Israel." Felly dyma bum brenin yr Amoriaid yn dod a'u byddinoedd at ei gilydd, ac yn amgylchynu Gibeon yn barod i ymosod arni. A dyma bobl

Gibeon yn anfon neges at Josua: "Helpa ni! Mae brenhinoedd yr Amoriaid, sy'n byw yn y bryniau, wedi ymuno gyda'i gilydd i ymosod arnon ni."

Dyma Josua a'i fyddin gyfan yn mynd i'w helpu nhw. A dyma'r Arglwydd yn dweud wrth Josua, "Paid bod ag ofn. Dw i'n mynd i roi buddugoliaeth i ti. Fydd neb yn gallu dy rwystro di."

Ar ôl martsio drwy'r nos, dyma Josua yn ymosod arnyn nhw'n gwbl ddi-rybudd. Gwnaeth yr Arglwydd iddyn nhw banicio, a cawson nhw eu trechu'n llwyr gan Israel. Wrth iddyn nhw ddianc oddi wrth fyddin Israel dyma'r Arglwydd yn gwneud iddi fwrw cenllysg anferth arnyn nhw. Cafodd mwy eu lladd gan y cenllysg nag oedd wedi eu lladd gan fyddin Israel yn y frwydr!

Y diwrnod hwnnw roedd Josua wedi gweddïo o flaen pobl Israel i gyd: "Haul, stopia yn yr awyr uwch ben Gibeon." Roedd yr haul wedi sefyll yn ei unfan drwy'r dydd, heb fachlud. Does dim diwrnod tebyg erioed wedi bod cyn hynny na wedyn! Oedd, roedd yr Arglwydd yn ymladd dros bobl Israel!

A dyma Josua a byddin Israel yn mynd yn ôl i'r gwersyll yn Gilgal.

Diwrnod 102

"Dyn ni'n mynd i addoli'r ARGLWYDD!"
(Josua 24:14-28)

Dwedodd Josua wrth y bobl, "Byddwch yn ufudd i'r ARGLWYDD, a'i addoli o ddifrif. Os nad ydych chi eisiau addoli'r ARGLWYDD, penderfynwch heddiw pwy dych chi am ei addoli – y duwiau roedd eich hynafiaid yn eu haddoli, neu dduwiau'r Amoriaid dych chi'n byw yn eu tir nhw. Ond dw i a'm teulu yn mynd i addoli'r ARGLWYDD!"

Dyma'r bobl yn ymateb, "Fydden ni ddim yn meiddio troi cefn ar yr ARGLWYDD i addoli duwiau eraill! Yr ARGLWYDD ein Duw wnaeth ein hachub ni a'n hynafiaid o fod yn gaethweision yn yr Aifft, a gwneud gwyrthiau rhyfeddol o flaen ein llygaid. Fe wnaeth ein cadw ni'n saff ar y daith, wrth i ni basio trwy diroedd gwahanol bobl. Yr ARGLWYDD wnaeth yrru'r bobloedd i gyd allan o'n blaenau ni, gan gynnwys yr Amoriaid oedd yn byw yn y wlad yma. Felly dŷn ni hefyd am addoli'r ARGLWYDD. Ein Duw ni ydy e."

Yna dyma Josua yn rhybuddio'r bobl, "Mae e'n Dduw sanctaidd. Mae e'n Dduw eiddigeddus. Os byddwch chi'n troi cefn arno ac yn addoli duwiau eraill, bydd e'n troi yn eich erbyn chi, yn achosi trychineb ac yn eich dinistrio chi!"

Ond dyma'r bobl yn dweud wrth Josua, "Na! Dŷn ni'n mynd i addoli'r ARGLWYDD!"

"Iawn," meddai Josua, "taflwch y duwiau eraill sydd gynnoch chi i ffwrdd, a rhoi eich hunain yn llwyr i'r ARGLWYDD, Duw Israel."

Felly dyma Josua yn gwneud cytundeb gyda'r bobl, a gosod rheolau a chanllawiau iddyn nhw. A dyma fe'n ysgrifennu'r cwbl yn Sgrôl Cyfraith Duw.

Wedyn dyma fe'n cymryd carreg fawr, a'i gosod i fyny o dan y goeden dderwen oedd wrth ymyl cysegr yr ARGLWYDD. A dyma fe'n dweud wrth y bobl, "Mae'r garreg yma wedi clywed popeth mae'r ARGLWYDD wedi ei ddweud wrthon ni. Bydd yn dyst yn eich erbyn chi os gwnewch chi droi cefn ar Dduw."

126

127

Diwrnod 103

Israel yn setlo yn y tir wnaeth
Duw ei addo iddyn nhw.
(Josua 21:43-45)

Dyma'r ARGLWYDD yn rhoi i bobl Israel
yr holl dir roedd wedi ei addo i'w
hynafiaid nhw. Dyma nhw'n ei goncro ac

yn setlo i lawr i fyw ynddo. Rhoddodd yr
ARGLWYDD heddwch iddyn nhw fel roedd
e wedi addo ar lw i'w hynafiaid. Roedd
wedi eu helpu i goncro eu gelynion i
gyd. Roedd pob un addewid wnaeth yr
ARGLWYDD i bobl Israel wedi dod yn wir.

128

JOSUA

Diwrnod 104

Araith ffarwel Josua
(Josua 23:1-14)

Aeth blynyddoedd lawer heibio. Roedd yr ARGLWYDD wedi cadw Israel yn saff rhag y gelynion o'i chwmpas, ac roedd Josua wedi mynd yn hen iawn.

Dyma fe'n galw pobl Israel at ei gilydd a dweud wrthyn nhw, "Dw i wedi mynd yn hen. Dych chi wedi gweld beth wnaeth yr ARGLWYDD ar eich rhan chi i'r bobloedd yma i gyd. Mae e wedi ymladd drosoch chi. Bydd yr ARGLWYDD eich Duw yn cael gwared â'r rhai sydd ar ôl, a byddwch chi'n byw ar y tir yn eu lle nhw. Felly byddwch yn ddewr. Gwnewch yn siŵr eich bod yn gwneud popeth sydd wedi ei ysgrifennu yn sgrôl cyfraith Moses.

Peidiwch cael dim i'w wneud â'r bobloedd sydd ar ôl yma. Peidiwch galw ar eu duwiau nhw. Peidiwch addoli nhw na gweddïo arnyn nhw. Arhoswch yn ffyddlon i'r ARGLWYDD eich Duw, fel dych chi wedi gwneud hyd heddiw.

Mae un ohonoch chi yn ddigon i wneud i fil ohonyn nhw ffoi, am fod yr ARGLWYDD yn ymladd drosoch chi. Gwyliwch eich hunain! Carwch yr ARGLWYDD eich Duw! Dych chi'n gwybod yn berffaith iawn fod yr ARGLWYDD wedi cadw pob un addewid wnaeth e i chi. Mae e wedi gwneud popeth wnaeth e addo."

129

JOSUA

Diwrnod 105

Byddin Jwda yn concro'r gelynion
(Barnwyr 1:1-15)

Ar ôl i Josua farw, dyma bobl Israel yn gofyn i'r ARGLWYDD, "Pa lwyth ddylai arwain yr ymosodiad ar y Canaaneaid?"

A dyma'r ARGLWYDD yn ateb, "Llwyth Jwda. A dw i'n mynd i roi'r tir iddyn nhw."

Dyma lwyth Jwda yn ymosod, a dyma'r ARGLWYDD yn gwneud iddyn nhw drechu'r Canaaneaid. Wedyn dyma nhw'n ymosod ar y bobl oedd yn byw yn Ciriath-seffer. Roedd Caleb wedi dweud, "Bydd pwy bynnag sy'n ymosod ar dref Ciriath-seffer ac yn ei choncro yn cael priodi fy merch Achsa."

Othniel, nai i Caleb, wnaeth goncro'r dref, a rhoddodd Caleb ei ferch, Achsa, yn wraig iddo. Pan briododd hi Othniel, dyma hi'n ei berswadio i adael iddi ofyn i'w thad am fwy o dir. Wrth iddi ddod i lawr oddi ar gefn ei hasyn, gofynnodd ei thad Caleb iddi, "Beth sy'n bod?"

A dyma hi'n ateb, "Dw i eisiau gofyn am rodd arall gen ti. Rwyt ti wedi rhoi tir i mi yn y Negef, ond wnei di roi ffynhonnau dŵr i mi hefyd?"

A dyma Caleb yn rhoi'r ffynhonnau uchaf a'r ffynhonnau isaf iddi.

Diwrnod 106

Yr ARGLWYDD yn dewis arweinwyr
(Barnwyr 2:16-19)

Dyma'r ARGLWYDD yn codi arweinwyr i achub pobl Israel o ddwylo eu gelynion. Ond doedden nhw ddim yn gwrando ar eu harweinwyr. Roedd eu hynafiaid wedi bod yn ufudd i orchmynion yr ARGLWYDD, ond doedden nhw ddim. Roedden nhw'n rhoi eu hunain i dduwiau eraill a'u haddoli nhw.

Wrth i bobl Israel riddfan am fod y gelynion yn eu cam-drin nhw, roedd yr ARGLWYDD yn teimlo drostyn nhw. Roedd yn dewis arweinwyr iddyn nhw, ac yn helpu'r arweinwyr hynny i'w hachub o ddwylo eu gelynion. Wedyn roedd popeth yn iawn tra roedd yr arweinydd yn fyw, ond ar ôl i'r arweinydd farw, byddai'r genhedlaeth nesaf yn ymddwyn yn waeth na'r un o'i blaen. Bydden nhw'n mynd yn ôl i addoli duwiau eraill ac yn gweddïo arnyn nhw.

131

BARNWYR

Diwrnod 107

Othniel yn achub

(Barnwyr 3:7-11)

Dyma bobl Israel yn gwneud rhywbeth gwirioneddol ddrwg. Dyma nhw'n anghofio'r ARGLWYDD eu Duw ac addoli delwau o Baal a pholion y dduwies Ashera. Roedd yr ARGLWYDD yn wirioneddol flin gyda nhw, a dyma fe'n gadael i Cwshan-rishathaim, brenin Mesopotamia, eu rheoli nhw am wyth mlynedd.

Dyma bobl Israel yn gweiddi ar yr ARGLWYDD am help, a dyma fe'n codi rhywun i'w hachub nhw – Othniel, mab Cenas (brawd iau Caleb).

Dyma Ysbryd yr ARGLWYDD yn dod arno, a dyma fe'n arwain Israel i frwydro yn erbyn Cwshan-rishathaim. A dyma Othniel yn ennill y frwydr. Ar ôl hynny roedd heddwch yn y wlad am bedwar deg mlynedd, nes i Othniel farw.

Diwrnod 108

Duw yn dewis Ehwd

(Barnwyr 3:12-30)

Dyma bobl Israel unwaith eto yn gwneud beth oedd yn ddrwg yng ngolwg yr ARGLWYDD. Felly, dyma'r ARGLWYDD yn gadael i Eglon, brenin Moab, reoli Israel. Buodd pobl Israel yn gaethion i'r brenin Eglon am un deg wyth mlynedd. pan waeddodd pobl Israel ar yr ARGLWYDD am help, a dyma fe'n codi Ehwd o lwyth Benjamin i'w hachub nhw.

Roedd Ehwd i fod i fynd â threthi pobl Israel i Eglon. Ond cyn mynd dyma Ehwd yn gwneud cleddyf iddo'i hun. Dyma fe'n strapio'r cleddyf ar ei ochr dde o dan ei ddillad.

Yna dyma fe'n mynd â'r arian trethi i Eglon. Roedd Eglon yn ddyn tew iawn. Ar ôl cyflwyno'r trethi i'r brenin, dyma Ehwd a'r dynion oedd wedi cario'r arian yn troi am adre. Ond pan ddaethon nhw at y delwau cerrig yn Gilgal, dyma Ehwd yn troi yn ei ôl. A dyma fe'n dweud wrth y brenin Eglon, "Mae gen i neges gyfrinachol i'w rhannu gyda chi, eich mawrhydi."

Dyma Eglon yn anfon ei weision i gyd allan. Roedd yn eistedd ar ei ben ei hun yn yr ystafell uchaf – ystafell agored braf. Dyma Ehwd yn mynd draw ato, a dweud, "Mae gen i neges i chi gan Dduw!"

133

BARNWYR

Diwrnod 109

Ehwd yn lladd y brenin
(Barnwyr 3:21-30)

Pan gododd y brenin ar ei draed, dyma Ehwd yn tynnu ei gleddyf allan gyda'i law chwith, a'i wthio i stumog Eglon. Aeth mor ddwfn nes i'r carn ddiflannu yn ei floneg. Allai Ehwd ddim tynnu'r cleddyf allan. Yna dyma fe'n cloi drysau'r ystafell, a dianc.

Pan ddaeth gweision y brenin yn ôl a darganfod fod y drysau wedi eu cloi, roedden nhw'n meddwl, "Mae'n rhaid

ei fod e yn y tŷ bach." Ond ar ôl aros ac aros am amser hir, dyma nhw'n dechrau teimlo'n anesmwyth am ei fod e'n dal heb agor y drysau. Felly dyma nhw'n nôl allwedd a mynd i mewn. A dyna lle roedd eu meistr, yn gorwedd yn farw ar lawr!

Erbyn hynny roedd Ehwd wedi hen ddianc. Pan gyrhaeddodd Seira dyma fe'n chwythu'r corn hwrdd i alw byddin at ei gilydd. Dyma ddynion Effraim yn mynd yn ôl i lawr gydag e o'r bryniau. Ehwd oedd yn eu harwain. "Dewch!" meddai, "Mae'r Arglwydd yn mynd i roi buddugoliaeth i chi yn erbyn eich gelynion, y Moabiaid!"

Felly aethon nhw ar ei ôl i lawr i ddyffryn Iorddonen, a dal y rhydau lle mae pobl yn croesi drosodd i Moab. Y diwrnod hwnnw roedden nhw wedi lladd tua deg mil o filwyr gorau Moab.

Cafodd byddin Moab ei threchu'n llwyr y diwrnod hwnnw, ac roedd heddwch yn y wlad am wyth deg mlynedd.

135

136
DEBORA

Diwrnod 110

Debora a Barac

(Barnwyr 4:1-16, 23)

Ar ôl i Ehwd farw, dyma bobl Israel unwaith eto yn gwneud beth oedd yn ddrwg yng ngolwg yr ARGLWYDD. A dyma fe'n gadael i Jabin eu rheoli nhw – un o frenhinoedd Canaan. Dyma bobl Israel yn gweiddi ar yr ARGLWYDD am help am fod y brenin Jabin wedi eu cam-drin nhw'n ofnadwy ers ugain mlynedd. Roedd naw cant o gerbydau rhyfel haearn gan ei fyddin.

Debora oedd yn arwain Israel ar y pryd. Roedd hi'n broffwydes. Byddai'n eistedd i farnu achosion pobl Israel dan Goeden Balmwydd Debora oedd rhwng Rama a Bethel ym mryniau Effraim. Byddai'r bobl yn dod ati yno, i ofyn iddi setlo achosion rhyngddyn nhw.

Dyma hi'n anfon am Barac. Ac meddai wrtho, "Mae'r ARGLWYDD, Duw Israel, yn gorchymyn i ti fynd â deg mil o ddynion i fynydd Tabor, i baratoi i fynd i ryfel. Bydda i'n arwain Sisera, cadfridog byddin y brenin Jabin, atat ti at Afon Cison. Bydd yn dod yno gyda'i gerbydau rhyfel a'i fyddin enfawr. Ond ti fydd yn ennill y frwydr."

Atebodd Barac, "Dw i ddim ond yn fodlon mynd os ei di gyda mi."

"Iawn," meddai hi, "gwna i fynd gyda ti. Ond os mai dyna dy agwedd di fyddi di'n cael dim o'r clod. Bydd yr ARGLWYDD yn trefnu mai gwraig fydd yn delio gyda Sisera."

137

DEBORA

Diwrnod 111

Yr Arglwydd yn ymladd dros Israel
(Barnwyr 4:10-24)

Dyma Barac yn galw byddin at ei gilydd. Aeth deg mil o ddynion gydag e ac aeth Debora gydag e hefyd.

Pan glywodd Sisera fod Barac wedi arwain byddin at Fynydd Tabor, dyma fe'n galw'r fyddin gyfan at ei gilydd, gyda naw cant o gerbydau rhyfel haearn, at Afon Cison.

Yna dyma Debora yn dweud wrth Barac, "I ffwrdd a ti! Heddiw mae'r Arglwydd yn mynd i roi Sisera yn dy ddwylo di! Mae'r Arglwydd ei hun wedi mynd o dy flaen di!"

Felly dyma Barac yn arwain ei fyddin o ddeg mil i lawr llethrau Mynydd Tabor.

A gwnaeth yr Arglwydd i Sisera a'i holl gerbydau a'i fyddin banicio. Roedd Sisera ei hun wedi gadael ei gerbyd, a ceisio dianc ar droed. Aeth byddin Barac ar eu holau a cafodd milwyr Sisera i gyd eu lladd – gafodd dim un ei adael yn fyw.

Y diwrnod hwnnw roedd Duw wedi gwneud i Israel drechu'r Brenin Jabin o Canaan. Yn y diwedd roedden nhw wedi ei ddinistrio'n llwyr.

138

DEBORA

Diwrnod 112

Midian yn dwyn popeth oddi ar Israel

(Barnwyr 6:1-10)

Dyma bobl Israel unwaith eto yn gwneud rhywbeth gwirioneddol ddrwg yng ngolwg yr Arglwydd. Felly dyma fe'n gadael i Midian eu rheoli nhw am saith mlynedd. Roedd y Midianiaid mor greulon, nes i lawer o bobl Israel ddianc i'r mynyddoedd i fyw mewn ogofâu. Bob tro y byddai pobl Israel yn plannu cnydau, byddai'r Midianiaid yn ymosod arnyn nhw a dinistrio'r cwbl. Roedden nhw'n dwyn y defaid, yr ychen a'r asynnod a gadael dim i bobl Israel ei fwyta. Roedden nhw fel haid o locustiaid! Roedden nhw'n dod ac yn dinistrio popeth.

Dyma bobl Israel yn gweiddi'n daer ar yr Arglwydd am help. A dyma'r Arglwydd yn anfon proffwyd atyn nhw gyda'r neges yma: "Fi ddaeth â chi allan o wlad yr Aifft, a'ch rhyddhau o fod yn gaethweision. Gwnes i'ch achub chi o'u gafael nhw, ac o afael pawb arall oedd yn eich gormesu chi. Dyma fi'n eu gyrru nhw allan o'ch blaen chi, ac yn rhoi eu tir nhw i chi. 'Fi ydy'r Arglwydd eich Duw chi.' Ond dych chi ddim wedi gwrando arna i."

139

DEBORA

Diwrnod 113

Yr ARGLWYDD yn dewis Gideon
(Barnwyr 6:11-24)

Dyma angel yr ARGLWYDD yn dod ac yn eistedd dan y goeden dderwen yn Offra. Dyma Gideon yn gweld yr angel, a dyma'r angel yn dweud wrtho, "Mae'r ARGLWYDD gyda ti, filwr dewr."

"Beth, syr?" meddai Gideon. "Os ydy'r ARGLWYDD gyda ni, pam mae pethau mor ddrwg arnon ni? Mae'r ARGLWYDD wedi troi ei gefn arnon ni, a gadael i'r Midianiaid ein rheoli."

Ond yna, dyma'r ARGLWYDD ei hun yn dweud wrth Gideon, "Rwyt ti'n gryf. Dos, i achub Israel o afael y Midianiaid. Fi sy'n dy anfon di."

Atebodd Gideon, "Ond meistr, sut alla i achub Israel? Dw i'n dod o'r clan lleiaf pwysig yn llwyth Manasse, a fi ydy mab ifancaf y teulu!"

A dyma'r ARGLWYDD yn ei ateb, "Ie, ond bydda i gyda ti. Byddi di'n taro'r Midianiaid i gyd ar unwaith!"

Felly dyma Gideon yn adeiladu allor yno i'r ARGLWYDD, a rhoi'r enw "Heddwch yr ARGLWYDD" arni.

140

GIDEON

Diwrnod 114

Gideon yn dinistrio allor Baal

(Barnwyr 6:25-31)

Y noson honno, dyma'r ARGLWYDD yn dweud wrtho, "Cymer y tarw gorau ond un sydd gan dy dad. Yna dos a chwalu'r allor sydd gan dy dad i Baal, a torri'r polyn Ashera sydd wrth ei ymyl. Wedyn dw i eisiau i ti adeiladu allor i'r ARGLWYDD dy Dduw ar ben y bryn yma."

Y bore wedyn, pan oedd pawb wedi codi, cawson nhw sioc o weld allor Baal wedi ei dryllio a polyn y dduwies Ashera wedi ei dorri i lawr. Dyma nhw hefyd yn gweld yr allor newydd oedd wedi ei chodi, gydag olion y tarw oedd wedi ei aberthu arni.

Dyma nhw'n darganfod yn y diwedd mai Gideon oedd wedi gwneud y peth.

"Tyrd a dy fab allan yma," medden nhw wrth Joas. "Fe sydd wedi dinistrio allor Baal ac wedi torri polyn y dduwies Ashera i lawr. Rhaid iddo farw!"

Ond dyma Joas yn dweud wrth y dyrfa oedd yn ei fygwth, "Ydy Baal angen i chi ymladd ei frwydrau? Os ydy e'n dduw go iawn, gadewch iddo ymladd ei frwydrau ei hun pan mae rhywun yn dinistrio ei allor!"

141

Diwrnod 115

Gideon yn gofyn i Dduw am arwydd
(Barnwyr 6:33-40)

Dyma'r Midianiaid, yr Amaleciaid a
phobloedd eraill o'r dwyrain yn dod at
ei gilydd ac yn croesi Afon Iorddonen
a gwersylla yn Nyffryn Jesreel. A dyma
Ysbryd yr ARGLWYDD yn dod ar Gideon.
Dyma fe'n chwythu'r corn hwrdd a
galw byddin o ddynion i'w ddilyn.

Yna anfonodd negeswyr drwy diroedd llwythau eraill i alw mwy o ddynion, a dyma nhw i gyd yn dod at ei gilydd i wynebu'r gelynion.

Yna dyma Gideon yn dweud wrth Dduw, "Os wyt ti'n mynd i'm defnyddio i i achub Israel, fel ti wedi addo, rho arwydd i mi i ddangos fod hynny'n wir. Dw i'n mynd i roi swp o wlân allan ar y llawr dyrnu heno. Os bydd gwlith ar y gwlân yn unig a'r ddaear o'i gwmpas yn sych, bydda i'n gwybod yn bendant wedyn dy fod ti'n mynd i achub Israel trwof fi, fel ti wedi addo."

A dyna ddigwyddodd! Pan gododd Gideon y bore wedyn dyma fe'n gwasgu'r gwlân a dyma lond powlen o wlith yn diferu ohono.

Yna dyma Gideon yn dweud wrth Dduw, "Paid gwylltio gyda mi os gofynna i am un arwydd arall. Gad i mi brofi un waith eto gyda'r gwlân. Y tro yma cadw'r gwlân yn sych tra mae'r ddaear o'i gwmpas yn wlith i gyd."

A'r noson honno dyna'n union wnaeth Duw. Dim ond y gwlân oedd yn sych. Roedd y ddaear o'i gwmpas yn wlith i gyd.

143

GIDEON

Diwrnod 116

Byddin fechan
(Barnwyr 7:1-8)

Dyma'r ARGLWYDD yn dweud wrth Gideon, "Mae gormod o ddynion yn dy fyddin di. Os gwna i adael i chi guro Midian mae peryg i bobl Israel frolio mai nhw eu hunain wnaeth ennill y frwydr. Dywed wrth y dynion, 'Os oes rhywun ag ofn, cewch droi'n ôl a gadael Mynydd Gilead.'" Aeth dau ddeg dau o filoedd adre gan adael deg mil ar ôl.

"Mae'r fyddin yn dal yn rhy fawr," meddai'r ARGLWYDD. "Dos â nhw i lawr at y dŵr, a gwna i ddangos i ti pwy sydd i gael mynd gyda ti a pwy sydd ddim."

Felly dyma fe'n mynd â'r dynion i lawr at y dŵr. A dyma'r ARGLWYDD yn dweud wrth Gideon, "Dw i eisiau i ti wahanu'r rhai sy'n llepian y dŵr fel mae ci'n gwneud oddi wrth y rhai sy'n mynd ar eu gliniau i yfed."

Tri chant oedd yn llepian y dŵr o gledr y llaw. Roedd y gweddill yn mynd ar eu gliniau i yfed. A dyma'r ARGLWYDD yn dweud wrth Gideon, "Bydda i'n gwneud i'r tri chant oedd yn llepian y dŵr ennill buddugoliaeth yn erbyn byddin Midian i gyd. Cei yrru'r dynion eraill i gyd adre."

Dyma Gideon yn casglu bwyd a chyrn hwrdd y milwyr hynny, ac yna eu hanfon adre. Dim ond y tri chant arhosodd gydag e.

GIDEON

Diwrnod 117

Gideon yn ysbïo ar y gelyn

(Barnwyr 7:9-15)

Y noson honno, dyma'r ARGLWYDD yn dweud wrth Gideon, "Ewch i lawr i ymosod ar wersyll y Midianiaid. Dw i'n mynd i'w rhoi yn eich dwylo chi! Os wyt ti'n dal yn ofnus, dos i lawr i'r gwersyll gyda dy was Pwra, a gwrando beth maen nhw'n ddweud. Fydd gen ti ddim ofn wedyn; byddi'n ymosod arnyn nhw."

Felly dyma Gideon yn mynd i lawr gyda'i was i ymyl y gwersyll. Roedd y gwersyll yn anferth! Clywodd Gideon rhyw ddyn yn dweud wrth un arall am freuddwyd gafodd e. "Ces i freuddwyd am dorth haidd gron yn rholio i lawr i wersyll Midian. Dyma hi'n taro'r babell mor galed nes i'r babell droi drosodd. Syrthiodd yn fflat ar lawr."

Dyma'r llall yn dweud, "Dim ond un peth mae hyn ei olygu – cleddyf Gideon, mab Joas. Mae Duw yn mynd i roi buddugoliaeth iddo dros fyddin Midian."

Dyma Gideon yn plygu i lawr ac addoli Duw ar ôl clywed am y freuddwyd a'r dehongliad ohoni. Yna dyma fe'n mynd yn ôl i wersyll Israel, a dweud, "Gadewch i ni fynd! Mae'r ARGLWYDD yn mynd i adael i chi drechu byddin Midian."

145

GIDEON

Diwrnod 118

Chwythu cyrn a thorri jariau
(Barnwyr 7:16-24; 8:28)

Dyma Gideon yn rhannu'r tri chant o ddynion yn dair uned filwrol. Yna rhoddodd gorn hwrdd i bawb, a jar gwag gyda fflam yn llosgi tu mewn iddo.

"Gwyliwch fi, a gwneud yr un fath â fi," meddai wrthyn nhw. "Gwyliwch yn ofalus. Pan ddown ni at gyrion gwersyll y Midianiaid, gwnewch yr un fath â fi. Pan fydd fy uned i'n chwythu eu cyrn hwrdd gwnewch chwithau yr un fath o gwmpas y gwersyll i gyd. Yna gweiddi, 'Dros yr ARGLWYDD a thros Gideon!'"

Aeth Gideon â chant o filwyr at gyrion y gwersyll, ychydig ar ôl deg o'r gloch y nos, pan oedd y gwylwyr wedi newid sifft. A dyma nhw'n chwythu'r cyrn hwrdd a torri'r jariau oedd ganddyn nhw. Dyma'r tair uned yn gwneud yr un fath. Roedden nhw'n dal eu ffaglau yn un llaw ac yn chwythu'r corn hwrdd gyda'r llall. Yna dyma nhw'n gweiddi, "I'r gâd dros yr ARGLWYDD a Gideon!"

Pan oedd milwyr Gideon yn chwythu eu cyrn hwrdd, dyma filwyr y gelyn yn gweiddi mewn panig a cheisio dianc. Dyma'r ARGLWYDD yn gwneud iddyn nhw ddechrau ymladd ei gilydd drwy'r gwersyll i gyd.

146

Roedd llawer o'r milwyr wedi dianc i
Beth-sitta. A dyma ddynion o lwythau
Nafftali, Asher a Manasse yn mynd ar
eu holau. Anfonodd Gideon negeswyr
i fryniau Effraim gyda'r neges yma:
"Dewch i lawr i ymladd y Midianiaid!
Ewch o'u blaenau a'u stopio nhw rhag
croesi'r rhydau'r Afon Iorddonen yn
Beth-bara." A dyma ddynion Effraim yn
dod a gwneud hynny.

Dyna sut cafodd y Midianiaid eu
trechu'n llwyr gan bobl Israel, a
wnaethon nhw erioed godi i fod yn rym
ar ôl hynny. Roedd heddwch yn y wlad
am bedwar deg mlynedd, tra roedd
Gideon yn dal yn fyw.

147

GIDEON

148
GIDEON

Diwrnod 119

Israel eisiau Gideon yn frenin

(Barnwyr 8:22-35)

Dyma ddynion Israel yn gofyn i Gideon fod yn frenin arnyn nhw. "Bydd yn frenin arnon ni – ti, a dy fab a dy ŵyr ar dy ôl. Rwyt ti wedi'n hachub ni o afael Midian."

Ond dyma Gideon yn dweud wrthyn nhw, "Na, fydda i ddim yn frenin arnoch chi, na'm mab i chwaith. Yr ARGLWYDD ydy'ch brenin chi. Ond gallwch wneud un peth i mi. Dw i eisiau i bob un ohonoch chi roi clustdlws i mi o'i siâr o'r pethau gymeroch chi oddi ar y Midianiaid."

"Wrth gwrs," medden nhw. A dyma nhw'n rhoi clogyn ar lawr, a dyma'r dynion i gyd yn taflu'r clustdlysau aur ar y clogyn. Roedd y clustdlysau yn pwyso bron ddau ddeg cilogram, heb sôn am yr addurniadau siâp cilgant, y tlysau crog, y gwisgoedd brenhinol a'r cadwyni oedd am yddfau'r camelod.

A dyma Gideon yn gwneud delw gydag effod arno a'i osod yn Offra, y dref lle cafodd ei fagu. Ond dyma bobl Israel yn dechrau ei addoli ac roedd hyd yn oed Gideon a'i deulu wedi syrthio i'r trap!

Roedd Gideon yn hen iawn pan fuodd o farw. Cafodd ei gladdu ym medd ei dad Joas, yn Offra. Ond ar ôl iddo farw dyma pobl Israel yn addoli delwau o Baal. Wnaethon nhw ddim aros yn ffyddlon i'r ARGLWYDD eu Duw, oedd wedi eu hachub nhw oddi wrth y gelynion oedd yn byw o'u cwmpas. A fuon nhw ddim yn garedig iawn at deulu Gideon chwaith, er gwaetha popeth roedd e wedi ei wneud dros Israel.

GIDEON

Diwrnod 120

Abimelech eisiau bod yn frenin

(Barnwyr 9:1-7)

Dyma Abimelech, mab Gideon, yn mynd i Sichem i weld ei berthnasau. Dwedodd wrthyn nhw, "Gofynnwch i arweinwyr Sichem, 'Ydych chi eisiau saith deg o feibion Gideon yn llywodraethu arnoch chi, neu dim ond un dyn? Cofiwch mod i'n perthyn drwy waed i chi.'"

Felly dyma'i berthnasau yn mynd i weld arweinwyr Sichem ar ei ran. Roedden nhw'n tueddu i'w gefnogi, am ei fod yn perthyn drwy waed iddyn nhw.

Yna dyma Abimelech yn cyflogi criw o rapsgaliwns gwyllt i'w ddilyn, mynd i gartref ei dad yn Offra, a lladd ei frodyr, sef saith deg mab Gideon, ar yr un garreg. Dim ond Jotham, mab ifancaf Gideon, lwyddodd i ddianc drwy guddio.

Yna dyma arweinwyr Sichem yn dod at ei gilydd i wneud Abimelech yn frenin. Pan glywodd Jotham am hyn dyma fe'n dringo i gopa Mynydd Gerisim. A dyma fe'n gweiddi'n uchel ar y bobl islaw.

Felly dyma'r coed yn dweud wrth y goeden ffigys, 'Bydd di yn frenin arnon ni.' Ond atebodd y goeden ffigys, 'Ydw i'n mynd i stopio cynhyrchu ffigys melys, fy ffrwyth hyfryd, er mwyn chwifio'n uwch na'r coed eraill?'

Felly dyma'r coed yn dweud wrth y winwydden, 'Bydd di yn frenin arnon ni.' Ond atebodd y winwydden, 'Ydw i'n mynd i stopio cynhyrchu gwin, sy'n gwneud duwiau a dynion yn hapus, er mwyn chwifio'n uwch na'r coed eraill?'

Felly dyma'r coed yn dweud wrth berth o ddrain, 'Bydd di yn frenin arnon ni.' A dyma'r berth ddrain yn ateb, 'Os ydych chi wir eisiau fi'n frenin, dewch i gysgodi oddi tanaf fi. Os na wnewch chi, bydda i'n cynnau tân fydd yn llosgi coed cedrwydd Libanus.'

"Os ydych chi wedi trin Gideon a'i deulu yn anrhydeddus, boed i Abimelech eich gwneud chi'n hapus, ac i chi ei wneud e'n hapus. Ond os ddim, boed i Abimelech gynnau tân fydd yn eich llosgi chi! A boed i chi gynnau tân fydd yn dinistrio Abimelech!"

Pan oedd Abimelech wedi rheoli Israel am dair blynedd, dyma arweinwyr Sichem yn gwrthryfela yn ei erbyn. Duw wnaeth hyn i'w gosbi e ac arweinwyr Sichem am lofruddio meibion Gideon i gyd.

Diwrnod 121

Melltith Jotham

(Barnwyr 9:7-24)

"Gwrandwch arna i, arweinwyr Sichem – os ydych chi eisiau i Dduw wrando arnoch chi.

Aeth y coed allan i ddewis brenin. A dyma nhw'n dweud wrth y goeden olewydd, 'Bydd yn frenin arnon ni.' Ond atebodd y goeden olewydd, 'Ydw i'n mynd i stopio cynhyrchu olew, sy'n bendithio Duw a dynion, er mwyn chwifio'n uwch na'r coed eraill?'

Diwrnod 122

Pobl Israel yn anffyddlon eto
(Barnwyr 10:6-16)

Dyma bobl Israel unwaith eto yn addoli delwau o Baal a llawer o dduwiau eraill. Roedd yr ARGLWYDD yn wirioneddol flin gyda nhw, a dyma fe'n gadael i'r Philistiaid a'r Ammoniaid eu rheoli. Roedden nhw'n curo a cham-drin pobl Israel am un deg wyth o flynyddoedd. Roedd hi'n argyfwng go iawn ar Israel.

A dyma bobl Israel yn gweiddi ar yr ARGLWYDD a dweud, "Dŷn ni wedi pechu yn dy erbyn di! Dŷn ni wedi troi cefn ar ein Duw ac addoli delwau Baal."

A dyma'r ARGLWYDD yn dweud, "Pan oeddech chi'n gweiddi arna i am help yn y gorffennol, roeddwn i'n eich achub chi. Ond dw i ddim yn mynd i'ch achub chi eto. Dych chi wedi troi cefn arna i a mynd ar ôl duwiau eraill. Ewch i weiddi ar eich duwiau eich hunain – cân nhw eich helpu chi!"

Ond dyma bobl Israel yn dweud, "Dŷn ni wedi pechu. Ti'n iawn i'n cosbi ni. Ond plîs achub ni heddiw!" Yna dyma pobl Israel yn cael gwared â'r duwiau eraill oedd ganddyn nhw a dechrau addoli'r ARGLWYDD eto. Yn y diwedd roedd yr ARGLWYDD wedi blino gweld bobl Israel yn dioddef.

Diwrnod 123

Yr ARGLWYDD yn helpu Jefftha
(Barnwyr 11:1-33)

Roedd dyn yn Gilead o'r enw Jefftha. Roedd yn filwr dewr. Putain oedd ei fam, ond roedd e wedi cael ei fagu gan ei dad, Gilead. Roedd gan Gilead nifer o feibion eraill oedd yn blant i'w wraig. Pan oedd y rhain wedi tyfu dyma nhw'n gyrru Jefftha i ffwrdd. "Dwyt ti ddim yn mynd i etifeddu dim o eiddo'r teulu. Mab i wraig arall wyt ti." Felly roedd rhaid i Jefftha ddianc oddi wrth ei frodyr. Aeth i fyw i ardal Tob.

Roedd hi beth amser ar ôl hyn pan ddechreuodd yr Ammoniaid ryfela yn erbyn Israel. A dyna pryd aeth arweinwyr Gilead i ardal Tob i ofyn i Jefftha ddod yn ôl. "Tyrd yn ôl i arwain y fyddin yn erbyn yr Ammoniaid," medden nhw wrtho.

GIDEON

"Ond roeddech chi'n fy nghasáu i," meddai Jefftha. "Chi yrrodd fi oddi cartref! A dyma chi, nawr, yn troi ata i am eich bod mewn trwbwl! Os gwna i ddod gyda chi, a'r ARGLWYDD yn gadael i mi ennill y frwydr, fi fydd eich pennaeth chi."

Felly dyma Jefftha'n mynd gydag arweinwyr Gilead a dyma fe'n cael ei wneud yn bennaeth ac arweinydd y fyddin. Yna dyma fe'n anfon negeswyr at frenin yr Ammoniaid i ofyn pam oedd e'n ymosod ar y wlad.

Yr ateb roddodd brenin yr Ammoniaid i'r negeswyr oedd, "Am fod pobl Israel wedi dwyn ein tir ni pan ddaethon nhw o'r Aifft. Rho'r tir yn ôl i mi, a fydd yna ddim rhyfel."

A dyma Ysbryd yr ARGLWYDD yn dod ar Jefftha. Dyma fe'n mynd â'i fyddin i ymladd yn erbyn yr Ammoniaid a dyma'r ARGLWYDD yn rhoi buddugoliaeth iddo. Roedd yr Ammoniaid wedi eu trechu'n llwyr gan Israel.

153

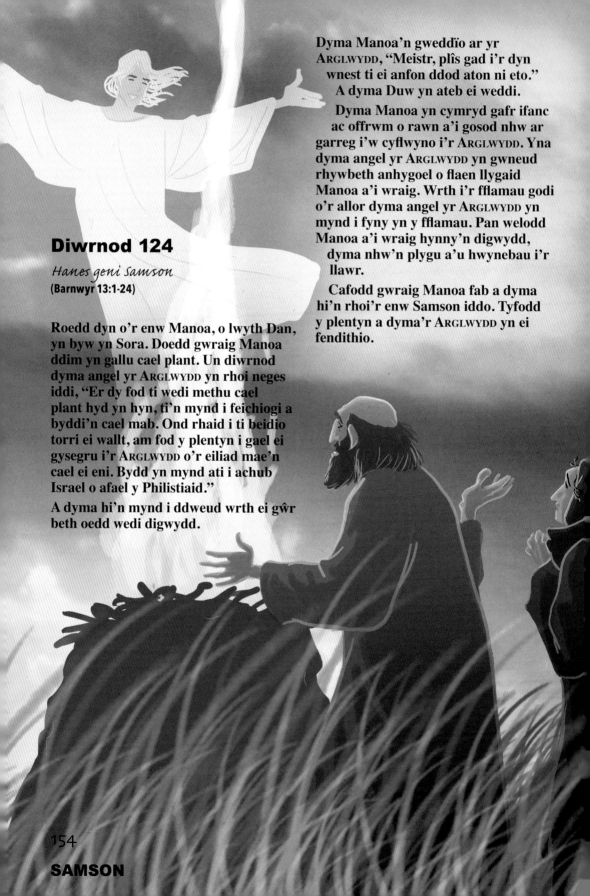

Diwrnod 124

Hanes geni Samson
(Barnwyr 13:1-24)

Roedd dyn o'r enw Manoa, o lwyth Dan, yn byw yn Sora. Doedd gwraig Manoa ddim yn gallu cael plant. Un diwrnod dyma angel yr ARGLWYDD yn rhoi neges iddi, "Er dy fod ti wedi methu cael plant hyd yn hyn, ti'n mynd i feichiogi a byddi'n cael mab. Ond rhaid i ti beidio torri ei wallt, am fod y plentyn i gael ei gysegru i'r ARGLWYDD o'r eiliad mae'n cael ei eni. Bydd yn mynd ati i achub Israel o afael y Philistiaid."

A dyma hi'n mynd i ddweud wrth ei gŵr beth oedd wedi digwydd.

Dyma Manoa'n gweddïo ar yr ARGLWYDD, "Meistr, plîs gad i'r dyn wnest ti ei anfon ddod aton ni eto." A dyma Duw yn ateb ei weddi.

Dyma Manoa yn cymryd gafr ifanc ac offrwm o rawn a'i gosod nhw ar garreg i'w cyflwyno i'r ARGLWYDD. Yna dyma angel yr ARGLWYDD yn gwneud rhywbeth anhygoel o flaen llygaid Manoa a'i wraig. Wrth i'r fflamau godi o'r allor dyma angel yr ARGLWYDD yn mynd i fyny yn y fflamau. Pan welodd Manoa a'i wraig hynny'n digwydd, dyma nhw'n plygu a'u hwynebau i'r llawr.

Cafodd gwraig Manoa fab a dyma hi'n rhoi'r enw Samson iddo. Tyfodd y plentyn a dyma'r ARGLWYDD yn ei fendithio.

SAMSON

Diwrnod 125

Samson yn ymladd gyda llew
(Barnwyr 14:1-9)

Dyma Samson yn dweud wrth ei dad a'i fam, "Dw i wedi gweld merch ifanc yn Timna – un o ferched y Philistiaid. Ewch i'w nôl hi i fod yn wraig i mi."

Ond dyma ei rieni'n ateb, "Mae'n rhaid bod yna ferch ifanc rywle – un o dy bobl dy hun. Mae'r Philistiaid yn baganiaid. Pam ddylet ti fynd atyn nhw i gael gwraig?"

"Ewch i'w nôl hi," meddai Samson. "Hi dw i eisiau. Mae hi'n mor ddel."

Dyma Samson yn mynd i lawr i Timna gyda'i rieni. Pan oedd wrth ymyl gwinllannoedd Timna dyma lew ifanc yn rhuthro ato. A dyma Ysbryd yr ARGLWYDD yn dod arno'n rymus a dyma fe'n rhwygo'r llew a'i ladd gyda dim ond nerth braich, fel petai'n fyn gafr bach ifanc. Ond wnaeth e ddim dweud wrth ei rieni beth roedd wedi ei wneud.

Yna aeth Samson yn ei flaen i Timna a siarad â'r ferch ifanc.

Beth amser ar ôl hynny aeth Samson i Timna i'w phriodi hi.

Diwrnod 126

Pôs Samson
(Barnwyr 14:10-19)

Dyma Samson yn trefnu parti, am mai dyna roedd dynion ifanc oedd am briodi yn arfer ei wneud bryd hynny. A dyma Samson yn dweud wrth y dynion yn y parti, "Gadewch i mi osod pos i chi. Os rhowch chi'r ateb i mi cyn diwedd yr wythnos, gwna i roi clogyn newydd, a set o ddillad newydd i bob un ohonoch chi."

"Iawn," medden nhw, "gad i ni glywed beth ydy dy bos di."

A dyma ddwedodd e:

"Daeth bwyd o'r bwytäwr;
  rhywbeth melys o'r un cryf.

Aeth tri diwrnod heibio a doedden nhw ddim yn gallu meddwl am yr ateb.

Y diwrnod wedyn dyma nhw'n mynd at wraig Samson a'i bygwth: "Tricia dy ŵr i ddweud beth ydy'r ateb i'r pos, neu byddwn ni'n dy losgi di a teulu dy dad."

Felly dyma wraig Samson yn mynd ato a dechrau crïo ar ei ysgwydd. "Ti'n fy nghasáu i. Dwyt ti ddim yn fy ngharu i," meddai. Buodd hi'n crïo ar ei ysgwydd nes oedd y parti bron ar ben. Yna ar y seithfed diwrnod dyma Samson yn dweud yr ateb wrthi am ei bod hi wedi swnian gymaint. A dyma hi'n mynd i ddweud wrth y dynion ifanc.

Cyn iddi fachlud y noson honno dyma ddynion y dref yn mynd at Samson a dweud, "Beth sy'n fwy melys na mêl? A beth sy'n gryfach na llew?"

A dyma Samson yn dweud, "Fyddech chi ddim wedi datrys y pos heb gymryd mantais o'm gwraig i!"

A dyma Ysbryd yr ARGLWYDD yn dod arno'n rymus. Aeth i Ashcelon a lladd tri deg o ddynion. Cymerodd eu dillad a'u rhoi i'r dynion oedd wedi ateb y pos. Roedd wedi gwylltio'n lân ac aeth adre at ei rieni.

Diwrnod 127

Samson yn dial
(Barnwyr 14:20; 15:1-8)

Dyma wraig Samson yn cael ei rhoi i'r un oedd wedi bod yn was priodas iddo.

Beth amser wedyn, dyma Samson yn mynd i weld ei wraig ac aeth â myn gafr ifanc yn anrheg iddi. Roedd e eisiau mynd ati ond wnaeth ei thad ddim gadael iddo. "Ro'n i'n meddwl dy fod ti'n ei chasáu hi go iawn, felly dyma fi'n ei rhoi hi i dy was priodas."

A dyma Samson yn ymateb, "Mae gen i reswm digon teg i daro'r Philistiaid y tro yma!"

Felly dyma Samson yn mynd ac yn dal tri chant o siacaliaid, eu rhwymo nhw'n barau wrth eu cynffonau, a rhwymo ffaglau rhwng eu cynffonau. Yna taniodd y ffaglau a gollwng y siacaliaid yn rhydd i ganol caeau ŷd y Philistiaid. Llosgodd y cwbl – yr ŷd oedd heb ei dorri a'r ysgubau oedd wedi eu casglu, a hyd yn oed y gwinllannoedd a'r caeau o goed olewydd.

"Pwy wnaeth hyn?" meddai'r Philistiaid.

A dyma rhywun yn ateb, "Samson, am fod ei dad-yng-nghyfraith, sy'n byw yn Timna, wedi cymryd ei wraig a'i rhoi i'w was priodas."

Felly dyma'r Philistiaid yn mynd i Timna a dal gwraig Samson a'i thad a'i llosgi nhw i farwolaeth.

Dyma Samson yn dweud, "Dw i'n mynd i ddial arnoch chi am wneud hyn! Wna i ddim stopio nes bydda i wedi talu'n ôl i chi!" A dyma fe'n ymosod arnyn nhw a'i hacio nhw'n ddarnau. Yna aeth i ffwrdd, ac aros mewn ogof wrth Graig Etam.

157

SAMSON

Diwrnod 128

Y Philistiaid yn edrych am Samson

(Barnwyr 15:9-20)

Roedd y Philistiaid yn ymosod ar Jwda. A dyma arweinwyr Jwda yn gofyn iddyn nhw, "Pam ydych chi'n ymosod arnon ni?"

"Dŷn ni eisiau cymryd Samson yn garcharor," medden nhw, "a thalu'r pwyth yn ôl iddo am beth wnaeth e i ni." Felly dyma dair mil o ddynion Jwda yn mynd i lawr i'r ogof wrth Graig Etam, a dweud wrth Samson, "Wyt ti ddim yn sylweddoli mai'r Philistiaid sy'n ein rheoli ni? Beth wyt ti'n feddwl wyt ti'n wneud?"

"Dim ond talu'r pwyth yn ôl wnes i. Gwneud iddyn nhw beth wnaethon nhw i mi," meddai Samson.

A dyma ddynion Jwda yn dweud wrtho, "Dŷn ni wedi dod yma i dy ddal di a dy roi di i'r Philistiaid yn garcharor."

"Wnewch chi addo i mi na fyddwch chi'n fy lladd i eich hunain?" meddai Samson. A dyma nhw'n dweud, "Dŷn ni'n addo." Felly dyma nhw'n ei rwymo gyda dwy raff newydd a mynd ag e o Graig Etam.

Pan gyrhaeddodd Lechi, dyma'r Philistiaid yn dechrau gweiddi'n uchel wrth fynd draw at Samson. A dyma Ysbryd yr ARGLWYDD yn dod arno'n rymus. Torrodd y rhaffau oedd yn rhwymo'i freichiau fel petaen nhw'n frethyn oedd wedi llosgi! Dyma fe'n gweld asgwrn gên asyn oedd heb sychu. Gafaelodd yn yr asgwrn a lladd mil o ddynion gydag e!

Buodd Samson yn arwain Israel am ugain mlynedd pan oedd y Philistiaid yn rheoli'r wlad.

Diwrnod 129

Samson a Delila

(Barnwyr 16:4-14)

Rywbryd wedyn, dyma Samson yn syrthio mewn cariad hefo gwraig o'r enw Delila. Dyma arweinwyr y Philistiaid yn mynd ati, a dweud, "Os gwnei di ei berswadio fe i ddweud wrthot ti pam mae e mor gryf, a sut y gallen ni ei ddal a'i gam-drin, cei di fil a chant o ddarnau arian gan bob un ohonon ni."

Felly dyma Delila yn gofyn i Samson, "Beth sy'n dy wneud di mor gryf? Sut allai rhywun dy rwymo di a dy drechu di?" "

A dyma Samson yn ateb, "Petawn i'n cael fy rhwymo gyda saith llinyn bwa saeth newydd, byddwn i mor wan ac unrhyw ddyn arall."

Felly dyma arweinwyr y Philistiaid yn rhoi saith llinyn bwa saeth newydd iddi i rwymo Samson gyda nhw. Dyma fe'n torri'r llinynnau bwa fel petaen nhw'n edau.

Dyma Delila'n dweud wrth Samson, "Ti'n chwarae triciau ac wedi dweud celwydd wrtho i! Tyrd, dywed wrtho i sut mae rhywun yn gallu dy rwymo di."

A dyma fe'n dweud wrthi, "Petawn i'n cael fy rhwymo gyda rhaffau newydd sbon sydd erioed wedi cael eu defnyddio o'r blaen, byddwn i mor wan ac unrhyw ddyn arall."

Felly dyma Delila yn rhwymo Samson gyda rhaffau newydd sbon. Ond dyma fe'n torri'r rhaffau fel petaen nhw'n ddim ond edau!

A dyma fe'n dweud wrthi wedyn, "Taset ti'n gweu fy ngwallt i – y saith plethen – i mewn i'r brethyn ar ffrâm wau, a'i gloi gyda'r pin, byddwn i mor wan ac unrhyw ddyn arall."

Felly tra roedd e'n cysgu, dyma hi'n cymryd ei saith plethen e, a'u gweu nhw i mewn i'r brethyn ar y ffrâm wau, a'i gloi gyda pin. Wedyn gweiddi, "Mae'r Philistiaid yma, Samson!"

Dyma fe'n deffro, ac yn rhwygo'r pin allan o'r ffrâm a'i wallt o'r brethyn.

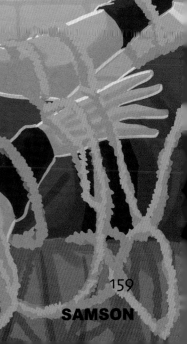

159

SAMSON

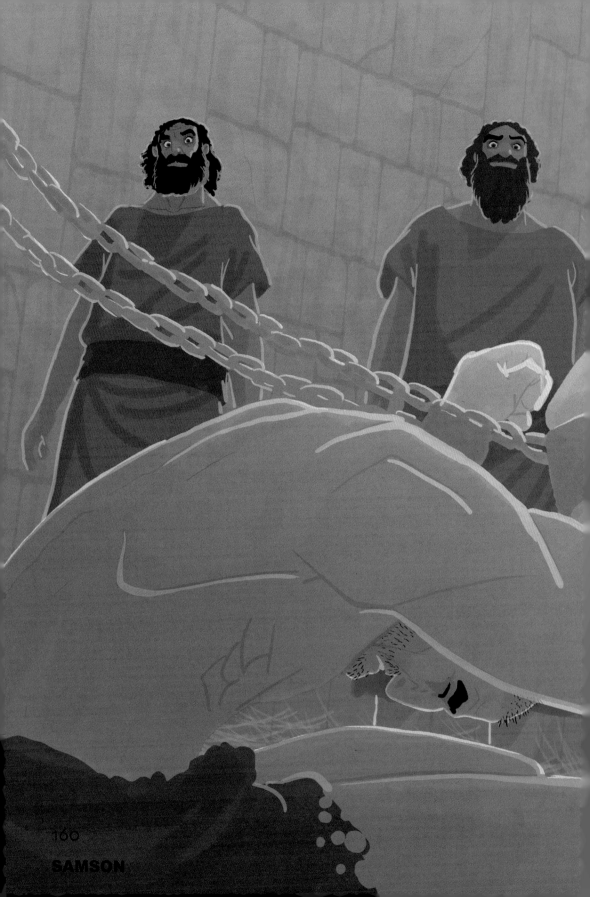

160

SAMSON

Diwrnod 130

Delila yn tricio Samson
(Barnwyr 16:15-22)

A dyma Delila'n dweud wrtho, "Sut wyt ti'n gallu dweud 'Dw i'n dy garu di,' os wyt ti ddim yn trystio fi? Rwyt ti wedi bod yn chwarae triciau dair gwaith ac wedi gwrthod dweud wrtho i beth sy'n dy wneud di mor gryf."

Roedd hi'n dal ati i swnian a swnian ddydd ar ôl dydd nes roedd Samson wedi cael llond bol. A dyma fe'n dweud popeth wrthi. "Dw i erioed wedi cael torri fy ngwallt. Ces fy rhoi yn Nasaread i Dduw, cyn i mi gael fy ngeni. Petai fy ngwallt yn cael ei dorri byddwn yn colli fy nghryfder. Byddwn i mor wan ac unrhyw ddyn arall."

Pan sylweddolodd Delila ei fod wedi dweud ei gyfrinach wrthi, dyma hi'n anfon am arweinwyr y Philistiaid. Ac meddai wrthyn nhw, "Dewch yn ôl, mae e wedi dweud wrtho i beth ydy'r gyfrinach." Felly dyma arweinwyr y Philistiaid yn mynd yn ôl ati, a'r arian i'w thalu hi gyda nhw.

Dyma Delila'n cael Samson i gysgu, a'i ben ar ei gliniau. Yna dyma hi'n galw dyn draw i dorri ei wallt i gyd i ffwrdd – y saith plethen. Roedd ei gryfder i gyd wedi mynd.

Dyma hi'n gweiddi, "Mae'r Philistiaid yma, Samson!" A dyma fe'n deffro, gan feddwl, "Gwna i yr un peth ag o'r blaen, a chael fy hun yn rhydd." Doedd e ddim yn sylweddoli fod yr ARGLWYDD wedi ei adael e.

Dyma'r Philistiaid yn ei ddal a thynnu ei lygaid allan. Yna dyma nhw'n mynd ag e i'r carchar yn Gasa. Yno dyma nhw'n rhoi cadwyni pres arno a gwneud iddo falu ŷd.

Ond cyn hir roedd ei wallt yn dechrau tyfu eto.

SAMSON

Diwrnod 131

Samson yn chwalu teml y duw Dagon

(Barnwyr 16:23-30)

Roedd arweinwyr y Philistiaid wedi dod at ei gilydd i ddathlu, a chyflwyno aberthau i'w duw, Dagon. Roedden nhw'n siantio,

"Ein duw ni, Dagon –
mae wedi rhoi Samson
ein gelyn yn ein gafael."

Pan oedd y parti'n dechrau mynd yn wyllt dyma nhw'n gweiddi, "Dewch â Samson yma i ni gael ychydig o hwyl!"

Felly dyma nhw'n galw am Samson o'r carchar, a dyma nhw'n ei osod i sefyll rhwng dau o'r pileri.

Dyma Samson yn dweud wrth y bachgen oedd yn ei dywys, "Gad i mi deimlo pileri'r deml, i mi gael pwyso arnyn nhw."

Roedd y deml yn orlawn o bobl, ac roedd arweinwyr y Philistiaid i gyd yno. Roedd tair mil o bobl ar y to yn gwylio Samson ac yn gwneud hwyl ar ei ben.

A dyma Samson yn gweddïo ar yr Arglwydd. "O Feistr, Arglwydd, cofia amdana i! Gwna fi'n gryf dim ond un waith eto, O Dduw. Gad i mi daro'r Philistiaid un tro olaf, a dial arnyn nhw am dynnu fy llygaid i!"

Yna dyma Samson yn rhoi ei ddwylo ar y ddau biler oedd yn cynnal to'r deml, a gwthio, un gyda'r llaw dde a'r llall gyda'r chwith. "Gad i mi farw gyda'r Philistiaid!" gwaeddodd. Roedd yn gwthio mor galed ag y medrai, a dyma'r adeilad yn syrthio ar ben arweinwyr y Philistiaid a phawb arall oedd y tu mewn.

Lladdodd Samson fwy o Philistiaid pan fuodd e farw, nag yn ystod gweddill ei fywyd i gyd!

SAMSON

163

SAMSON

Diwrnod 132

Ruth yn ffyddlon i Naomi
(Ruth 1:1-19)

Yn ystod cyfnod y barnwyr buodd yna
newyn yn y wlad. Felly aeth rhyw ddyn
o Bethlehem yn Jwda i fyw i wlad Moab
dros dro. Aeth â'i wraig a'i ddau fab
gydag e. Elimelech oedd enw'r dyn, a
Naomi oedd ei wraig. Ond wedyn dyma
Elimelech, gŵr Naomi, yn marw, a'i
gadael hi yn weddw gyda'i dau fab.

RUTH

Priododd y ddau fab ferched o wlad Moab. Orpa oedd enw un, a Ruth oedd y llall. Ar ôl iddyn nhw fod yno am tua deg mlynedd, dyma'r ddau fab yn marw hefyd. Cafodd Naomi ei gadael heb feibion a heb ŵr.

Tra roedd hi'n dal yn byw yn Moab, clywodd Naomi fod Duw wedi rhoi bwyd i'w bobl. Felly, dyma hi a'i dwy ferch-yng-nghyfraith yn cychwyn ar y daith yn ôl i wlad Jwda.

Yna dyma Naomi yn dweud wrth ei merched-yng-nghyfraith, "Ewch chi yn ôl adre, y ddwy ohonoch chi. Ewch yn ôl at eich mamau. A bydded i Dduw roi cartref i chi a threfnu i chi'ch dwy briodi eto."

Wedyn dyma Naomi yn cusanu'r ddwy a ffarwelio â nhw, a dyma nhw'n dechrau crïo'n uchel. "Na!" medden nhw, "gad i ni fynd yn ôl gyda ti at dy bobl di."

Ond meddai Naomi, "Ewch adre, merched i. Pam fyddech chi eisiau dod gyda fi? Alla i byth gael meibion eto i chi eu priodi nhw.

Felly dyma Orpa'n rhoi cusan i ffarwelio â Naomi. Ond roedd Ruth yn ei chofleidio'n dynn ac yn gwrthod gollwng gafael. "Paid pwyso arna i i dy adael di." meddai Ruth. "Dw i am fynd gyda ti. Bydd dy bobl di yn bobl i mi, a dy Dduw di yn Dduw i mi."

Pan welodd Naomi fod Ruth yn benderfynol o fynd gyda hi, ddwedodd hi ddim mwy am y peth. A dyma'r ddwy yn mynd yn eu blaenau nes iddyn nhw gyrraedd Bethlehem.

RUTH

166

RUTH

Diwrnod 133

Ruth yn cyfarfod Boas
(Ruth 2:1-23)

Un diwrnod dyma Ruth yn dweud wrth Naomi, "Gad i mi fynd allan i'r caeau i gasglu grawn tu ôl i bwy bynnag fydd yn rhoi caniatâd i mi."

"Dos di, fy merch i," meddai Naomi. A dyma Ruth yn mynd i'r caeau i gasglu grawn ar ôl y gweithwyr. Ac yn digwydd bod, dyma hi'n mynd i'r rhan o'r cae oedd piau Boas – dyn pwysig, cyfoethog, oedd yn perthyn i'r un teulu ag Elimelech.

Dyma Boas yn gofyn i'r gwas oedd yn gofalu am y gweithwyr, "I bwy mae'r ferch acw'n perthyn?"

"Hi ydy'r ferch o Moab ddaeth yn ôl gyda Naomi," atebodd hwnnw. "Gofynnodd ganiatâd i gasglu grawn rhwng yr ysgubau tu ôl i'r gweithwyr. Mae hi wedi bod wrthi'n ddi-stop ers ben bore, a dim ond newydd eistedd i orffwys."

A dyma Boas yn mynd at Ruth a dweud, "Gwranda, fy merch i, paid mynd o'r fan yma i gae neb arall i gasglu grawn. Aros gyda'r merched sy'n gweithio i mi.

Bydda i'n siarsio'r gweithwyr i beidio dy gyffwrdd di. A pan fydd syched arnat ti, dos i gael diod o'r llestri fydd fy ngweision i wedi eu llenwi."

Dyma Ruth yn plygu i lawr ar ei gliniau o'i flaen. "Pam wyt ti mor garedig ata i, a finnau'n dod o wlad arall?"

"Dw i wedi clywed am y cwbl wyt i wedi ei wneud i dy fam-yng-nghyfraith ar ôl i dy ŵr di farw," meddai Boas. "Dw i wedi clywed sut wnest ti adael dy deulu a'r wlad lle cest ti dy eni, a dod i fyw i ganol pobl oedd yn ddieithr i ti. Boed i Dduw dy wobrwyo di am wneud hyn."

Felly buodd Ruth wrthi'n casglu grawn nes iddi nosi. Dyma hi'n ei gario yn ôl adre, a gwelodd ei mam-yng-nghyfraith gymaint roedd hi wedi ei gasglu.

Dyma Ruth yn esbonio ble roedd hi wedi bod. "Boas ydy enw'r dyn lle roeddwn i'n gweithio," meddai.

"Bendith Duw arno!" meddai Naomi, "Mae'r dyn yma yn perthyn i ni. Mae e'n un o'r rhai sy'n gyfrifol amdanon ni."

Buodd Ruth yn casglu grawn tan ddiwedd y cynhaeaf haidd a'r cynhaeaf gwenith.

167

RUTH

Diwrnod 134

Ruth a Boas yn priodi
(Ruth 3:1-18; 4:1-17)

Dyma Naomi yn dweud wrth Ruth, "Fy merch i, dylwn i fod wedi chwilio am gartref i ti, er dy les di.

Dos i ymolchi, rhoi colur, a gwisgo dy ddillad gorau, ac wedyn mynd i lawr i'r llawr dyrnu. Mae Boas, y dyn buost ti'n gweithio gyda'i ferched e, yn berthynas agos i ni. Pan fydd e'n setlo i lawr i gysgu, sylwa ble mae e'n gorwedd. Dos ato a choda'r dillad wrth ei goesau, a gorwedd i lawr."

Aeth Ruth i lawr i'r llawr dyrnu a gwneud yn union fel roedd ei mam-yng-nghyfraith wedi dweud wrthi. Ond ganol nos dyma Boas yn aflonyddu ac yn troi drosodd a ffeindio merch yn gorwedd wrth ei draed. "Pwy wyt ti?" gofynnodd iddi. "Ruth," atebodd. "Wnei di ofalu amdana i? Ti ydy'r perthynas agosaf, sy'n gyfrifol am y teulu."

"Bendith Duw arnat ti, merch i," meddai Boas. "Ti'n dangos cymaint o ymroddiad. Gallet ti fod wedi mynd ar ôl un o'r dynion ifanc, boed hwnnw'n dlawd neu'n gyfoethog. Mae'r dre i gyd yn gwybod dy fod ti'n ferch dda."

Felly dyma Boas yn priodi Ruth, a chafodd fab. A dyma'r gwragedd yn dweud wrth Naomi, "Bendith ar yr ARGLWYDD! Mae dy ferch-yng-nghyfraith wedi rhoi genedigaeth i fab. Bydd e'n gofalu amdanat yn dy henaint."

A dyma Naomi yn cymryd y bachgen ar ei glin a'i fagu. Dyma'r gwragedd lleol yn rhoi'r enw Obed iddo, a dweud, "Mae Naomi wedi cael mab!"

Obed oedd tad Jesse a thaid y brenin Dafydd.

Hanna yn gofyn i Dduw am blentyn
(1 Samuel 1:1-17)

Roedd yna ddyn o'r enw Elcana yn byw yn Rama ym mryniau Effraim. Roedd gan Elcana ddwy wraig, Hanna a Penina. Roedd plant gan Penina ond ddim gan Hanna.

Bob blwyddyn byddai Elcana yn mynd i Seilo i addoli a cyflwyno aberthau i'r ARGLWYDD. Pan fyddai Elcana yn aberthu byddai'n arfer rhoi cyfran o'r cig bob un i Penina a'i meibion a'i merched i gyd. Ond byddai'n rhoi cyfran sbesial i Hanna, am ei fod yn ei charu, er fod Duw wedi ei rhwystro hi rhag cael plant.

Roedd Penina yn arfer herian Hanna yn arw a'i phryfocio am ei bod yn methu cael plant. Yr un peth oedd yn digwydd bob blwyddyn pan oedden nhw'n mynd i gysegr yr ARGLWYDD. Byddai Penina yn pryfocio Hanna nes ei bod yn crïo ac yn gwrthod bwyta.

Un tro, ar ôl iddyn nhw orffen bwyta ac yfed yn Seilo, dyma Hanna'n codi a mynd i weddïo. Roedd Eli, yr offeiriad, yn eistedd ar gadair wrth ddrws y deml ar y pryd.

Roedd Hanna'n torri ei chalon ac yn beichio crïo wrth weddïo. A dyma hi'n addo i Dduw, "ARGLWYDD holl-bwerus, plîs wnei di gymryd sylw ohono i, a peidio troi oddi wrtho i? Os gwnei di roi mab i mi, gwna i ei roi i'r ARGLWYDD am ei oes."

Buodd Hanna'n gweddïo'n hir ar yr ARGLWYDD, ac roedd Eli wedi sylwi arni. Am ei bod hi'n gweddïo'n dawel, roedd e'n gweld ei gwefusau'n symud ond heb glywed dim, felly roedd e'n meddwl ei bod hi wedi meddwi. A dwedodd wrthi, "Pam wyt ti'n meddwi fel yma?"

Atebodd Hanna, "Na wir, syr! Dw i mor anhapus. Dw i wedi bod yn bwrw fy mol o flaen yr ARGLWYDD. Paid meddwl amdana i fel gwraig ddrwg. Dw i wedi bod yn dweud wrtho mor boenus a thrist dw i'n teimlo."

"Dos adre yn dawel dy feddwl," meddai Eli, "a boed i Dduw Israel roi i ti beth wyt ti eisiau."

171

HANNA

Diwrnod 136

Geni Samuel
(1 Samuel 1:19-28; 2:18-21)

Dyma'r ARGLWYDD yn cofio gweddi Hanna. Cyn diwedd y flwyddyn roedd hi wedi cael mab. Galwodd e'n Samuel.

Pan oedd yn ddigon hen, aeth Hanna â'r bachgen i fyny i gysegr yr ARGLWYDD yn Seilo. Aeth â'r bachgen at Eli, a dweud wrtho, "Syr, fi ydy'r wraig oedd yn sefyll yma wrth eich ymyl chi yn gweddïo ar Dduw. Am y bachgen yma roeddwn i'n gweddïo, ac mae Duw wedi ateb fy ngweddi! Felly dw i'n ei roi e i'r ARGLWYDD. Dw i'n ei roi e i'r ARGLWYDD am weddill ei fywyd."

Yna dyma nhw'n addoli'r ARGLWYDD yno.

Roedd y bachgen Samuel yn gwasanaethu'r ARGLWYDD. Roedd ei fam yn arfer gwneud clogyn fach iddo bob blwyddyn, ac yn dod â hi iddo pan fyddai hi a'i gŵr yn dod i fyny i gyflwyno eu haberth.

Byddai Eli yn bendithio Elcana a'i wraig, a dweud, "Boed i'r ARGLWYDD roi plant i ti a Hanna yn lle yr un mae hi wedi ei fenthyg iddo." Yna bydden nhw'n mynd yn ôl adre. A dyma Duw yn gadael i Hanna gael mwy o blant. Cafodd dri o fechgyn a dwy ferch.

Yn y cyfamser roedd y bachgen Samuel yn tyfu yn nhŷ yr ARGLWYDD yn Seilo.

172

SAMUEL

173

SAMUEL

Diwrnod 137

Duw yn galw Samuel
(1 Samuel 3:2-18)

Digwyddodd rhywbeth un noson, tra roedd Samuel yn cysgu yn y deml lle roedd Arch Duw. Dyma'r ARGLWYDD yn galw ar Samuel, a dyma Samuel yn ateb, "Dyma fi," yna rhedeg at Eli a dweud, "Dyma fi, gwnest ti alw."

Ond meddai Eli, "Naddo, wnes i ddim dy alw di, dos yn ôl i gysgu." Felly aeth Samuel yn ôl i orwedd.

Dyma'r ARGLWYDD yn galw ar Samuel eto. Cododd a mynd at Eli a dweud, "Dyma fi, gwnest ti ngalw i."

"Naddo, machgen i," meddai Eli, "wnes i ddim dy alw di. Dos yn ôl i gysgu." (Roedd hyn i gyd cyn i Samuel ddod i nabod yr ARGLWYDD. Doedd e erioed wedi cael neges gan Dduw o'r blaen.)

Galwodd yr ARGLWYDD ar Samuel y trydydd tro; a dyma Samuel yn mynd at Eli a dweud, "Dyma fi, gwnest ti fy ngalw i."

Dyna pryd sylweddolodd Eli mai'r ARGLWYDD oedd yn galw'r bachgen. A dwedodd wrtho, "Dos yn ôl i gysgu. Pan fydd e'n dy alw di eto, ateb fel yma: 'Siarada ARGLWYDD, mae dy was yn gwrando.'"

Felly dyma Samuel yn mynd yn ôl i orwedd i lawr. A dyma'r ARGLWYDD yn dod ato eto, a galw arno fel o'r blaen, "Samuel! Samuel!". A dyma Samuel yn ateb, "Siarada, mae dy was yn gwrando."

A dyma'r ARGLWYDD yn dweud wrth Samuel, "Dw i wedi dweud wrth Eli fy mod yn mynd i gosbi ei deulu. Roedd e'n gwybod fod ei feibion yn melltithio Duw, ac eto wnaeth e ddim dweud y drefn wrthyn nhw. Fydd aberth nac offrwm byth yn gallu gwneud iawn am eu pechod."

Arhosodd Samuel yn ei wely tan y bore. Yna dyma fe'n codi i agor drysau cysegr yr ARGLWYDD. Roedd arno ofn dweud wrth Eli am y weledigaeth. Ond dyma Eli'n ei alw, a gofyn iddo, "Beth ddwedodd Duw wrthot ti?"

Felly dyma Samuel yn dweud popeth wrtho. Ymateb Eli oedd, "Yr ARGLWYDD ydy e, a bydd e'n gwneud beth mae e'n wybod sydd orau."

175

SAMUEL

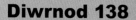

Y Philistiaid yn dwyn yr Arch
(1 Samuel 4:1-10)

Dyma Israel yn mynd i ryfel yn erbyn y Philistiaid, a colli. Cafodd tua pedair mil o'u dynion eu lladd. Pan ddaeth gweddill y fyddin yn ôl i'r gwersyll, dyma arweinwyr Israel yn dechrau holi, "Pam wnaeth yr ARGLWYDD adael i'r Philistiaid ein curo ni? Gadewch i ni ddod ag Arch Duw yma aton ni o Seilo. Os bydd hi'n mynd gyda ni, bydd yn ein hachub ni o afael y gelyn!"

Pan gyrhaeddodd Arch Ymrwymiad yr ARGLWYDD y gwersyll, dyma pawb yn bloeddio gweiddi mor uchel roedd fel petai'r ddaear yn crynu!

Pan glywodd y Philistiaid y sŵn, dyma nhw'n holi, "Pam maen nhw'n bloeddio fel yna yng ngwersyll yr Hebreaid?" Yna dyma nhw'n sylweddoli fod Arch yr ARGLWYDD wedi dod i'r gwersyll. Roedden nhw wedi dychryn am eu bywydau. "Mae hi ar ben arnon ni," medden nhw. "Mae'r duwiau wedi dod i'w gwersyll nhw. Pwy sy'n mynd i'n hachub ni o afael y duwiau cryfion yma? Philistiaid, rhaid i chi fod yn ddewr! Byddwch yn ddynion, ac ymladd!"

Felly dyma'r Philistiaid yn ymosod ar Israel, a collodd Israel y frwydr. Cafodd tua tri deg mil o filwyr Israel eu lladd. Cafodd Arch Duw ei chipio hefyd.

Diwrnod 139

Y Philistiaid yn dod â'r Arch yn ôl
(1 Samuel 5:1-6:13)

Wedi iddyn nhw gipio Arch Duw, dyma'r Philistiaid yn mynd â hi i deml eu duw Dagon, a'i gosod hi wrth ochr y ddelw o Dagon. Bore trannoeth, roedd Dagon wedi syrthio ar ei wyneb o flaen Arch Duw. Felly dyma nhw yn ei godi a'i osod yn ôl yn ei le. Ond pan godon nhw'n gynnar y bore wedyn roedd Dagon wedi syrthio ar ei wyneb eto o flaen Arch Duw. Roedd ei ben a'i ddwy law wedi eu torri i ffwrdd, ac yn gorwedd wrth y drws. Dim ond corff Dagon oedd yn un darn.

Cosbodd yr ARGLWYDD bobl Ashdod yn drwm. Cafodd pobl yr ardal eu taro'n wael gyda chwyddau cas drostyn nhw.
Pan sylweddolodd pobl Ashdod beth oedd yn digwydd, dyma nhw'n dweud, "Ddylai Arch Duw Israel ddim aros yma gyda ni. Mae e wedi'n taro ni a'n duw!"

Dyma nhw'n symud yr Arch i Gath. Ond wedi iddi gyrraedd yno, dyma'r ARGLWYDD yn cosbi'r dref honno hefyd. Cafodd pawb eu taro gyda chwyddau cas. Roedd hi'n banig llwyr yno!

Felly dyma nhw'n anfon Arch Duw ymlaen i Ecron. Ond dechreuodd pobl Ecron brotestio, "Anfonwch Arch Duw Israel yn ôl i'w lle ei hun, neu bydd e'n ein lladd ni a'n pobl i gyd!"

Dyma'r Philistiaid yn galw'r offeiriaid a'r rhai oedd yn dewino a gofyn iddyn nhw, "Be wnawn ni gydag Arch yr ARGLWYDD?"

Dyma nhw'n ateb, "Gwnewch yn siŵr eich bod yn anfon offrwm i gyfaddef bai gyda hi."

A dyna wnaeth y Philistiaid. Dyma nhw'n rhoi Arch Duw ar wagen, a bocs gyda'r offrwm ynddo wrth ei hochr. A dyma'r gwartheg oedd yn tynnu'r wagen yn mynd yn syth i gyfeiriad Beth-shemesh.

Roedd pobl Beth-shemesh yn y dyffryn yn casglu'r cynhaeaf gwenith. Pan welon nhw'r Arch roedden nhw wrth eu boddau.

177

SAMUEL

Diwrnod 140

Samuel yn arwain Israel
(1 Samuel 7:3-13)

Dwedodd Samuel wrth bobl Israel, "Taflwch allan eich duwiau, a'r delwau sydd gynnoch chi. Rhowch eich hunain yn llwyr i'r ARGLWYDD, a'i addoli e a neb arall." Yna dwedodd Samuel wrthyn nhw am gasglu pawb at ei gilydd yn Mitspa.

Clywodd y Philistiaid fod pobl Israel wedi dod at ei gilydd yn Mitspa. Felly dyma lywodraethwyr y Philistiaid yn penderfynu ymosod arnyn nhw. Roedd pobl Israel wedi dychryn pan glywon nhw hyn. Dyma nhw'n dweud wrth Samuel, "Dal ati i weddïo'n daer ar Dduw, iddo'n hachub ni rhag y Philistiaid."

Dyma Samuel yn cymryd oen sugno a'i losgi'n gyfan yn offrwm i Dduw. Roedd yn gweddïo dros Israel, a dyma Duw yn ateb.

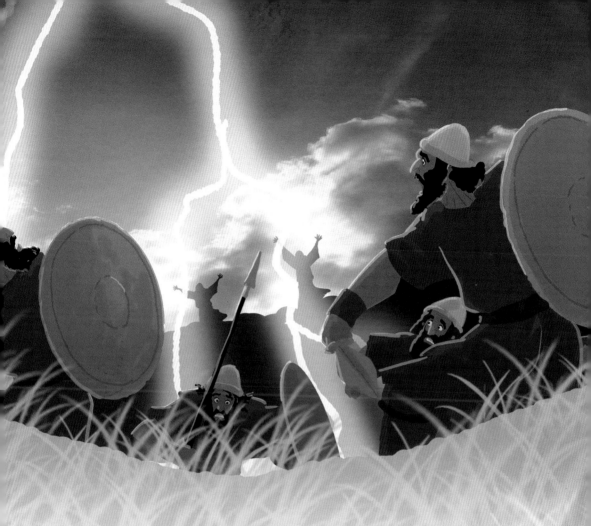

Roedd y Philistiaid ar fin ymosod ar
Israel wrth i Samuel gyflwyno'r offrwm.
A'r foment honno dyma'r ARGLWYDD yn
anfon anferth o storm daranau, wnaeth
yrru'r Philistiaid i banig llwyr. Aeth
dynion Israel ar eu holau, a lladd llawer
iawn ohonyn nhw. Roedd y Philistiaid
wedi eu trechu, a wnaethon nhw ddim
ymosod ar Israel eto.

Yna dyma Samuel yn gosod carreg i fyny
a rhoi'r enw Ebeneser iddi (sef "Carreg
Help"). "Mae'r ARGLWYDD wedi'n helpu
ni hyd yma," meddai.

Tra roedd Samuel yn fyw roedd yr
ARGLWYDD yn delio gyda'r Philistiaid.

SAMUEL

Diwrnod 141

Dyma arweinwyr Israel yn mynd i weld Samuel yn Rama. Medden nhw wrtho, "Gad i ni gael brenin i'n harwain, yr un fath â'r gwledydd eraill i gyd."

Doedd hyn ddim yn plesio Samuel o gwbl. Felly dyma fe'n gweddïo ar yr ARGLWYDD. A dyma'r ARGLWYDD yn dweud wrtho, "Dim ti maen nhw'n ei wrthod; fi ydy'r un maen nhw wedi ei wrthod. Ond gwna beth maen nhw'n ei ofyn a rho frenin iddyn nhw."

Roedd yna ddyn yn perthyn i lwyth Benjamin o'r enw Cish, ac roedd ganddo fab o'r enw Saul, oedd yn ddyn ifanc arbennig iawn.

Roedd rhai o asennod Cish wedi mynd ar goll. A dyma Cish yn dweud wrth Saul, "Cymer un o'r gweision hefo ti, a dos i chwilio am yr asennod." Felly dyma Saul a'r gwas yn mynd i edrych yn y bryniau ond methu dod o hyd iddyn nhw.

"Well i ni fynd yn ôl adre," meddai Saul.

Ond meddai'r gwas wrtho, "Mae yna ddyn sy'n proffwydo yn byw yn y dre acw. Mae parch mawr ato, am fod popeth mae'n ei ddweud yn dod yn wir. Falle y bydd e'n gallu dweud wrthon ni pa ffordd i fynd."

Aeth y ddau i fyny i'r dre. Ac wrth fynd i mewn dyna lle roedd Samuel yn dod i'w cyfarfod. Roedd yr ARGLWYDD wedi dweud wrth Samuel y diwrnod cynt fod Saul yn mynd i ddod yno. A pan welodd Samuel Saul, dyma'r ARGLWYDD yn dweud wrtho, "Dacw'r dyn wnes i ddweud wrthot ti amdano. Fe sy'n mynd i arwain fy mhobl i."

"Fi ydy'r gweledydd," meddai Samuel wrth Saul. "Paid poeni am yr asennod. Maen nhw wedi dod o hyd iddyn nhw. Pwy wyt ti'n feddwl mae Israel i gyd yn dyheu amdano? Ie, ti ydy e, a theulu dy dad. Byddi'n arwain pobl Dduw ac yn eu hachub nhw o afael y gelynion."

SAUL

Diwrnod 142

Saul yn cael ei wneud yn frenin
(1 Samuel 10:17-25)

Galwodd Samuel y bobl at ei gilydd i Mitspa. Dwedodd wrthyn nhw, "Dyma mae'r Arglwydd, Duw Israel, yn ei ddweud: 'Gwnes i'ch achub chi o afael yr Eifftiaid a'r gwledydd eraill i gyd oedd yn eich gormesu chi. Ond erbyn hyn dych chi wedi gwrthod eich Duw. Dych chi wedi dweud, "Na! Rho frenin i ni."'"

"Nawr," meddai Samuel, "dw i eisiau i chi sefyll o flaen yr Arglwydd bob yn llwyth a theulu." A dyma fe'n dod â pob un o lwythau Israel o flaen Duw yn eu tro. Dyma lwyth Benjamin yn cael ei ddewis. Wedyn daeth â llwyth Benjamin ymlaen fesul clan. A dyma glan Matri yn cael ei ddewis. Ac yn y diwedd dyma Saul fab Cish yn cael ei ddewis.

Roedden nhw'n chwilio amdano ond yn methu dod o hyd iddo. Felly dyma nhw'n gofyn i'r Arglwydd, ac ateb Duw oedd, "Dacw fe, yn cuddio yng nghanol yr offer."

Dyma nhw'n rhedeg yno i'w nôl a'i osod i sefyll yn y canol. Roedd e'n dalach na phawb arall o'i gwmpas. A dyma Samuel yn dweud wrth y bobl, "Ydych chi'n gweld y dyn mae'r Arglwydd wedi ei ddewis i chi? Does neb tebyg iddo."

A dyma'r bobl i gyd yn gweiddi, "Hir oes i'r brenin!"

Diwrnod 143

Jonathan yn ymosod ar y Philistiaid
(1 Samuel 14:1-15)

Un diwrnod dyma Jonathan, mab Saul, yn dweud wrth y gwas oedd yn cario ei arfau, "Tyrd, gad i ni groesi drosodd i wersyll y Philistiaid. Falle bydd yr ARGLWYDD yn ein helpu ni. Mae'r un mor hawdd iddo achub hefo criw bach ag ydy hi gyda byddin fawr."

Felly dyma'r ddau'n mynd, a dangos eu hunain i fyddin y Philistiaid. A dyma'r rheiny'n dweud, "Edrychwch! Mae'r Hebreaid yn dod allan o'r tyllau lle maen nhw wedi bod yn cuddio!" Gwaeddodd y dynion ar Jonathan a'i gludwr arfau, "Dewch i fyny yma i ni ddysgu gwers i chi!" A dyma Jonathan yn dweud wrth ei was, "Dilyn fi".

Dyma Jonathan yn dringo i fyny ar ei bedwar, ac yn taro'r gwylwyr i lawr, a'i was yn ei ddilyn a'u lladd nhw. Yn yr ymosodiad cyntaf yma, lladdodd Jonathan a'i was tua dau ddeg o ddynion.

Yna roedd yna ddaeargryn, a dyma banig llwyr yn dod dros fyddin y Philistiaid – yn y gwersyll ac allan ar y maes. Duw oedd wedi achosi'r panig yma.

183

SAUL

Diwrnod 144

Saul a'i fyddin yn ymuno yn y frwydr
(1 Samuel 14:16-24)

Roedd gan Saul wylwyr yn Gibea yn Benjamin, a dyma nhw'n gweld milwyr y Philistiaid yn dyrfa yn diflannu i bob cyfeiriad.

Dyma Saul yn gorchymyn galw ei filwyr at ei gilydd i weld pwy oedd ar goll, a dyma nhw'n ffeindio fod Jonathan a'r gwas oedd yn cario'i arfau ddim yno.

Dyma Saul yn galw ei fyddin at ei gilydd a mynd allan i'r frwydr. Roedd byddin y Philistiaid mewn anhrefn llwyr. Dyna lle roedden nhw yn lladd ei gilydd! Roedd yna Hebreaid oedd wedi ymuno â byddin y Philistiaid cyn hyn, a dyma nhw'n troi i ymladd ar ochr yr Israeliaid gyda Saul a Jonathan. Ac wedyn, pan glywodd yr Israeliaid oedd wedi bod yn cuddio ym mryniau Effraim fod y Philistiaid yn ffoi, dyma nhw hefyd yn mynd ar eu holau.

Yr ARGLWYDD wnaeth achub Israel y diwrnod hwnnw.

Diwrnod 145

Saul yn anufudd i Dduw
(1 Samuel 15:10-35)

Yn gynnar iawn y bore wedyn aeth Samuel i weld Saul. Ond dyma rywun yn dweud wrtho fod Saul wedi mynd i dref Carmel i godi cofeb iddo'i hun yno.

Pan ddaeth Samuel o hyd i Saul, dyma Saul yn dweud wrtho, "Bendith yr ARGLWYDD arnat i. Dw i wedi gwneud popeth ddwedodd yr ARGLWYDD."

Ond dyma Samuel yn dweud, "Os felly, beth ydy sŵn y defaid a'r gwartheg yna dw i'n ei glywed?"

Atebodd Saul, "Y milwyr wnaeth eu cymryd nhw oddi ar yr Amaleciaid. Maen nhw wedi cadw'r defaid a'r gwartheg gorau i'w haberthu i'r ARGLWYDD dy Dduw. Mae popeth arall wedi cael ei ddinistrio."

Ond dyma Samuel yn dweud wrth Saul, "Taw, i mi gael dweud wrthot ti beth ddwedodd Duw wrtho i neithiwr. Pan oeddet ti'n meddwl dy fod ti'n neb o bwys, cest ti dy wneud yn arweinydd ar lwythau Israel. Dewisodd yr ARGLWYDD di yn frenin ar Israel. Wedyn dyma fe'n dy anfon di allan a dweud, 'Dos i ddinistrio'r Amaleciaid drwg yna. Ymladd yn eu herbyn nhw a dinistria nhw'n llwyr.' Felly pam wnest ti ddim gwrando.

Mae gwrando yn well nag aberth; mae talu sylw yn well na brasder hyrddod.

Am dy fod wedi gwrthod gwrando ar yr ARGLWYDD mae e wedi dy wrthod di fel brenin?"

Diwrnod 146

Meibion Jesse
(1 Samuel 16:1-7)

Dyma'r ARGLWYDD yn dweud wrth
Samuel, "Llenwa gorn gydag olew
olewydd a dos i Bethlehem at ddyn o'r
enw Jesse. Dw i wedi dewis un o'i feibion
e i fod yn frenin i mi."

Gwnaeth Samuel fel roedd Duw wedi
dweud, a mynd i Fethlehem. Ond roedd
arweinwyr y dre yn nerfus iawn pan
welon nhw e. Dyma nhw'n gofyn iddo,
"Wyt ti'n dod yn heddychlon?"

"Ydw", meddai Samuel, "yn heddychlon.
Dw i'n dod i aberthu i'r ARGLWYDD."
Yna dyma fe'n gwahodd Jesse a'i feibion
i'r aberth.

Pan gyrhaeddon nhw, sylwodd Samuel
ar Eliab, mab hynaf Jesse, a meddwl,
"Dw i'n siŵr mai hwnna ydy'r un mae'r
ARGLWYDD wedi ei ddewis yn frenin."
Ond dyma'r ARGLWYDD yn dweud wrtho,
"Paid cymryd sylw pa mor dal a golygus
ydy e. Dw i ddim wedi ei ddewis e. Dydy
Duw ddim yn edrych ar bethau yr un
fath ac mae pobl. Mae pobl yn edrych
ar y tu allan, ond mae'r ARGLWYDD yn
edrych ar sut berson ydy rhywun go
iawn."

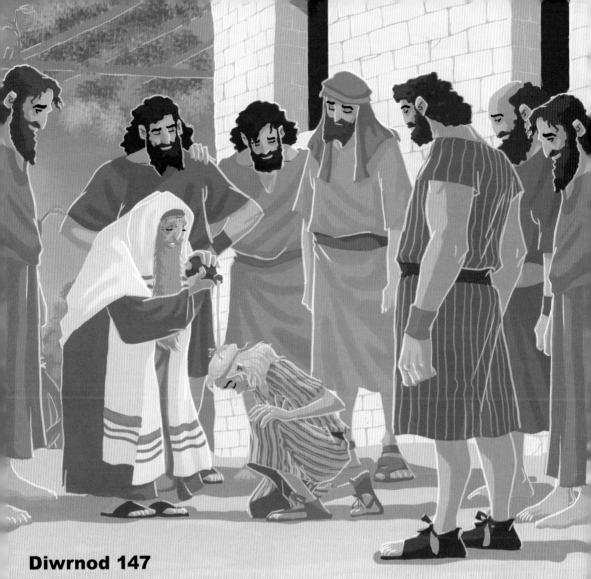

Diwrnod 147

Dafydd, brenin newydd Duw
(1 Samuel 16:8-13)

Yna dyma Jesse yn galw Abinadab, i Samuel gael ei weld e. Ond dyma Samuel yn dweud, "Dim hwn mae'r ARGLWYDD wedi ei ddewis chwaith." Felly dyma Jesse yn dod â Shamma ato. Ond dyma Samuel yn dweud, "Dim hwn mae'r ARGLWYDD wedi ei ddewis chwaith." Dyma Jesse'n dod â saith o'i feibion at Samuel yn eu tro. Ond dyma Samuel yn dweud wrtho, "Dydy'r ARGLWYDD ddim wedi dewis run o'r rhain."

Dyma Samuel yn holi Jesse, "Ai dyma dy fechgyn di i gyd?"

"Na," meddai Jesse, "Mae'r lleiaf ar ôl. Mae e'n gofalu am y defaid."

Dyma Jesse'n anfon amdano. Roedd yn fachgen iach yr olwg gyda llygaid hardd – bachgen golygus iawn. A dyma'r ARGLWYDD yn dweud wrth Samuel, "Tyrd! Hwn ydy e! Eneinia fe â'r olew." Felly dyma Samuel yn tywallt yr olew ar ben Dafydd o flaen ei frodyr i gyd. Daeth Ysbryd yr ARGLWYDD yn rymus ar Dafydd o'r diwrnod hwnnw ymlaen.

187

DAFYDD

Diwrnod 148

Roedd Ysbryd yr ARGLWYDD wedi gadael Saul. A dyma'r ARGLWYDD yn anfon ysbryd drwg i'w boeni. Dyma ei swyddogion yn dweud wrtho, "Syr, beth am i ni, dy weision, fynd i chwilio am rywun sy'n canu'r delyn yn dda? Wedyn, pan fydd Duw yn anfon yr ysbryd drwg arnat ti, bydd e'n canu'r delyn ac yn gwneud i ti deimlo'n well."

Felly dyma Saul yn ateb, "Iawn, ewch i ffeindio rhywun sy'n canu'r delyn yn dda, a dewch ag e yma."

Dyma un o'r dynion ifanc yn dweud, "Dw i'n gwybod am fab i Jesse o Fethlehem sy'n dda ar y delyn. Mae e'n filwr dewr, yn siaradwr da, mae'n fachgen golygus ac mae'r ARGLWYDD gydag e."

A dyma Saul yn anfon neges at Jesse, "Anfon dy fab Dafydd ata i, yr un sydd gyda'r defaid."

Aeth Dafydd i weithio i Saul. Roedd Saul yn ei hoffi'n fawr, a rhoddodd y cyfrifoldeb o gario'i arfau iddo. A dyma Saul yn anfon at Jesse i ofyn, "Gad i Dafydd aros yma i fod yn was i mi. Dw i'n hapus iawn gydag e."

Felly, pan fyddai Duw yn anfon ysbryd drwg ar Saul, byddai Dafydd yn nôl ei delyn a'i chanu. Byddai hynny'n tawelu Saul a gwneud iddo deimlo'n well. Yna byddai'r ysbryd drwg yn gadael llonydd iddo.

DAFYDD

Diwrnod 149

Goliath y cawr
(1 Samuel 17:3-16)

Roedd Saul a byddin Israel yn sefyll yn eu rhengoedd yn barod i ymladd yn erbyn y Philistiaid. Roedd y Philistiaid ar ben un bryn a'r Israeliaid ar ben bryn arall, gyda'r dyffryn rhyngddyn nhw.

Daeth milwr o'r enw Goliath allan o wersyll y Philistiaid i herio'r Israeliaid. Roedd e dros naw troedfedd o daldra! Roedd yn gwisgo helmed bres, arfwisg bres a phadiau pres ar ei goesau. Roedd cleddyf pres yn hongian dros ei ysgwyddau. Roedd coes ei waywffon fel trawst ffrâm gwehydd, a'i phig haearn yn pwyso tua saith cilogram. Ac roedd gwas yn cario ei darian o'i flaen.

Dyma fe'n sefyll a gweiddi ar fyddin Israel, "Pam ydych chi'n paratoi i ryfela? Philistiad ydw i, a dych chi'n weision i Saul.

Dewiswch un dyn i ddod i lawr yma i ymladd hefo fi! Os gall e fy lladd i, byddwn ni'n gaethweision i chi. Ond os gwna i ei ladd e yna chi fydd yn gaethweision i ni. Dw i'n eich herio chi heddiw, fyddin Israel. Dewiswch ddyn i ymladd yn fy erbyn i!"

Pan glywod Saul a dynion Israel hyn, dyma nhw'n dechrau panicio, ac roedd ganddyn nhw ofn go iawn. Roedd Goliath yn dod allan i herio byddin Israel bob dydd, fore a nos. Gwnaeth hyn am bedwar deg diwrnod.

189

DAFYDD

190

DAFYDD

Diwrnod 150

Ymateb Dafydd i frolio Goliath
(1 Samuel 17:17-27)

Un diwrnod dyma Jesse yn dweud wrth Dafydd, "Brysia draw i'r gwersyll at dy frodyr. Dos â sachaid o rawn wedi ei grasu a deg torth iddyn nhw." Roedden nhw gyda Saul a byddin Israel yn ymladd y Philistiaid.

Cyrhaeddodd Dafydd y gwersyll wrth i'r fyddin fynd allan i'w rhengoedd yn barod i ymladd, ac yn gweiddi "I'r gâd!" Roedd yr Israeliaid a'r Philistiaid yn wynebu ei gilydd yn eu rhengoedd.

Dyma Dafydd yn gadael y pac oedd ganddo gyda'r swyddog cyfarpar, a rhedeg i ganol y rhengoedd at ei frodyr i holi eu hanes. Tra roedd e'n siarad â nhw, dyma Goliath yn dod allan o rengoedd y Philistiaid, a dechrau bygwth yn ôl ei arfer. A clywodd Dafydd e. Pan welodd milwyr Israel e, dyma nhw i gyd yn cilio'n ôl; roedd ganddyn nhw ei ofn go iawn. Roedden nhw'n dweud wrth ei gilydd, "Mae'n gwneud hyn i wawdio pobl Israel. Mae'r brenin wedi addo arian mawr i bwy bynnag sy'n ei ladd e. Bydd e'n cael priodi merch y brenin, a fydd teulu ei dad byth yn gorfod talu trethi eto."

Dyma Dafydd yn holi'r dynion o'i gwmpas, "Pwy mae'r pagan yma o Philistiad yn meddwl ydy e, yn herio byddin y Duw byw!"

DAFYDD

Diwrnod 151

Dafydd yn cyfarfod Saul
(1 Samuel 17:34-40)

Dyma Dafydd yn dweud wrth Saul, "Bugail ydw i, syr, yn gofalu am ddefaid fy nhad. Weithiau bydd llew neu arth yn dod a chymryd oen o'r praidd. Bydda i'n rhedeg ar ei ôl, ei daro i lawr, ac achub yr oen o'i geg. Syr, dw i wedi lladd llew ac arth. A bydda i'n gwneud yr un fath i'r pagan o Philistiad yma, am ei fod wedi herio byddin y Duw byw!

Yna dyma Saul yn rhoi ei arfwisg e'i hun i Dafydd ei gwisgo.

"Alla i ddim cerdded yn y rhain," meddai Dafydd wrth Saul. "Dw i ddim wedi arfer gyda nhw." Felly tynnodd nhw i ffwrdd. Gafaelodd yn ei ffon fugail, dewisodd bum carreg lefn o'r sychnant. Yna aeth i wynebu'r Philistiad gyda'i ffon dafl yn ei law.

Diwrnod 152

Dafydd yn lladd Goliath
(1 Samuel 17:41-51)

Pan welodd Goliath Dafydd roedd e'n ei wfftio am mai bachgen oedd e – bachgen ifanc, golygus, iach yr olwg. A dyma fe'n dweud wrth Dafydd, "Wyt ti'n meddwl mai ci ydw i, dy fod yn dod allan yn fy erbyn i â ffyn?" Ac roedd e'n rhegi Dafydd yn enw ei dduwiau, a gweiddi, "Tyrd yma i mi gael dy roi di'n fwyd i'r adar a'r anifeiliaid gwylltion!"

Ond dyma Dafydd yn ei ateb e, "Rwyt ti'n dod yn fy erbyn i gyda gwaywffon a chleddyf, ond dw i'n dod yn dy erbyn di ar ran yr ARGLWYDD holl-bwerus! Heddiw bydd yr ARGLWYDD yn dy roi di yn fy llaw i. A bydd pawb sydd yma yn dod i weld mai nid gyda cleddyf a gwaywffon mae'r ARGLWYDD yn achub."

Dyma'r Philistiad yn symud yn nes, a dyma Dafydd yn rhedeg i'w gyfarfod. Rhoddodd ei law yn ei fag, cymryd carreg allan a'i hyrddio at y Philistiad gyda'i ffon dafl. Tarodd y garreg Goliath ar ei dalcen a suddo i mewn nes iddo syrthio ar ei wyneb ar lawr.

Pan welodd y Philistiaid fod eu harwr wedi ei ladd, dyma nhw'n ffoi.

Diwrnod 153

Y brenin Saul yn eiddigeddus
(1 Samuel 18:6-16)

Pan aeth y fyddin adre ar ôl i Dafydd ladd y Philistiad, roedd merched pob tref yn dod allan i groesawu'r brenin Saul. Roedden nhw'n canu a dawnsio'n llawen i gyfeiliant offerynnau taro a llinynnol. Roedden nhw'n canu fel hyn:

"Mae Saul wedi lladd miloedd,
ond Dafydd ddegau o filoedd!"

Doedd Saul ddim yn hapus o gwbl am y peth. Roedd e wedi gwylltio. "Maen nhw'n rhoi degau o filoedd i Dafydd, a dim ond miloedd i mi," meddai. "Peth nesa, byddan nhw eisiau ei wneud e'n frenin!" Felly o hynny ymlaen roedd Saul yn amheus o Dafydd, ac yn cadw llygad arno.

Y diwrnod wedyn dyma ysbryd drwg oddi wrth Dduw yn dod ar Saul, a dyma fe'n dechrau ymddwyn fel dyn gwallgo yn y tŷ. Roedd Dafydd wrthi'n canu'r delyn iddo fel arfer. Roedd gwaywffon yn llaw Saul, a dyma fe'n taflu'r waywffon at Dafydd. "Mi hoelia i e i'r wal," meddyliodd. Digwyddodd hyn ddwywaith, ond llwyddodd Dafydd i'w osgoi.

Roedd y sefyllfa'n codi ofn ar Saul, am fod yr A𝖱GLWYDD gyda Dafydd, ond wedi ei adael e. Felly dyma Saul yn anfon Dafydd i ffwrdd a'i wneud yn gapten ar uned o fil o filwyr. Dafydd oedd yn arwain y fyddin allan i frwydro. Roedd yn llwyddo beth bynnag roedd e'n ei wneud, am fod yr A𝖱GLWYDD gydag e.

Pan welodd Saul sut roedd e'n llwyddo roedd yn ei ofni e fwy fyth. Ond roedd pobl Israel a Jwda i gyd wrth eu boddau gyda Dafydd, am mai fe oedd yn arwain y fyddin.

Diwrnod 154

Ffrindiau am byth
(1 Samuel 19:1-7)

Dyma Saul yn cyfadde i'w fab Jonathan, a'i swyddogion i gyd, ei fod eisiau lladd Dafydd. Ond roedd Jonathan yn hoff iawn iawn o Dafydd. Felly dyma fe'n rhybuddio Dafydd, "Mae fy nhad Saul eisiau dy ladd di. Felly gwylia dy hun."

Yna dyma Jonathan yn siarad ar ran Dafydd gyda Saul, ei dad. "Paid gwneud cam â dy was Dafydd, achos dydy e erioed wedi gwneud dim byd yn dy erbyn di. Pam mae'n rhaid i ti ladd Dafydd am ddim rheswm?"

Dyma Saul yn addo ar lw, "Mor sicr â bod yr ARGLWYDD yn fyw, wna i ddim ei ladd e!"

DAFYDD

196
DAFYDD

Diwrnod 155

Cynllun Jonathan
(1 Samuel 19:9-20:24)

Dyma'r ysbryd drwg oddi wrth yr ARGLWYDD yn dod ar Saul eto. Roedd yn eistedd yn ei dŷ, tra roedd Dafydd yn canu'r delyn. A dyma Saul yn trio trywanu Dafydd a'i hoelio i'r wal gyda'i waywffon. Ond dyma Dafydd yn llwyddo i'w hosgoi ac aeth y waywffon i'r wal, a rhedodd Dafydd i ffwrdd.

Aeth Dafydd i weld Jonathan. "Be dw i wedi ei wneud o'i le?" meddai. "Be dw i wedi ei wneud i ddigio dy dad gymaint? Mae e'n trio fy lladd i!"

"Dw i'n addo o flaen yr ARGLWYDD, Duw Israel: erbyn yr adeg yma'r diwrnod ar ôl fory bydda i wedi darganfod beth ydy agwedd dad atat ti," meddai Jonathan. "Mae hi'n Ŵyl y lleuad newydd fory. Dos i guddio i lle roeddet ti o'r blaen, wrth Garreg Esel. Gwna i saethu tair saeth at ei hymyl hi, fel petawn i'n saethu at darged. Wedyn pan fydda i'n anfon gwas i nôl y saethau, os bydda i'n dweud, 'Edrych, mae'r saethau yr ochr yma i ti,' yna gelli ddod yn ôl. Ond os bydda i'n dweud wrth y bachgen, 'Edrych, mae'r saethau yn bellach draw,' yna rhaid i ti ddianc."

Felly dyma Dafydd yn mynd i guddio yn y cae.

Diwrnod 156

Jonathan yn achub bywyd Dafydd
(1 Samuel 20:27-41)

Y diwrnod wedyn dyma Saul yn gofyn i Jonathan, "Pam nad ydy mab Jesse wedi dod i fwyta ddoe na heddiw?" Atebodd Jonathan, "Roedd Dafydd yn crefu arna i adael iddo fynd i Fethlehem."

Dyma Saul yn gwylltio'n lân gyda Jonathan, "Tra bydd mab Jesse yn dal yn fyw fyddi di byth yn frenin. Nawr, anfon i'w nôl e. Tyrd ag e ata i. Mae'n rhaid iddo farw!"

Y bore wedyn dyma Jonathan yn mynd i'r cae i gyfarfod Dafydd. Aeth â bachgen ifanc gydag e. Dwedodd wrth y bachgen, "Rheda i nôl y saethau wrth i mi eu saethu." A dyma fe'n gweiddi ar ei ôl, "Hei, ydy'r saeth ddim yn bellach draw? Brysia! Dos yn dy flaen! Paid loetran!"

A dyma'r bachgen yn casglu'r saeth a mynd yn ôl at ei feistr. Wedyn dyma Jonathan yn rhoi ei offer i'r bachgen, a dweud wrtho am fynd â nhw yn ôl i'r dre.

Ar ôl i'r bachgen fynd dyma Dafydd yn dod i'r golwg. Aeth ar ei liniau ac ymgrymu gyda'i wyneb ar lawr dair gwaith. Wedyn dyma'r ddau ffrind yn cusanu ei gilydd a wylo, yn enwedig Dafydd.

Diwrnod 157

Achimelech yn helpu Dafydd
(1 Samuel 21:1-9)

Dyma Dafydd yn mynd i Nob ble
roedd Achimelech yn offeiriad. Roedd
Achimelech yn nerfus iawn pan aeth
allan at Dafydd, a gofynnodd iddo, "Pam
wyt ti ar dy ben dy hun, a neb gyda ti?"

A dyma Dafydd yn ateb, "Y brenin sydd
wedi gofyn i mi wneud rhywbeth. Mae
wedi dweud fod neb i gael gwybod pam
na ble dw i'n mynd. Nawr, be wnei di ei
roi i mi? Rho bum torth i mi, neu faint
bynnag sydd gen ti."

Ond dyma'r offeiriad yn ateb, "Does

gen i ddim bara cyffredin o gwbl,
dim ond bara sydd wedi ei gysegru i
Dduw." Dyma'r bara oedd wedi cael ei
gymryd oddi ar y bwrdd sydd o flaen
yr ARGLWYDD, i fara ffres gael ei osod
yn ei le.

Dyma Dafydd yn gofyn i Achimelech,
"Oes gen ti gleddyf neu waywffon
yma? Rôn i ar gymaint o frys i
ufuddhau i'r brenin, dw i wedi dod heb
na chleddyf nac arfau."

"Mae cleddyf Goliath yma – y
Philistiad wnest ti ei ladd yn Nyffryn
Ela," meddai'r offeiriad. "Cei gymryd
hwnnw os wyt ti eisiau. Hwnnw ydy'r
unig un sydd yma."

Atebodd Dafydd, "Does dim un tebyg
iddo! Rho fe i mi."

199

DAFYDD

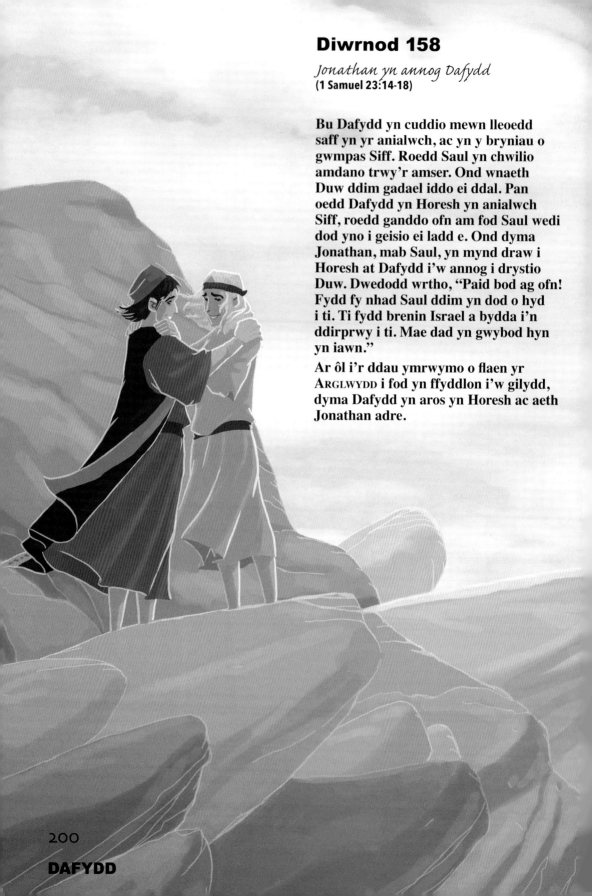

Diwrnod 158

Jonathan yn annog Dafydd
(1 Samuel 23:14-18)

Bu Dafydd yn cuddio mewn lleoedd saff yn yr anialwch, ac yn y bryniau o gwmpas Siff. Roedd Saul yn chwilio amdano trwy'r amser. Ond wnaeth Duw ddim gadael iddo ei ddal. Pan oedd Dafydd yn Horesh yn anialwch Siff, roedd ganddo ofn am fod Saul wedi dod yno i geisio ei ladd e. Ond dyma Jonathan, mab Saul, yn mynd draw i Horesh at Dafydd i'w annog i drystio Duw. Dwedodd wrtho, "Paid bod ag ofn! Fydd fy nhad Saul ddim yn dod o hyd i ti. Ti fydd brenin Israel a bydda i'n ddirprwy i ti. Mae dad yn gwybod hyn yn iawn."

Ar ôl i'r ddau ymrwymo o flaen yr Arglwydd i fod yn ffyddlon i'w gilydd, dyma Dafydd yn aros yn Horesh ac aeth Jonathan adre.

Diwrnod 159

Cuddio mewn ogof
(1 Samuel 24:2-19)

Dewisodd Saul dair mil o filwyr gorau Israel, a mynd i Greigiau'r Geifr Gwyllt i chwilio am Dafydd. Ar y ffordd, wrth ymyl corlannau'r defaid, roedd yna ogof. Roedd Saul eisiau mynd i'r tŷ bach, felly aeth i mewn i'r ogof.

Roedd Dafydd a'i ddynion yn cuddio ym mhen draw'r ogof ar y pryd. A dyma'r dynion yn dweud wrth Dafydd, "Dyma ti'r diwrnod y dwedodd yr ARGLWYDD wrthot ti amdano, 'Bydda i'n rhoi dy elyn yn dy afael.'"

Dyma Dafydd yn mynd draw yn ddistaw bach, a thorri cornel clogyn Saul i ffwrdd. Ond wedyn roedd ei gydwybod yn ei boeni. Meddai wrth ei ddynion, "Ddylwn i ddim bod wedi gwneud y fath beth. Sut allwn i wneud dim yn erbyn fy meistr? Fe ydy'r brenin wedi ei eneinio gan yr ARGLWYDD."

Dyma Saul yn mynd allan o'r ogof ac ymlaen ar ei ffordd. Yna dyma Dafydd yn mynd allan a gweiddi ar ei ôl, "Fy mrenin! Meistr!" Trodd Saul rownd i edrych, a dyma Dafydd yn ymgrymu iddo â'i wyneb ar lawr. A dyma Dafydd yn gofyn i Saul, "Pam wyt ti'n gwrando ar y straeon fy mod i eisiau gwneud niwed i ti? Rwyt ti wedi gweld drosot dy hun heddiw fod Duw wedi dy roi di yn fy ngafael i pan oeddet ti yn yr ogof. Roedd rhai yn annog fi i dy ladd di, ond wnes i ddim. Ti ydy'r un mae'r ARGLWYDD wedi ei eneinio'n frenin! Edrych, syr. Ie, edrych – dyma gornel dy glogyn di yn fy llaw i. Gwnes i dorri cornel dy glogyn di, ond wnes i ddim dy ladd di. Dw i ddim wedi gwneud cam â thi er dy fod ti ar fy ôl i yn ceisio fy lladd i. Caiff yr ARGLWYDD farnu rhyngon ni'n dau. Wna i ddim drwg i ti. Ar ôl pwy mae brenin Israel wedi dod allan? Pwy wyt ti'n ceisio'i ddal? Dw i'n neb. Ci marw ydw i! Chwannen!"

Dyma Saul yn ei ateb, "Ti'n well dyn na fi. Ti wedi bod yn dda ata i er fy mod i wedi ceisio gwneud drwg i ti. Boed i'r ARGLWYDD fod yn dda atat ti am beth wnest ti i mi heddiw."

DAFYDD

Diwrnod 160

Nabal yn gwrthod Dafydd
(1 Samuel 25:2-13)

Roedd yna ddyn cyfoethog iawn yn byw yn Maon, yn cadw tir wrth ymyl Carmel. Roedd ganddo dair mil o ddefaid a mil o eifr. Roedd e yn Carmel yn cneifio ei ddefaid. Nabal oedd enw'r dyn, ac Abigail oedd enw ei wraig. Roedd hi'n ddynes ddoeth, hardd iawn, ond roedd e'n ddyn blin ac annifyr.

Pan oedd Dafydd yn yr anialwch clywodd fod Nabal yn cneifio yn Carmel. Dyma fe'n anfon deg o'i weision ifanc ato. Meddai wrthyn nhw, "Ewch i weld Nabal yn Carmel, a'i gyfarch e i mi. Dwedwch wrtho, 'Heddwch a llwyddiant i ti a dy deulu! Gobeithio y cei di flwyddyn dda! Rôn i'n clywed dy fod yn cneifio. Pan oedd dy fugeiliaid di gyda ni yn Carmel, wnaethon ni ddim tarfu arnyn nhw na dwyn dim. Gofyn i dy weision; gallan nhw ddweud wrthot ti mai felly roedd hi. Felly, wnei di fod yn garedig at fy ngweision i? Oes gen ti rywbeth i'w sbario i'w roi i dy weision ac i dy was Dafydd?'"

Felly dyma'r gweision ifanc yn mynd ac yn cyfarch Nabal. Dyma nhw'n disgwyl iddo ateb. Yna meddai Nabal. "Dafydd? Pwy mae e'n feddwl ydy e? Pam ddylwn i roi fy mara, a'm dŵr a'm cig, sydd wedi ei baratoi i'r cneifwyr, i ryw griw o ddynion dw i'n gwybod dim byd amdanyn nhw?"

Felly dyma weision Dafydd yn mynd yn ôl, a dweud y cwbl wrtho. Pan glywodd Dafydd beth oedd wedi digwydd, dyma fe'n rhoi gorchymyn i'w ddynion, "Pawb i wisgo'i gleddyf!"

Ac wedi iddyn nhw i gyd wneud hynny, dyma tua pedwar cant ohonyn nhw'n mynd gyda Dafydd, gan adael dau gant ar ôl gyda'r offer.

Diwrnod 161

Abigail yn cyfarfod Dafydd
(1 Samuel 25:14-31)

Yn y cyfamser roedd un o weision Nabal wedi dweud wrth Abigail, "Roedd Dafydd wedi anfon negeswyr o'r anialwch i gyfarch y meistr, ond dyma fe'n gweiddi a rhegi arnyn nhw. Rhaid i ti feddwl am rywbeth. Mae'n amlwg fod trychineb yn aros y meistr a'i deulu i gyd. Ond mae e'n greadur mor gas, does dim pwynt i neb ddweud dim wrtho!"

Dyma Abigail yn brysio i gasglu bwyd a'i roi ar gefn asynnod: dau gan torth o fara, dwy botel groen o win, pum dafad wedi eu paratoi, pum sachaid o rawn wedi ei grasu, can swp o rhesins a dau gant o fariau ffigys. Yna dyma hi'n dweud wrth ei gweision, "Ewch chi ar y blaen. Dof fi ar eich ôl." Ond ddwedodd hi ddim wrth ei gŵr Nabal.

Roedd hi'n marchogaeth ar gefn asyn ac yn pasio heibo yng nghysgod y mynydd pan ddaeth Dafydd a'i ddynion i'w chyfarfod o'r cyfeiriad arall. Pan welodd Abigail Dafydd, dyma hi'n disgyn oddi ar ei hasyn ar frys ac ymgrymu ar lawr o'i flaen. A dyma hi'n dweud, "Syr, plîs gwranda ar dy forwyn, i mi gael egluro.

DAFYDD

Paid cymryd sylw o beth mae'r dyn annifyr yna, Nabal, yn ei ddweud. Ffŵl ydy ystyr ei enw, a ffŵl ydy e. Dw i wedi dod â rhodd i ti, syr, i ti ei roi i'r dynion ifanc sy'n dy ganlyn.

"Pan fydd yr ARGLWYDD wedi gwneud popeth mae e wedi addo i ti, a dy wneud di'n arweinydd Israel, cofia amdana i, dy forwyn."

203

DAFYDD

Diwrnod 162

Dafydd y priodi Abigail

(1 Samuel 25:32-42:1)

Dyma Dafydd yn ateb, "Bendith ar yr ARGLWYDD, Duw Israel, am iddo dy anfon di ata i! Diolch i ti am dy gyngor doeth, a bendith Duw arnat ti. Ti wedi fy rhwystro i, heddiw, rhag tywallt gwaed yn ddiangen a dial trosof fy hun." Yna dyma Dafydd yn cymryd y pethau roedd hi wedi dod â nhw iddo. "Dos adre'n dawel dy feddwl. Dw i wedi gwrando, a bydda i'n gwneud beth wyt ti eisiau."

Pan aeth Abigail yn ôl at Nabal roedd yn cynnal parti mawr fel petai'n frenin. Roedd yn cael amser da ac wedi meddwi'n gaib. Felly ddwedodd Abigail ddim byd o gwbl wrtho tan y bore. Yna'r bore wedyn, ar ôl iddo sobri, dyma hi'n dweud yr hanes i gyd wrtho. Pan glywodd Nabal, dyma fe'n cael strôc. Roedd yn gorwedd wedi ei barlysu. Rhyw ddeg diwrnod wedyn dyma Duw yn ei daro, a buodd farw.

Pan glywodd Dafydd fod Nabal wedi marw, dyma fe'n anfon neges at Abigail yn gofyn iddi ei briodi. Atebodd, "Byddwn i, eich morwyn chi, yn hapus i fod yn gaethferch sy'n golchi traed gweision fy meistr." Yna aeth yn ôl gyda gweision Dafydd, a dod yn wraig iddo.

Diwrnod 163

Dafydd yn achub teuluoedd ei filwyr
(1 Samuel 30:1-18)

Erbyn i Dafydd a'i ddynion gyrraedd yn ôl i Siclag ddeuddydd wedyn, roedd yr Amaleciaid wedi bod yno. Roedd y dre wedi ei llosgi a'u gwragedd a'u plant wedi eu cymryd yn gaethion. A dyma Dafydd a'i ddynion yn dechrau crïo'n uchel nes eu bod nhw'n rhy wan i grïo ddim mwy.

Dyma Dafydd yn gofyn i'r Arglwydd, "Os af i ar ôl y rhai wnaeth ymosod, wna i eu dal nhw?"

A dyma'r Arglwydd yn ei ateb, "Dos ar eu holau. Byddi'n eu dal nhw ac yn llwyddo i achub y rhai sydd wedi cael eu cipio!"

Felly i ffwrdd a Dafydd, a pan ddaeth atyn nhw, roedd yr Amaleciaid yn bwyta ac yn yfed ac yn dathlu am eu bod wedi llwyddo i ddwyn cymaint o wlad y Philistiaid ac o Jwda. Yna cyn i'r wawr dorri dyma Dafydd a'i fyddin yn ymosod arnyn nhw. Buon nhw'n ymladd drwy'r dydd nes oedd hi'n dechrau nosi. Yr unig rai wnaeth lwyddo i ddianc oedd rhyw bedwar cant o ddynion ifanc wnaeth ffoi ar gefn camelod.

Llwyddodd Dafydd i achub popeth oedd yr Amaleciaid wedi ei gymryd, gan gynnwys ei ddwy wraig.

205

DAFYDD

Diwrnod 164

Saul a Jonathan yn marw
(1 Samuel 31:1-6)

Dyma'r Philistiaid yn dod ac ymladd yn erbyn Israel, ac roedd rhaid i filwyr Israel ffoi. Cafodd llawer iawn ohonyn nhw eu lladd ar fynydd Gilboa. Yna dyma'r Philistiaid yn mynd ar ôl Saul a'i feibion, a dyma nhw'n llwyddo i ladd y meibion – Jonathan, Abinadab a Malci-shwa. Roedd y frwydr yn ffyrnig o gwmpas Saul, a dyma'r bwasaethwyr yn ei daro a'i anafu'n ddifrifol.

Yna dyma Saul yn dweud wrth y gwas oedd yn cario'i arfau, "Cymer dy gleddyf a thrywana fi. Paid gadael i'r paganiaid yma ddod i'm cam-drin i a'm lladd i." Ond roedd gan y gwas ofn gwneud hynny.

Felly dyma Saul yn cymryd ei gleddyf ac yn syrthio arno. Pan welodd y gwas fod Saul wedi marw, dyma fe hefyd yn syrthio ar ei gleddyf a marw gydag e.

Felly cafodd Saul a tri o'i feibion, y gwas oedd yn cario ei arfau a'i filwyr i gyd eu lladd y diwrnod hwnnw.

DAFYDD

Diwrnod 165

Dafydd yn dod yn frenin
(2 Samuel 5:1-10; 1 Cronicl 14:8-17)

Dyma'r rhai oedd yn arwain llwythau Israel i gyd yn dod i Hebron at Dafydd, a dweud wrtho, "Mae'r ARGLWYDD wedi dweud wrthot ti, 'Ti sydd i ofalu am Israel, fy mhobl i. Ti fydd yn eu harwain nhw.'" A dyma nhw'n ei eneinio'n frenin ar Israel gyfan.

Bu'n frenin ar Jwda yn Hebron am saith mlynedd a hanner, ac yna yn frenin yn Jerwsalem ar Jwda ac Israel gyfan am dri deg tair o flynyddoedd.

Llwyddodd Dafydd i ennill caer Seion. Aeth Dafydd i fyw i'r gaer, a'i galw yn Ddinas Dafydd. Roedd e'n mynd yn fwy a mwy pwerus, achos roedd yr ARGLWYDD, y Duw holl-bwerus, gydag e.

Pan glywodd y Philistiaid fod Dafydd wedi cael ei eneinio'n frenin, dyma eu byddin gyfan yn mynd allan i chwilio amdano. Clywodd Dafydd am hyn, ac aeth allan i ymladd yn eu herbyn nhw. Gofynnodd i Dduw, "Ddylwn i fynd i ymladd yn erbyn y Philistiaid? Fyddi di'n gwneud i mi ennill?"

Atebodd yr ARGLWYDD, "Dos i fyny, achos bydda i'n rhoi'r Philistiaid i ti."

Felly aeth i Baal-peratsîm a'u trechu nhw yno. Dwedodd Dafydd, "Mae Duw wedi gwneud i mi dorri trwy fy ngelynion fel llifogydd o ddŵr."

Roedd Dafydd yn enwog ym mhobman; roedd yr ARGLWYDD wedi gwneud i'r gwledydd i gyd ei ofni.

207

DAFYDD

Diwrnod 166

Symud Arch Duw i Jerwsalem
(1 Cronicl 15:1-16:6)

Dyma Dafydd yn codi nifer o adeiladau yn Jerwsalem. A dyma fe'n paratoi lle i Arch Duw, a gosod pabell yn barod iddi.

Yna dyma Dafydd yn galw pobl Israel i gyd at ei gilydd yn Jerwsalem, i symud Arch yr ARGLWYDD i'r lle'r roedd wedi ei baratoi ar ei chyfer.

Felly dyma Israel gyfan yn hebrwng Arch Ymrwymiad yr ARGLWYDD gan weiddi a chanu'r corn hwrdd ac utgyrn, symbalau, nablau a thelynau.

Wrth i Arch yr ARGLWYDD gyrraedd Dinas Dafydd, roedd Michal merch Saul yn edrych allan drwy'r ffenest. Pan welodd hi'r brenin Dafydd yn neidio a dawnsio, doedd hi'n teimlo dim byd ond dirmyg tuag ato.

Dyma nhw'n gosod Arch Duw yn y babell roedd Dafydd wedi ei chodi iddi. Yna dyma nhw'n cyflwyno offrymau i'w llosgi ac offrymau i ofyn am fendith Duw. Ar ôl cyflwyno'r offrymau yma, dyma Dafydd yn bendithio'r bobl yn enw yr ARGLWYDD.

Dyma fe'n penodi rhai o'r Lefiaid i arwain yr addoliad o flaen Arch yr ARGLWYDD, ac i ganu a moli'r ARGLWYDD, Duw Israel.

Diwrnod 167

Dafydd yn trefnu i Wreia gael ei ladd
(2 Samuel 11:2-17)

Yn hwyr un p'nawn, dyma Dafydd yn codi ar ôl bod yn gorffwys, a mynd i gerdded ar do fflat y palas. O'r fan honno dyma fe'n digwydd gweld gwraig yn ymolchi. Roedd hi'n wraig arbennig o hardd. Dyma Dafydd yn anfon rhywun i ddarganfod pwy oedd hi, a daeth hwnnw yn ôl gyda'r ateb, "Bathseba, gwraig Wreia, ydy hi." Felly dyma Dafydd yn anfon negeswyr i'w nôl hi. Ac wedi iddi ddod dyma fe'n cysgu gyda hi. Yna dyma hi'n mynd yn ôl adre.

Pan wnaeth hi ddarganfod ei bod hi'n feichiog, dyma hi'n anfon neges at Dafydd i ddweud wrtho.

Dyma Dafydd yn anfon am Wreia, ei wahodd i fwyta ac yfed gydag e, a'i feddwi. Ond pan aeth Wreia allan gyda'r nos dyma fe'n cysgu allan gyda gweision ei feistr. Aeth e ddim adre. Felly, y bore wedyn, dyma Dafydd yn gofyn i Wreia fynd â llythyr i Joab, capten y fyddin. Dyma beth roedd wedi ei ysgrifennu yn y llythyr, "Rho Wreia yn y rheng flaen lle mae'r brwydro galetaf. Yna ciliwch yn ôl oddi wrtho, a'i adael i gael ei daro a'i ladd."

Dyma Joab yn rhoi Wreia lle roedd yn gwybod fod milwyr gorau'r gelyn yn ymladd. Dyma filwyr y gelyn yn mentro allan i ymosod. Cafodd Wreia a nifer o filwyr eraill Dafydd eu lladd.

209

DAFYDD

Diwrnod 168

Brenin wedi ei dorri
(2 Samuel 12:1-15)

Doedd yr ARGLWYDD ddim yn hapus o gwbl am beth roedd Dafydd wedi ei wneud, a dyma fe'n anfon y proffwyd Nathan at Dafydd. Daeth ato a dweud wrtho: "Un tro roedd yna ddau ddyn yn byw yn rhyw dre. Roedd un yn gyfoethog a'r llall yn dlawd. Roedd gan y dyn cyfoethog lond gwlad o ddefaid a gwartheg. Ond doedd gan y dyn tlawd ddim ond un oen banw fach. Roedd yr oen wedi tyfu gydag e a'i blant. Roedd yn bwyta ac yn yfed gyda nhw, ac yn cysgu yn ei freichiau, fel petai'n ferch fach iddo.

"Cafodd y dyn cyfoethog ymwelydd. Ond doedd e ddim am ladd un o'i ddefaid ei hun i wneud bwyd iddo. Felly dyma fe'n cymryd oen y dyn tlawd a gwneud pryd o fwyd i'w ymwelydd o hwnnw."

Roedd Dafydd wedi gwylltio'n lân pan glywodd hyn. Dwedodd wrth Nathan, "Mor sicr â bod yr ARGLWYDD yn fyw, mae'r dyn yna'n haeddu marw! Rhaid iddo roi pedwar oen yn ôl i'r dyn tlawd am wneud y fath beth, ac am fod mor ddideimlad!"

A dyma Nathan yn ateb Dafydd, "Ti ydy'r dyn! Dyma mae'r ARGLWYDD, Duw Israel, yn ei ddweud: 'Fi wnaeth dy osod di yn frenin ar Israel. Pam wyt ti wedi fy sarhau i drwy wneud peth mor ofnadwy? Ti wedi lladd Wreia, a chymryd ei wraig yn wraig i ti dy hun. Felly bydd cysgod y cleddyf arnat ti a dy deulu bob amser.'"

Dyma Dafydd yn ateb, "Dw i wedi pechu yn erbyn yr ARGLWYDD."

A dyma Nathan yn ateb, "Wyt, ond mae'r ARGLWYDD wedi maddau. Dwyt ti ddim yn mynd i farw. Ond am dy fod ti wedi bod mor amharchus o'r ARGLWYDD, bydd y plentyn gafodd ei eni yn marw."

Yna aeth Nathan yn ôl adre.

DAFYDD

Diwrnod 169

Dyhead Solomon
(1 Brenhinoedd 2:10-3:15)

Pan fuodd Dafydd farw cafodd ei gladdu
yn Ninas Dafydd. Roedd wedi bod yn frenin
ar Israel am bedwar deg o flynyddoedd.
Yna dyma Solomon yn dod yn frenin yn
lle ei dad, a gwneud y deyrnas yn ddiogel
ac yn gryf. Roedd Solomon yn caru'r
ARGLWYDD ac yn dilyn yr un polisïau â'i
dad, Dafydd.

Un noson dyma Solomon yn cael
breuddwyd. Gwelodd yr ARGLWYDD yn
dod ato a gofyn iddo, "Beth wyt ti eisiau i
mi ei roi i ti?"

Atebodd Solomon, "Fy Nuw, ti wedi
fy ngwneud i'n frenin yn lle fy nhad
Dafydd. Ond dyn ifanc dibrofiad ydw i.
Rho i mi'r gallu i wrando a deall, er mwyn i
mi lywodraethu dy bobl di'n iawn, a gallu dweud y
gwahaniaeth rhwng drwg a da."

Roedd ateb Solomon yn plesio yr ARGLWYDD yn
fawr. "Am dy fod ti ddim wedi gofyn am gael byw yn
hir, neu am gyfoeth mawr, neu i dy elynion gael eu lladd,
dw i'n mynd roi'r hyn rwyt ti eisiau i ti. Dw i'n mynd
i dy wneud di'n fwy doeth a deallus nag unrhyw un
ddaeth o dy flaen neu ddaw ar dy ôl. Ond dw i hefyd
yn mynd i roi i ti beth wnest ti ddim gofyn amdano,
cyfoeth ac anrhydedd. Ac os byddi di'n byw yn ufudd i
mi ac yn cadw fy rheolau i bydda i'n rhoi oes hir i ti."

Dyma Solomon yn deffro a sylweddoli ei fod wedi
bod yn breuddwydio. Aeth i Jerwsalem a sefyll o
flaen Arch ymrwymiad yr ARGLWYDD. Cyflwynodd
offrymau i'w llosgi ac offrymau i ofyn am
fendith yr ARGLWYDD, a cynnal
gwledd i'w swyddogion
i gyd.

Diwrnod 170

Syniad doeth Solomon
(1 Brenhinoedd 3:16-28)

Yn fuan wedyn, dyma ddwy ferch yn mynd at y brenin. Dyma un yn dweud, "Syr, dw i a'r ferch yma yn byw yn yr un tŷ. Ces i fabi tra roedden ni gyda'n gilydd yn y tŷ. Yna dridiau wedyn dyma hithau'n cael babi. Doedd yna neb arall yn y tŷ, dim ond ni'n dwy. Un noson dyma ei mab hi'n marw; roedd hi wedi gorwedd arno. Cododd yn y nos a chymryd fy mab i oedd wrth fy ymyl tra roeddwn i'n cysgu, a rhoi ei phlentyn marw hi yn fy mreichiau. Pan wnes i ddeffro yn y bore i fwydo'r babi, roedd e wedi marw. Ond wrth edrych yn fanwl, dyma fi'n sylweddoli mai nid fy mab i oedd e."

Yna dyma'r ferch arall yn dweud, "Na! Fy mab i ydy'r un byw. Dy fab di sydd wedi marw." Roedd y ddwy ohonyn nhw'n dadlau â'i gilydd fel hyn o flaen y brenin.

Yna dyma'r brenin yn gorchymyn i'w weision, "Dewch â chleddyf i mi, a torrwch y plentyn byw yn ei hanner. Rhowch hanner bob un iddyn nhw."

Ond dyma fam y plentyn byw yn dweud wrth y brenin, "Syr, rho'r plentyn byw iddi hi. Da chi paid â'i ladd e." A dyma'r brenin yn dweud, "Rhowch y plentyn byw i'r wraig hon. Peidiwch ei ladd e. Hi ydy'r fam."

Pan glywodd pobl Israel am y ffordd roedd y brenin wedi setlo'r achos, roedden nhw'n rhyfeddu. Roedden nhw'n gweld fod Duw wedi rhoi doethineb anghyffredin iddo allu barnu fel yma.

212

SOLOMON

213

Diwrnod 171

Solomon yn adeiladu teml i Dduw

(1 Brenhinoedd 5:1-6:38)

Dyma Hiram, brenin Tyrus, yn clywed fod Solomon wedi cael ei wneud yn frenin yn lle ei dad. A dyma fe'n anfon llysgenhadon i'w longyfarch, achos roedd Hiram wedi bod yn ffrindiau da gyda Dafydd ar hyd ei oes. Felly dyma Solomon yn anfon neges yn ôl ato:

"Ti'n gwybod fod fy nhad, Dafydd, ddim wedi gallu adeiladu teml i anrhydeddu'r ARGLWYDD ei Dduw. Roedd cymaint o ryfeloedd i'w hymladd. Ond bellach, diolch i'r ARGLWYDD, mae gynnon ni heddwch llwyr. Roedd yr ARGLWYDD wedi dweud wrth fy nhad, 'Dy fab di, yr un fydd yn frenin ar dy ôl di, fydd yn adeiladu teml i mi.' Felly, rho orchymyn i dorri coed cedrwydd o Libanus i mi. Gwna i dalu beth bynnag rwyt ti'n ddweud."

Roedd Hiram yn hapus iawn pan gafodd neges Solomon. A dyma fe'n dweud, "Bendith ar yr ARGLWYDD, am iddo roi mab mor ddoeth i Dafydd i fod yn frenin ar y genedl fawr yna."

Felly, dyma Hiram yn rhoi i Solomon yr holl goed cedrwydd a choed pinwydd oedd e eisiau.

Yna dyma'r ARGLWYDD yn dweud wrth Solomon: "Os byddi di'n cadw fy neddfau ac yn ufudd iddyn nhw, yna bydda i yn cadw'r addewid wnes i i dy dad Dafydd. Bydda i yn byw gyda phobl Israel yn y deml yma a fydda i byth yn troi cefn arnyn nhw."

Felly, dyma Solomon yn gorffen adeiladu'r deml.

Diwrnod 172

Brenhines Sheba yn ymweld â Solomon
(1 Brenhinoedd 4:29-33; 10:1-7)

Roedd Duw wedi rhoi doethineb a deall eithriadol i Solomon. Roedd ei wybodaeth yn ddiddiwedd. Doedd neb doethach nag e. Roedd wedi llunio tair mil o ddiarhebion a chyfansoddi mil a phump o ganeuon. Roedd yn gallu siarad am blanhigion, anifeiliaid, adar, ymlusgiaid a phryfed, a physgod.

Roedd brenhines Sheba wedi clywed mor enwog oedd Solomon, felly dyma hi'n dod i roi prawf iddo drwy ofyn cwestiynau anodd. Cyrhaeddodd Jerwsalem gyda'i gwarchodlu yn grand i gyd, gyda nifer fawr o gamelod yn cario perlysiau, a lot fawr o aur a gemau gwerthfawr. Aeth i weld Solomon, a'i holi am bob peth oedd ar ei meddwl.

Roedd Solomon yn gallu ateb ei chwestiynau i gyd. Doedd dim byd yn rhy anodd iddo ei esbonio iddi.

Roedd y frenhines wedi'i syfrdanu wrth weld y palas roedd wedi ei adeiladu, y bwydydd ar ei fwrdd, yr holl swyddogion a pawb oedd yn gweini arno, a'u gwisgoedd. A hefyd yr holl aberthau roedd yn eu llosgi i'r ARGLWYDD yn y deml. A dyma hi'n dweud wrth y brenin, "Mae popeth wnes i glywed amdanat ti yn wir – yr holl bethau rwyt ti wedi eu cyflawni, ac mor ddoeth wyt ti. Doeddwn i ddim wedi credu'r peth nes i mi ddod yma a gweld y cwbl â'm llygaid fy hun."

215

SOLOMON

Diwrnod 173

Elias yn yr anialwch
(1 Brenhinoedd 16:32-33; 17:1-7)

Roedd y brenin Ahab wedi gwneud mwy i wylltio'r Arglwydd, Duw Israel, nac unrhyw frenin o'i flaen.

Dyma Elias, o Tishbe yn Gilead, yn dweud wrtho, "Mor sicr â bod yr Arglwydd, Duw Israel, yn fyw, fydd yna ddim gwlith na glaw y blynyddoedd nesaf yma nes i mi ddweud yn wahanol."

A dyma'r Arglwydd yn dweud wrth Elias, "Dos i ffwrdd i'r dwyrain. Dos i guddio wrth ymyl Nant Cerith yr ochr arall i'r Afon Iorddonen. Cei ddŵr i'w yfed o'r nant, a dw i wedi dweud wrth y cigfrain am ddod â bwyd i ti yno."

Dyma Elias yn gwneud fel roedd yr Arglwydd wedi dweud, a mynd i fyw wrth Nant Cerith. Roedd cigfrain yn dod â bara a chig iddo bob bore a gyda'r nos, ac roedd yn yfed dŵr o'r nant.

Ond ar ôl peth amser dyma'r nant yn sychu am ei bod hi heb fwrw glaw o gwbl.

Diwrnod 174

Elias yn helpu gwraig weddw
(1 Brenhinoedd 17:8-16)

Dyma'r ARGLWYDD yn dweud wrth Elias, "Dos i fyw i Sareffath yn ardal Sidon. Dw i wedi dweud wrth wraig weddw sy'n byw yno i roi bwyd i ti." Felly dyma Elias yn mynd.

Ond dyma Elias yn dweud wrthi, "Paid bod ag ofn. Dos i wneud hynny. Ond gwna fymryn o fara i mi gyntaf, a tyrd ag e allan yma. Dyma mae'r ARGLWYDD, Duw Israel, yn ei ddweud: Ddaw'r blawd yn y potyn ddim i ben, a fydd yr olew yn y jar ddim yn darfod nes bydd e wedi anfon glaw unwaith eto."

Pan gyrhaeddodd giatiau'r dref gwelodd wraig weddw yn casglu coed tân. Dyma fe'n galw arni, "Plîs wnei di roi ychydig o ddŵr i mi i'w yfed a rhywbeth bach i mi ei fwyta hefyd?"

Ond dyma hi'n ateb, "Wir i ti, llond dwrn o flawd mewn potyn ac ychydig o olew olewydd mewn jwg sydd gen i ar ôl. Roeddwn i wrthi'n casglu ychydig o goed tân i wneud un pryd olaf i mi a'm mab. Ar ôl i ni fwyta hwnnw byddwn ni'n llwgu."

Felly dyma hi'n mynd a gwneud fel roedd Elias wedi dweud wrthi. Ac roedd digon o fwyd bob dydd i Elias ac iddi hi a'i theulu. Ddaeth y blawd yn y potyn ddim i ben, a wnaeth yr olew yn y jar ddim darfod, yn union fel roedd yr ARGLWYDD wedi addo trwy Elias.

Diwrnod 175

Cystadleuaeth
(1 Brenhinoedd 18:16-24)

Dyma'r brenin Ahab yn cyfarfod Elias. Pan welodd e Elias dyma fe'n dweud, "Ai ti ydy e go iawn – yr un sy'n creu helynt i Israel?" Dyma Elias yn ateb, "Nid fi sydd wedi creu helynt i Israel. Ti sydd wedi gwrthod gwneud beth mae'r ARGLWYDD yn ei ddweud, ac wedi addoli delwau o Baal! Dw i eisiau i ti gasglu pobl Israel i gyd at ei gilydd wrth fynydd Carmel."

Felly dyma Ahab yn anfon neges at holl bobl Israel, a dod â'r proffwydi i gyd at ei gilydd i fynydd Carmel.

Meddai Elias, "Fi ydy'r unig un sydd ar ôl o broffwydi'r ARGLWYDD, ond mae yna bedwar cant pum deg o broffwydi Baal yma. Dewch â dau darw ifanc yma. Cân nhw ddewis un tarw, yna ei dorri'n ddarnau, a'i osod ar y coed. Ond dŷn nhw ddim i gynnau tân oddi tano. Gwna i yr un fath gyda'r tarw arall. Galwch chi ar eich duw chi, a gwna i alw ar yr ARGLWYDD. Bydd y duw sy'n anfon tân

yn dangos mai fe ydy'r Duw go iawn." A dyma'r bobl yn ymateb, "Syniad da! Iawn!"

Diwrnod 176

Y Duw go iawn
(1 Brenhinoedd 18:25-39)

Dyma broffwydi Baal yn cymryd y tarw, ei baratoi, a'i osod ar yr allor. A dyma nhw'n galw ar Baal drwy'r bore, "Baal, ateb ni!" Ond ddigwyddodd dim byd – dim siw na miw. Roedden nhw'n dawnsio'n wyllt o gwmpas yr allor.

218

ELIAS

Tua canol dydd dyma Elias yn dechrau gwneud hwyl am eu pennau nhw. "Rhaid i chi weiddi'n uwch! Dewch, duw ydy e! Falle ei fod e'n myfyrio, neu wedi mynd i'r tŷ bach, neu wedi mynd ar daith i rywle. Neu falle ei fod e'n cysgu, a bod angen ei ddeffro!"

Yna dyma Elias yn trwsio allor yr ARGLWYDD. Wedyn torri'r tarw yn ddarnau a'i roi ar y coed. Yna dyma fe'n dweud, "Ewch i lenwi pedwar jar mawr gyda dŵr, a'i dywallt ar yr offrwm ac ar y coed." Roedd yr allor yn socian, a'r dŵr wedi llenwi'r ffos o'i chwmpas.

Yna dyma Elias yn gweddïo, "O ARGLWYDD, gad i bawb wybod heddiw mai ti ydy Duw Israel. Ateb fi, O ARGLWYDD, er mwyn i'r bobl yma wybod mai ti ydy'r Duw go iawn."

Yn sydyn dyma dân yn disgyn oddi wrth yr ARGLWYDD a llosgi'r offrwm, y coed, y cerrig a'r pridd, a hyd yn oed sychu'r dŵr oedd yn y ffos.

Pan welodd y bobl beth ddigwyddodd, dyma nhw'n syrthio ar eu gliniau a gweiddi, "Yr ARGLWYDD ydy'r Duw go iawn! Yr ARGLWYDD ydy'r Duw go iawn!"

ELIAS

Cyn pen dim roedd cymylau duon yn yr awyr, gwynt yn chwythu a glaw trwm. Dyma'r Arglwydd yn rhoi nerth goruwchnaturiol i Elias. Dyma fe'n rhwymo'i wisg am ei ganol a rhedeg o flaen cerbyd Ahab yr holl ffordd i Jesreel.

Diwrnod 177

Y cwmwl glaw
(1 Brenhinoedd 18:41-46)

Yna dyma Elias yn dweud wrth Ahab, "Dos i fwyta ac yfed, achos mae yna sŵn glaw trwm yn dod."

Aeth Elias i fyny i gopa mynydd Carmel. Plygodd i lawr i weddïo, â'i wyneb ar lawr rhwng ei liniau. A dyma fe'n dweud wrth ei was, "Dos i edrych allan dros y môr."

Dyma'r gwas yn mynd i edrych, a dweud "Does dim byd yna". Saith gwaith roedd rhaid i Elias ddweud, "Dos eto". Yna'r seithfed tro dyma'r gwas yn dweud, "Mae yna gwmwl bach, dim mwy na dwrn dyn, yn codi o'r môr."

A dyma Elias yn dweud, "Brysia i ddweud wrth Ahab, 'Dringa i dy gerbyd a dos adre, rhag i ti gael dy ddal yn y storm.'"

Diwrnod 178

Elias yn ffarwelio
(2 Brenhinoedd 2:1-12)

Roedd Elias ac Eliseus yn gadael Gilgal. Roedd pum deg aelod o'r urdd o broffwydi wedi eu dilyn nhw, a pan oedd y ddau yn sefyll ar lan yr afon, roedd y proffwydi yn eu gwylio nhw o bell. Dyma Elias yn cymryd ei glogyn a'i rholio, a taro'r dŵr gyda hi. Dyma lwybr yn agor drwy'r afon, a dyma'r ddau yn croesi drosodd ar dir sych.

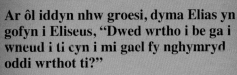

Ar ôl iddyn nhw groesi, dyma Elias yn gofyn i Eliseus, "Dwed wrtho i be ga i wneud i ti cyn i mi gael fy nghymryd oddi wrthot ti?"

"Plîs gad i mi gael siâr ddwbl o dy ysbryd di," meddai Eliseus.

Dyma Elias yn ateb, "Ti wedi gofyn am rhywbeth anodd. Os byddi di'n fy ngweld i'n mynd i ffwrdd, fe'i cei. Os ddim, gei di ddim."

Yna wrth iddyn nhw fynd yn eu blaenau yn sgwrsio dyma gerbyd o fflamau tân yn cael ei dynnu gan geffylau o dân yn dod rhyngddyn nhw, a cipio Elias i fyny i'r nefoedd.

Roedd Eliseus yn ei weld, a dyma fe'n gweiddi, "Fy nhad, fy nhad! Ti oedd arfau a byddin Israel!"

221

Diwrnod 179

Eliseus yn gallu gwneud gwyrthiau
(2 Brenhinoedd 2:13-18)

Dyma Eliseus yn codi clogyn Elias, oedd wedi syrthio oddi arno, a mynd yn ôl at lan afon Iorddonen. Gafaelodd yn y clogyn a gofyn, "Ydy'r ARGLWYDD, Duw Elias, wedi gadael hefyd?" Yna dyma fe'n taro'r dŵr gyda'r clogyn a dyma lwybr yn agor drwy'r afon, a croesodd Eliseus i'r ochr arall. Pan welodd proffwydi Jericho beth ddigwyddodd, dyma nhw'n dweud, "Mae ysbryd Elias wedi disgyn ar Eliseus."

Yna dyma nhw'n mynd ato a plygu o'i flaen. "Edrych syr, mae gynnon ni bum deg o ddynion abl yma," medden nhw. "Gad iddyn nhw fynd i chwilio am dy feistr, rhag ofn bod y gwynt cryf anfonodd yr ARGLWYDD wedi ei ollwng ar ben rhyw fynydd neu yn rhyw gwm."

Dyma Eliseus yn ateb, "Na, peidiwch a'u hanfon nhw."

Ond buon nhw'n pwyso arno nes iddo ddechrau teimlo'n annifyr. Felly dyma fe'n cytuno, a dyma'r proffwydi yn anfon y dynion i chwilio am Elias. Buon nhw'n chwilio am dri diwrnod ond methu cael hyd iddo. Arhosodd Eliseus yn Jericho, nes iddyn nhw ddod yn ôl ato. A dyma fe'n dweud wrthyn nhw, "Wel? Wnes i ddim dweud wrthoch chi am beidio mynd?"

ELISEUS

Diwrnod 180

Y jar olew diwaelod
(2 Brenhinoedd 4:1-7)

Dyma wraig un oedd yn aelod o'r urdd o broffwydi yn dod at Eliseus a pledio am ei help. "Roedd fy ngŵr i'n un o dy ddynion di," meddai, "ac fel ti'n gwybod, roedd e'n ddyn duwiol. Ond mae e wedi marw, a nawr mae rhywun roedd e mewn dyled iddo wedi dod i gasglu'r ddyled, ac mae am gymryd fy nau fab yn gaethweision."

Dyma Eliseus yn ateb, "Be alla i wneud? Dywed wrtho i, be sydd gen ti yn y tŷ?"

"Does gen i ddim byd ond jar bach o olew, syr," meddai.

Yna dyma Eliseus yn dweud wrthi, "Dos i fenthyg llestri gan dy gymdogion, cymaint ag y medri o lestri gweigion.

Yna dos i'r tŷ gyda dy feibion, a cau'r drws tu ôl i ti. Tywallt olew i bob un llestr a rhoi'r rhai llawn ar un ochr."

Felly dyma hi'n mynd i wneud hynny. Wrth i'w meibion ddod â mwy a mwy o lestri iddi, roedd hi'n eu llenwi gyda'r olew. Pan oedd hi wedi llenwi'r llestri i gyd, dyma hi'n dweud wrth ei mab, "Tyrd â potyn arall i mi."

Ond dyma fe'n ateb, "Does dim mwy ar ôl." A dyma'r olew yn darfod.

Pan aeth hi i ddweud wrth y proffwyd beth oedd wedi digwydd, dyma fe'n dweud wrthi, "Dos i werthu'r olew a talu dy ddyledion. Wedyn cei di a dy feibion fyw ar yr arian fydd dros ben."

Diwrnod 181

Jona yn dianc oddi wrth yr ARGLWYDD
(Jona 1:1-6)

Dyma'r ARGLWYDD yn dweud wrth Jona, "Dos i ddinas fawr Ninefe, ar unwaith! Dw i eisiau i ti gyhoeddi barn ar y bobl yno, achos dw i wedi gweld yr holl bethau drwg maen nhw'n wneud."

Ond dyma Jona'n ffoi i'r cyfeiriad arall. Aeth i lawr i borthladd Jopa, a dod o hyd i long oedd ar fin hwylio i Tarshish, yn Sbaen. Ar ôl talu am ei docyn aeth ar y cwch a hwylio i ffwrdd, er mwyn dianc oddi wrth yr ARGLWYDD.

Ond dyma'r ARGLWYDD yn gwneud i wynt cryf chwythu ar y môr. Roedd y storm mor wyllt nes bod y llong mewn perygl o gael ei dryllio. Roedd criw y llong wedi dychryn am eu bywydau. Dyma pob un yn gweiddi ar ei dduw am help. A dyma nhw'n dechrau taflu'r cargo i'r môr, er mwyn gwneud y llong yn ysgafnach.

Ond roedd Jona'n cysgu'n drwm drwy'r cwbl! Roedd e wedi mynd i lawr i'r howld i orwedd i lawr, ac wedi syrthio i gysgu. Dyma'r capten yn dod ar ei draws, a'i ddeffro. "Beth wyt ti'n meddwl wyt ti'n wneud yn cysgu yma!" meddai. "Côd, a galw ar dy dduw! Falle y bydd e'n ein helpu ni, a'n cadw ni rhag boddi."

Diwrnod 182

Jona yn cael ei daflu i'r môr
(Jona 1:7-15)

Dyma griw'r llong yn dod at ei gilydd, a dweud, "Gadewch i ni ofyn i'r duwiau ddangos i ni pwy sydd ar fai am y storm ofnadwy yma." A dyma nhw'n darganfod mai Jona oedd e.

Dyma nhw'n gofyn i Jona, "Dywed, pam mae'r drychineb yma wedi digwydd? O ble wyt ti'n dod? O ba wlad?"

A dyma Jona'n ateb, "Hebrëwr ydw i. Dw i'n addoli'r ARGLWYDD, Duw y nefoedd."

Roedd y storm yn mynd o ddrwg i waeth. A dyma'r morwyr yn gofyn i Jona, "Beth wnawn ni hefo ti? Oes rhywbeth allwn ni wneud i dawelu'r storm yma?"

Dyma fe'n ateb, "Taflwch fi i'r môr a bydd y storm yn tawelu. Arna i mae'r bai eich bod chi yn y storm ofnadwy yma."

Yn lle gwneud hynny dyma'r morwyr yn ceisio rhwyfo'n galed i gyrraedd y tir. Ond methu wnaethon nhw; roedd y storm yn dal i fynd o ddrwg i waeth. Dyma nhw'n gweddïo, "O, plîs ARGLWYDD, paid gadael i ni foddi o achos y dyn yma. Paid cosbi ni am wneud hyn iddo." Yna dyma nhw'n gafael yn Jona a'i daflu i'r môr, a dyma'r storm yn tawelu.

225

JONA

Diwrnod 183

Jona a'r pysgodyn mawr
(Jona 1:17-2:10)

Dyma'r ARGLWYDD yn anfon pysgodyn mawr i lyncu Jona. Roedd ym mol y pysgodyn am dri diwrnod a thair noson. Dyma fe'n gweddïo ar Dduw o fol y pysgodyn.

Rôn i mewn trafferthion, ARGLWYDD, a dyma fi'n gweiddi am dy help di, a dyma ti'n gwrando arna i!

Teflaist fi i'r dyfnder; i waelod y môr. Roedd y cerrynt o'm cwmpas, a'r tonnau mawr yn torri uwch fy mhen.

Rôn i'n meddwl fy mod i wedi cael fy ysgubo i ffwrdd gen ti am byth, ac y byddwn i byth yn cael gweld dy deml sanctaidd di eto!

Ron i bron boddi – roedd y môr dwfn o'm cwmpas, a gwymon wedi lapio am fy mhen. Rôn i wedi suddo at waelod isa'r mynyddoedd. Roedd giatiau'r ddaear ddofn wedi cloi tu ôl i mi am byth.

Ond dyma ti, ARGLWYDD Dduw, yn fy achub i o'r Pwll dwfn.

Pan oedd fy mywyd yn llithro i ffwrdd, dyma fi'n galw arnat ti, ARGLWYDD; a dyma ti'n gwrando ar fy ngweddi o dy deml sanctaidd.

Dw i'n mynd i offrymu aberth i ti, a chanu mawl i ti'n gyhoeddus.

Bydda i'n gwneud beth dw i wedi ei addo! Yr ARGLWYDD ydy'r un sy'n achub!

Yna dyma'r ARGLWYDD yn dweud wrth y pysgodyn am chwydu Jona ar dir sych.

227
JONA

Dyma'r ARGLWYDD yn dweud wrth Jona unwaith eto. "Dos i ddinas fawr Ninefe ar unwaith! Dw i eisiau i ti gyhoeddi'r neges dw i'n ei rhoi i ti."

Y tro yma dyma Jona'n gwneud hynny, fel roedd yr ARGLWYDD eisiau, a mynd yn syth i Ninefe. "Mewn pedwar deg diwrnod bydd dinas Ninefe yn cael ei dinistrio!"

Dyma bobl Ninefe yn credu neges Duw. Pan glywodd brenin Ninefe am y peth, dyma fe hyd yn oed yn codi o'i orsedd, tynnu ei wisg frenhinol i ffwrdd, rhoi sachliain amdano, ac eistedd mewn lludw. Wedyn dyma fe'n gwneud datganiad cyhoeddus: "Dyma mae'r brenin a'i swyddogion yn ei orchymyn:

Does neb o bobl Ninefe i fwyta nac yfed (na'r anifeiliaid chwaith – gwartheg na defaid.)

Rhaid i bawb wisgo sachliain. A dylid hyd yn oed rhoi sachliain ar yr anifeiliaid.

Mae pawb i weddïo'n daer ar Dduw, a stopio gwneud drwg a bod mor greulon.

Pwy a ŵyr? Falle y bydd Duw yn newid ei feddwl ac yn stopio bod mor ddig gyda ni, a fydd dim rhaid i ni farw."

Pan welodd Duw hyn, wnaeth e ddim eu cosbi nhw fel roedd e wedi bygwth gwneud.

Diwrnod 185

Jona'n gwylltio

(Jona 4:1-6)

Doedd Jona ddim yn hapus. Roedd e wedi gwylltio'n lân. Dyma fe'n gweddïo.

O ARGLWYDD, plîs na! Ro'n i'n gwybod mai dyma fyddai'n digwydd! Dyna feddyliais i pan wnes i geisio dianc i Tarshish!

Ti'n Dduw mor garedig a thrugarog, mor amyneddgar ac anhygoel o hael, a ddim yn hoffi cosbi!

Lladd fi! Mae'n well gen i farw na byw i weld hyn!

Dyma'r ARGLWYDD yn gofyn iddo, "Ydy'n iawn i ti wylltio fel yma?"

Dyma Jona'n mynd allan o'r ddinas i gyfeiriad y dwyrain. Gwnaeth loches iddo'i hun, a disgwyl i weld beth fyddai'n digwydd i Ninefe.

A dyma'r ARGLWYDD yn gwneud i blanhigyn bach dyfu uwch ben Jona. Roedd i gysgodi drosto, i'w gadw rhag bod yn rhy anghyfforddus.

Diwrnod 186

Gofal Duw

(Jona 4:7-11)

Ond yn gynnar iawn y bore wedyn anfonodd Duw bryfyn i ymosod ar y planhigyn, a dyma fe'n gwywo. Yna yn ystod y dydd dyma Duw yn anfon gwynt poeth o'r dwyrain. Roedd yr haul mor danbaid nes bod Jona bron llewygu. Roedd e eisiau marw.

Ond dyma'r ARGLWYDD yn gofyn iddo, "Ydy'n iawn i ti fod wedi gwylltio fel yma o achos planhigyn bach?" Ac meddai Jona, "Ydy, mae yn iawn. Dw i yn wyllt!"

A dyma'r ARGLWYDD yn dweud wrtho: "Ti wedi cynhyrfu am blanhigyn bach wnest ti ddim gofalu amdano na gwneud iddo dyfu. Ydy hi ddim yn iawn i mi fod â chonsýrn am ddinas Ninefe? Mae yna dros gant dau ddeg o filoedd o bobl yn byw ynddi – a lot fawr o anifeiliaid hefyd!"

229

230
DANIEL

Diwrnod 187

Dinistrio Jerwsalem
(2 Cronicl 36:11-21)

Roedd Sedeceia yn ddau ddeg un oed pan gafodd ei benodi'n frenin. Bu'n teyrnasu yn Jerwsalem am un deg un mlynedd. Gwnaeth bethau drwg iawn a gwrthododd wrando ar y proffwyd Jeremeia oedd yn rhoi neges Duw iddo.

Dyma fe'n gwrthryfela yn erbyn y Brenin Nebwchadnesar, er fod hwnnw wedi gwneud iddo addo o flaen Duw y byddai'n deyrngar iddo. Trodd yn ystyfnig a penstiff a gwrthod troi yn ôl at yr ARGLWYDD. Roedd y bobl hefyd yn anffyddlon, ac yn gwneud yr un math o bethau ffiaidd a'r gwledydd paganaidd. Anfonodd yr ARGLWYDD broffwydi i'w rhybuddio nhw dro ar ôl tro. Ond roedden nhw'n gwneud hwyl ar ben negeswyr Duw, yn cymryd eu geiriau'n ysgafn a dirmygu ei broffwydi. Yn y diwedd roedd yr ARGLWYDD mor ddig gyda nhw doedd dim byd allai neb ei wneud i atal y farn.

Anfonodd Duw frenin Babilon yn eu herbyn. Dyma'r fyddin yn llosgi teml Dduw a bwrw waliau Jerwsalem i lawr. A dyma fe'n mynd â phawb oedd heb gael eu lladd yn gaethion i Babilon. Felly daeth beth ddwedodd yr ARGLWYDD drwy Jeremeia yn wir. Cafodd y tir ei Sabothau, arhosodd heb ei drin am saith deg mlynedd.

Diwrnod 188

Daniel a'i ffrindiau
(Daniel 1:3-7)

Dyma'r brenin Nebwchadnesar yn gorchymyn i brif swyddog ei balas chwilio am Israeliaid ifanc oedd yn perthyn i'r teulu brenhinol a theuluoedd bonedd eraill – dynion ifanc cryfion, iach a golygus. Rhai galluog, wedi cael addysg dda, ac yn fechgyn doeth, cymwys i weithio yn y palas. Roedden nhw i ddysgu iaith Babilon, a hefyd dysgu am lenyddiaeth y wlad. A dyma'r brenin yn gorchymyn eu bod i gael bwyta'r bwyd a'r gwin gorau, wedi ei baratoi yn y gegin frenhinol. Ac roedd rhaid iddyn nhw gael eu hyfforddi am dair blynedd cyn dechrau gweithio i'r brenin.

Roedd pedwar o'r rhai gafodd eu dewis yn dod o Jwda – Daniel, Hananeia, Mishael, ac Asareia. Ond dyma'r prif swyddog yn rhoi enwau newydd iddyn nhw. Galwodd Daniel yn Belteshasar, Hananeia yn Shadrach, Mishael yn Meshach, ac Asareia yn Abednego.

Diwrnod 189

Bwyd y brenin
(Daniel 1:8-14)

Dyma Daniel yn penderfynu nad oedd e am wneud ei hun yn aflan drwy fwyta'r bwyd a'r gwin oedd y brenin am ei roi iddo. Gofynnodd i'r prif swyddog am ganiatâd i beidio bwyta'r bwyd brenhinol.

Roedd Duw wedi gwneud i'r swyddog hoffi Daniel a bod yn garedig ato, ond meddai wrtho, "Mae fy meistr y brenin wedi dweud beth ydych chi i'w fwyta a'i yfed. Mae arna i ofn beth fyddai'n wneud petaech chi'n edrych yn fwy gwelw a gwan na'r bechgyn eraill yr un oed â chi. Byddech chi'n rhoi fy mywyd i ar y lein!"

Ond wedyn dyma Daniel yn siarad â'r swyddog oedd wedi cael ei benodi i ofalu amdano fe a'i ffrindiau. "Pam wnei di ddim profi ni am ddeg diwrnod? Gad i ni fwyta dim ond llysiau a dŵr, ac wedyn cei weld sut fyddwn ni'n cymharu gyda'r bechgyn eraill sy'n bwyta'r bwyd brenhinol. Cei benderfynu gwneud beth bynnag wyt ti eisiau wedyn."

Felly dyma'r gwas yn cytuno, ac yn eu profi nhw am ddeg diwrnod.

DANIEL

Diwrnod 190

Profi ffydd
(Daniel 1:15-20)

Ar ddiwedd y deg diwrnod roedd Daniel a'i ffrindiau yn edrych yn well ac yn iachach na'r bechgyn eraill i gyd, er bod y rheiny wedi bod yn bwyta'r bwydydd gorau o gegin y palas. Felly dyma'r gwas oedd yn gofalu amdanyn nhw yn dal ati i roi llysiau iddyn nhw yn lle'r bwydydd cyfoethog a'r gwin roedden nhw i fod i'w gael.

Rhoddodd Duw allu anarferol i'r pedwar ohonyn nhw i ddysgu am lenyddiaeth a phopeth arall. Roedd gan Daniel y ddawn i ddehongli gweledigaethau a breuddwydion.

Ar ddiwedd y cyfnod o hyfforddiant dyma'r pedwar ohonyn nhw'n cael eu penodi i weithio i'r brenin. Beth bynnag oedd y brenin yn eu holi nhw amdano, roedd eu gwybodaeth a'u cyngor doeth ddeg gwaith gwell nag unrhyw ddewin neu swynwr doeth drwy'r Ymerodraeth gyfan.

Diwrnod 191

Breuddwyd Nebwchadnesar
(Daniel 2:1-13)

Yn ystod yr ail flwyddyn pan oedd Nebwchadnesar yn frenin cafodd freuddwyd oedd yn ei boeni gymaint roedd yn colli cwsg am y peth. Dyma fe'n galw'r swynwyr, y dewiniaid, y consurwyr a'r dynion doeth at ei gilydd a dweud, "Dw i wedi cael breuddwyd, a dw i eisiau gwybod beth ydy'r ystyr."

A dyma'r dynion doeth yn ateb, "O frenin! Boed i chi fyw am byth! Dwedwch beth oedd y freuddwyd, a gwnawn ni ddweud beth mae'n ei olygu."

"Na," meddai'r brenin, "dim o gwbl. Dw i wedi penderfynu fod rhaid i chi ddweud beth oedd y freuddwyd a beth mae'n ei olygu. Os na wnewch chi bydd eich cyrff chi'n cael eu rhwygo'n ddarnau, a'ch cartrefi'n cael eu troi'n domen sbwriel!"

Ond dyma nhw'n dweud eto, "Os bydd y brenin mor garedig â dweud wrthon ni beth oedd y freuddwyd, gwnawn ni ddweud wrtho beth mae'n ei olygu."

"Dw i'n deall eich gêm chi," meddai'r brenin. "Dych chi'n chwarae am amser. Dwedwch wrtho i beth oedd y freuddwyd. Bydd hi'n amlwg i mi wedyn eich bod chi yn gallu esbonio'r ystyr."

"Does neb ar wyneb daear allai wneud beth mae'r brenin yn ei ofyn," medden nhw. "Mae'n amhosib! Dim ond y duwiau sy'n gwybod yr ateb – a dŷn nhw ddim yma gyda ni!"

Pan glywodd hynny, dyma'r brenin yn gwylltio'n lân, a gorchymyn fod dynion doeth Babilon i gyd i gael eu lladd. Roedd Daniel a'i ffrindiau'n mynd i gael eu dienyddio hefyd.

234

DANIEL

Diwrnod 192

Duw yn dangos ystyr y freuddwyd i Daniel

(Daniel 2:19-48)

Y noson honno cafodd Daniel yr ateb i'r dirgelwch. A dyma fe'n mynd at Arioch, a dweud wrtho, "Paid lladd dynion doeth Babilon. Dos â fi i weld y brenin. Gwna i ddweud wrtho beth ydy ystyr y freuddwyd."

Dyma'r brenin yn gofyn i Daniel, "Ydy e'n wir? Wyt ti'n gallu dweud beth oedd y freuddwyd, a dweud wrtho i beth mae'n ei olygu?" Dyma Daniel yn ateb y brenin, "Mae yna Dduw yn y nefoedd sy'n gallu dangos ystyr pob dirgelwch. Mae'r Duw yma wedi dangos beth sy'n mynd i ddigwydd yn y dyfodol. Eich mawrhydi, beth welsoch chi oedd cerflun anferth. Roedd pen y cerflun wedi ei wneud o aur, ei frest a'i freichiau yn arian, ei fol a'i gluniau yn bres, ei goesau yn haearn, a'i draed yn gymysgedd o haearn a chrochenwaith. Tra roeddech chi'n edrych arno dyma garreg yn cael ei thorri o ochr mynydd gan law anweledig. Dyma'r garreg yn taro traed y cerflun, ac yn eu malu nhw'n ddarnau.

A dyma'r cerflun anferth yn syrthio'n ddarnau mân. Cafodd y cwbl ei chwythu i ffwrdd gan y gwynt. Doedd dim sôn amdano. Ond dyma'r garreg yn troi yn fynydd enfawr oedd i'w weld drwy'r byd i gyd.

"A nawr, fe esbonia i beth ydy ystyr y cwbl: Chi ydy'r pen o aur. Ond bydd teyrnas arall yn dod ar eich ôl chi; fydd hi ddim mor fawr â'ch ymerodraeth chi. Ar ôl hynny bydd trydedd teyrnas yn codi i reoli'r byd – dyma'r un o bres. Wedyn bydd y bedwaredd deyrnas yn gryf fel haearn. Ac wedyn y traed a'r bodiau (oedd yn gymysgedd o haearn a chrochenwaith) – bydd hon yn deyrnas ranedig.

"Yn amser y brenhinoedd yna bydd Duw yn sefydlu teyrnas fydd byth yn cael ei dinistrio. Dyna ystyr y garreg gafodd ei thorri o ochr mynydd gan law anweledig."

Dyma'r brenin yn dweud wrth Daniel, "Does dim amheuaeth fod dy Dduw di yn Dduw ar y duwiau i gyd!" A gwnaeth Daniel yn Llywodraethwr talaith Babilon gyfan, ac yn bennaeth dynion doeth Babilon i gyd.

DANIEL

Diwrnod 193

Tri dyn dewr

(Daniel 3:1-18)

Dyma'r brenin Nebwchadnesar yn gwneud delw aur anferth, a'i osod ar wastadedd Dwra yn nhalaith Babilon. Yna anfonodd orchymyn allan yn galw pawb yno, i sefyll o flaen y ddelw.

Wedyn dyma swyddog yn cyhoeddi'n uchel, "Pan fydd y gerddoriaeth yn dechrau, mae pawb i addoli'r ddelw aur mae'r brenin wedi ei chodi. Bydd pwy bynnag sy'n gwrthod yn cael eu taflu i ffwrnais o dân."

Dyma rai o'r dynion doeth yn mynd at y brenin, a dechrau lladd ar yr Iddewon. "O frenin! Mae yna Iddewon yma – Shadrach, Meshach ac Abednego – sy'n gwrthod addoli y ddelw aur dych chi wedi ei chodi."

Dyma Nebwchadnesar yn gwylltio'n lân, ac yn gorchymyn dod â'r tri o'i flaen. Ond dyma Shadrach, Meshach ac Abednego yn dweud wrtho, "Os ydy'r Duw dŷn ni'n ei addoli yn bodoli, bydd e'n gallu'n hachub ni o'r ffwrnais dân, o frenin. Ond hyd yn oed os ydy e ddim yn gwneud hynny, sdim gwahaniaeth. Does gynnon ni ddim bwriad addoli eich duwiau chi, na'r ddelw aur dych chi wedi ei chodi."

236

DANIEL

Diwrnod 194

Y ffwrnais dân
(Daniel 3:19-29)

Roedd Nebwchadnesar yn lloerig. Roedd ei wyneb yn dweud y cwbl! Rhoddodd orchymyn fod y ffwrnais i gael ei thanio saith gwaith poethach nag arfer. Yna gorchmynnodd i ddynion cryfion o'r fyddin rwymo Shadrach, Meshach ac Abednego a'u taflu nhw i mewn i'r ffwrnais. Dyma'r fflamau yn llamu allan o'r ffwrnais a lladd y milwyr wrth iddyn nhw daflu'r tri i'r tân.

Ond yna'n sydyn dyma'r brenin Nebwchadnesar yn neidio ar ei draed mewn braw. "Onid tri dyn wnaethon ni eu rhwymo a'i taflu i'r tân?" meddai wrth ei gynghorwyr.

"Ie, yn sicr," medden nhw.

"Ond edrychwch!" gwaeddodd y brenin. "Dw i'n gweld pedwar o bobl yn cerdded yn rhydd yng nghanol y tân. A dŷn nhw ddim wedi cael unrhyw niwed! Ac mae'r pedwerydd yn edrych fel petai'n fod dwyfol."

Dyma Nebwchadnesar yn mynd mor agos ac y gallai at ddrws y ffwrnais, a gweiddi: "Weision y Duw Goruchaf. Dowch allan! Dowch yma!"

A dyma'r tri yn cerdded allan o'r tân. Doedd y tân ddim wedi eu llosgi nhw o gwbl, dim un blewyn. Doedd dim niwed i'w dillad. Doedd dim hyd yn oed arogl llosgi arnyn nhw!

Ac meddai Nebwchadnesar, "Moliant i Dduw! Anfonodd angel i achub ei weision. Roedden nhw'n fodlon marw cyn addoli unrhyw dduw ond eu Duw eu hunain. Felly dw i am ei wneud yn ddeddf fod neb i ddweud unrhyw beth yn erbyn eu Duw nhw. Achos does yr un Duw arall yn gallu achub fel yma."

237

DANIEL

Diwrnod 195

Gwledd Belshasar
(Daniel 5:1-6)

Roedd y brenin Belshasar wedi trefnu gwledd i fil o'i uchel-swyddogion. A dyna ble roedd e'n yfed gwin o'i blaen nhw i gyd. Pan oedd y gwin wedi mynd i'w ben dyma Belshasar yn gorchymyn dod â'r llestri aur ac arian oedd ei ragflaenydd, Nebwchadnesar, wedi eu cymryd o'r deml yn Jerwsalem. Roedd am yfed ohonyn nhw.

Felly dyma nhw'n dod â'r llestri aur ac arian oedd wedi eu cymryd o deml Duw yn Jerwsalem. A dyma'r brenin a'i uchel-swyddogion, ei wragedd a'i gariadon yn yfed ohonyn nhw. Wrth yfed y gwin roedden nhw'n canmol eu duwiau – eilun-dduwiau wedi eu gwneud o aur, arian, pres, haearn, pren a charreg.

Yna'n sydyn roedd bysedd llaw ddynol i'w gweld yng ngolau'r lamp, yn ysgrifennu rhywbeth ar wal blastr yr ystafell. Roedd y brenin yn gallu gweld y llaw yn ysgrifennu. Aeth yn welw gan ddychryn. Roedd ei goesau'n wan a'i liniau'n crynu.

Diwrnod 196

Y brenin Belshasar yn anfon am Daniel
(Daniel 5:7-12)

Gwaeddodd yn uchel a galw am ei ddewiniaid, y dynion doeth a'r swynwyr. Dwedodd wrthyn nhw "Bydd pwy bynnag sy'n darllen yr ysgrifen a dweud beth mae'n ei olygu 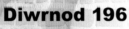 yn cael ei wisgo mewn porffor, yn cael cadwyn aur am ei wddf, ac yn cael y drydedd swydd uchaf yn y deyrnas."

Felly dyma'r dynion doeth i gyd yn dod i mewn, ond allai run ohonyn nhw ddarllen yr ysgrifen na dweud beth oedd ei ystyr. Erbyn hyn roedd y brenin Belshasar wedi dychryn am ei fywyd. Roedd yn wyn fel y galchen.

Pan glywodd y fam frenhines yr holl sŵn, aeth i mewn i'r neuadd fwyta. "O frenin! Boed i ti fyw am byth!" meddai. "Paid dychryn. Paid eistedd yna'n welw. Mae yna ddyn yn dy deyrnas sydd ag ysbryd y duwiau sanctaidd ynddo. Mae'n gallu esbonio ystyr breuddwydion, egluro posau, a datrys problemau cymhleth. Galw am Daniel, a bydd e'n dweud wrthot ti beth mae'r ysgrifen yn ei olygu."

Diwrnod 197

Dod â Daniel i mewn
(Daniel 5:13-24)

Dyma nhw'n dod â Daniel at y brenin. A dyma'r brenin yn gofyn iddo, "Ai ti ydy Daniel? Os gelli di ddweud wrtho i beth mae'r ysgrifen yn ei olygu, byddi'n cael y drydedd swydd uchaf yn y deyrnas."

Ond dyma Daniel yn ateb y brenin, "Cadwch eich rhoddion, ond gwna i ddweud wrth y brenin beth ydy ystyr yr ysgrifen. Eich mawrhydi, roedd y Duw Goruchaf wedi rhoi awdurdod ac ysblander mawr i Nebwchadnesar eich rhagflaenydd chi. Ond trodd yn ddyn balch ac ystyfnig, a cymerodd Duw ei orsedd a'i anrhydedd oddi arno. Cafodd ei gymryd allan o gymdeithas. Roedd yn meddwl ei fod yn anifail.

DANIEL

"Er eich bod chi, Belsasar, yn gwybod hyn i gyd, dych chithau wedi bod yr un mor falch. Dych chi wedi herio Arglwydd y nefoedd, drwy gymryd llestri ei deml a'i defnyddio nhw i yfed gwin ohonyn nhw. Dych chi wedi canmol eich duwiau o aur, arian, pres, haearn, pren a charreg yn lle canmol y Duw sy'n rhoi anadl i chi fyw, ac sy'n dal eich bywyd a'ch tynged yn ei law! Dyna pam anfonodd e'r llaw i ysgrifennu'r neges yma.

Diwrnod 198

Daniel yn darllen yr ysgrifen
(Daniel 5:25-31)

"Dyma beth sydd wedi ei ysgrifennu: MENE, MENE, TECEL, a PHARSIN A dyma ystyr y geiriau: Ystyr MENE ydy 'cyfrif'. Mae dyddiau eich teyrnasiad wedi eu rhifo. Mae Duw'n dod â nhw i ben. Ystyr TECEL ydy 'pwyso'. Chi wedi'ch pwyso yn y glorian, a'ch cael yn brin. Ystyr PARSIN ydy 'rhannu'. Mae'ch teyrnas wedi ei rhannu'n ei hanner a'i rhoi i Media a Persia."

Dyma Belsasar yn gorchymyn fod Daniel i gael ei ddyrchafu i'r drydedd swydd uchaf yn y deyrnas. Ond ar y noson honno cafodd Belsasar, brenin Babilon, ei lofruddio.

Daeth Dareius y Mediad yn frenin ar y deyrnas.

Diwrnod 199

Cyfraith newydd y brenin Dareius
(Daniel 6:1-10)

Dyma Dareius yn penderfynu rhannu'r deyrnas gyfan yn gant dau ddeg o daleithiau, a penodi pennaeth ar bob un. Byddai penaethiaid y taleithiau yma yn atebol i dri comisiynydd, ac roedd Daniel yn un o'r rheiny. Yn fuan iawn daeth hi'n amlwg fod Daniel yn llawer mwy galluog na'r comisiynwyr eraill ac roedd y brenin yn bwriadu rhoi'r deyrnas i gyd dan ei ofal. Roedd y comisiynwyr eraill eisiau ffeindio bai ar Daniel, ond roedden nhw'n methu.

Dyma nhw'n mynd at y brenin a dweud wrtho, "Frenin Dareius, byddai'n syniad da i chi wneud cyfraith newydd yn gorchymyn fel hyn: 'Am dri deg diwrnod mae pawb i weddïo arnoch chi. Os ydy rhywun yn gweddïo ar unrhyw dduw neu ar unrhyw berson arall, bydd yn cael ei daflu i ffau'r llewod.' Felly dyma'r brenin yn arwyddo'r gwaharddiad.

Pan glywodd Daniel fod y gyfraith yma wedi ei harwyddo, aeth adre, a gweddïo fel roedd wedi gwneud bob amser. Roedd yn mynd dair gwaith bob dydd i weddïo ar Dduw a diolch iddo.

Diwrnod 200

Daniel yn ffau'r llewod
(Daniel 6:11-28)

Dyma'r dynion oedd wedi cynllwyn gyda'i gilydd yn mynd yn ôl at y brenin, a dweud wrtho, "Dydy'r dyn Daniel yna yn cymryd dim sylw o'ch gwaharddiad eich mawrhydi. Mae'n dal ati i weddïo ar ei Dduw dair gwaith bob dydd."

241

Felly dyma'r brenin yn gorchymyn fod Daniel i gael ei daflu i ffau'r llewod, a cafodd carreg fawr ei rhoi dros geg y ffau. Wnaeth y brenin fwyta dim byd y noson honno. Gwrthododd gael ei ddifyrru, ac roedd yn methu'n lân a cysgu drwy'r nos. Pan oedd hi'n dechrau gwawrio'r bore wedyn dyma'r fe'n brysio yn ôl at ffau'r llewod, a galw, "Daniel! Gwas y Duw byw. Ydy'r Duw wyt ti'n ei addoli mor ffyddlon wedi gallu dy achub di rhag y llewod?"

A dyma Daniel yn ateb, "Ydy, mae fy Nuw wedi anfon ei angel i gau cegau'r llewod, a dŷn nhw ddim wedi mrifo i o gwbl. Achos roeddwn i'n ddieuog yng ngolwg Duw – ac yn eich golwg chi hefyd, eich mawrhydi."

Roedd y brenin wrth ei fodd, a dyma fe'n gorchymyn codi Daniel allan o'r ffau. Doedd e ddim mymryn gwaeth, am ei fod wedi trystio'i Dduw. Wedyn dyma'r brenin yn gorchymyn fod y dynion oedd wedi ymosod mor giaidd ar Daniel yn cael eu taflu i ffau'r llewod. Cyn iddyn nhw gyrraedd gwaelod y ffau roedd y llewod arnyn nhw ac wedi eu rhwygo nhw'n ddarnau.

Diwrnod 201

Y brenin balch

(Esther 1:1-8)

Roedd hi'r cyfnod pan oedd Ahasferus yn frenin Persia (yr Ahasferus oedd yn teyrnasu ar gant dau ddeg saith o daleithiau o India i Affrica.) Roedd yn teyrnasu o'r gaer ddinesig yn Shwshan. Yn ystod ei drydedd flwyddyn fel brenin dyma fe'n cynnal gwledd fawr i'w swyddogion i gyd. Roedd penaethiaid byddin Persia a Media yno, a llywodraethwyr y taleithiau, a phawb arall o bwys. Roedd Ahasferus eisiau i bawb oedd yno wybod mor bwysig ac mor anhygoel gyfoethog oedd e.

Parodd y dathliadau am amser hir – chwe mis cyfan i fod yn fanwl gywir. Yna ar ddiwedd y chwe mis dyma fe'n cynnal gwledd oedd yn para am wythnos. Roedd pawb oedd yn Shwshan ar y pryd yn cael mynd, o'r bobl fawr i'r bobl fwya cyffredin. Roedd y wledd yn cael ei chynnal yn yr iard yng ngerddi'r palas brenhinol. Roedd pobman wedi ei addurno gyda llenni o liain main gwyn a phorffor. Roedd cylchoedd arian yn dal y llenni ar gordyn wedi ei wneud o liain main a gwlân porffor, ac roedden nhw'n hongian rhwng colofnau marmor. Ac roedd soffas o aur ac arian ar balmant hardd oedd â phatrymau trwyddo. Roedd pobl yn yfed diodydd o gwpanau aur, ac roedd digonedd o'r gwin brenhinol gorau i bawb, a'r brenin yn talu am y cwbl. Gallai pobl yfed faint fynnen nhw. Roedd y brenin wedi dweud wrth y wetars i gyd am roi i bawb faint bynnag oedden nhw eisiau.

243

ESTHER

Diwrnod 202

Y frenhines Fasti yn anufudd i'r brenin
(Esther 1:10-21)

Ar ddiwrnod ola'r wledd roedd y gwin wedi mynd i ben y brenin, a dyma fe'n gorchymyn i'w saith ystafellydd ddod â'r frenhines Fasti o'i flaen, yn gwisgo ei choron frenhinol. Roedd y brenin eisiau i'w westeion a'i swyddogion weld mor hardd oedd hi. Ond pan ddwedodd yr ystafellyddion wrthi beth oedd y brenin eisiau dyma'r frenhines yn gwrthod mynd.

Roedd y brenin wedi gwylltio'n lân! Dyma fe'n galw ei gynghorwyr ato a gofyn iddyn nhw beth ddylai e wneud.

Dyma un yn ymateb, "Nid dim ond y brenin sydd wedi ei sarhau gan y frenhines Fasti. Mae hi wedi pechu yn erbyn y swyddogion a'r bobl i gyd. Bydd gwragedd ym mhob man yn clywed am y peth a gwneud yr un fath, a dangos dim parch at eu gwŷr. Os ydy'r brenin yn cytuno, dylai anfon allan ddatganiad brenhinol am y peth. Ddylai Fasti ddim cael gweld y brenin Ahasferus byth eto, a dylai'r brenin roi ei theitl i un arall fyddai'n frenhines well na hi."

Roedd y brenin a'r swyddogion eraill yn hoffi'r awgrym, felly dyna wnaeth e.

244

ESTHER

Diwrnod 203

Coroni Esther yn frenhines
(Esther 2:1-17)

Beth amser wedyn pan oedd y Brenin Ahasferus wedi dod dros y cwbl, roedd yn meddwl am Fasti a beth wnaeth hi, ac am y gosb gafodd hi. A dyma swyddogion y brenin yn dweud, "Dylid chwilio am ferched ifanc hardd i'ch mawrhydi. Wedyn gall y brenin ddewis y ferch sy'n ei blesio fwya i fod yn frenhines yn lle Fasti."

Roedd y brenin yn hoffi'r syniad, felly dyna wnaeth e.

Roedd yna Iddew o'r enw Mordecai yn byw yn Shwshan. Roedd Mordecai wedi magu ei gyfnither, Esther. Pan roddodd y brenin Ahasferus y gorchymyn i edrych am ferched hardd iddo, cafodd llawer iawn o ferched ifanc eu cymryd i gaer Shwshan, ac roedd Esther yn un ohonyn nhw.

Aeth blwyddyn gyfan heibio pan oedd y merched yn cael eu paratoi, cyn i'w tro nhw ddod i fynd at y Brenin Ahasferus. Roedd pob un ohonyn nhw yn gorfod mynd trwy driniaethau harddwch gyntaf – chwe mis pan oedd eu croen yn cael ei drin gydag olew olewydd a myrr, a chwe mis pan oedden nhw'n cael persawrau a choluron. Dim ond wedyn y byddai merch yn barod i fynd at y brenin.

Pan ddaeth tro Esther i fynd at y brenin, roedd e'n ei hoffi hi fwy na'r merched eraill i gyd. Syrthiodd mewn cariad gyda hi, a'i choroni yn frenhines yn lle Fasti.

245

ESTHER

246

ESTHER

Diwrnod 204

Gorchymyn Haman
(Esther 2:19-3:15)

Roedd Mordecai, cefnder Esther, wedi ei benodi'n swyddog yn y llys brenhinol.

Rywbryd wedyn, dyma'r Brenin Ahasferus yn rhoi dyrchafiad i ddyn o'r enw Haman. Cafodd swydd uwch na'r swyddogion eraill i gyd. Roedd y brenin wedi gorchymyn fod swyddogion eraill y llys brenhinol i fod i ymgrymu i Haman a dangos parch ato. Ond doedd Mordecai ddim am wneud hynny.

Pan glywodd Haman fod Mordecai'n gwrthod ymgrymu iddo a dangos parch ato, aeth yn lloerig. Daeth i ddeall fod Mordecai yn Iddew, a dyma fe'n penderfynu lladd pob Iddew drwy deyrnas Ahasferus i gyd.

Ddyma fe'n mynd at y Brenin Ahasferus, a dweud wrtho, "Mae yna grŵp o bobl ar wasgar drwy dy deyrnas di, sy'n cadw ar wahân i bawb arall. Maen nhw'n cadw eu cyfreithiau eu hunain a ddim yn ufuddhau i gyfreithiau'r brenin. Os ydy'r brenin yn cytuno, dylid dyfarnu eu bod nhw i gyd i gael eu lladd."

A dyma'r brenin yn dweud wrtho, "Cei wneud beth bynnag rwyt ti eisiau gyda'r bobl yna rwyt ti'n sôn amdanyn nhw."

Cafodd popeth wnaeth Haman ei orchymyn ei ysgrifennu mewn llythyrau at swyddogion y taleithiau i gyd. Roedd llythyr pob talaith unigol yn cael ei ysgrifennu yn iaith y dalaith honno, ac yn gorchymyn dinistrio'r Iddewon yn llwyr, a'i lladd nhw i gyd – pobl ifanc a phobl mewn oed, gwragedd a phlant.

Diwrnod 205

Cynllun Esther
(Esther 4:1-5:9)

Pan glywodd Mordecai am y peth, dyma fe'n rhwygo ei ddillad, gwisgo sachliain a rhoi lludw ar ei ben. Yna dyma fe'n mynd drwy'r ddinas yn gweiddi'n uchel mewn llais chwerw.

Roedd Esther wedi ypsetio'n ofnadwy, a dyma hi'n anfon Hathach, un o ystafellyddion y brenin, i ddarganfod beth oedd yn bod ar Mordecai. Gofynnodd Mordecai i Hathach esbonio iddi beth oedd yn digwydd, a dweud wrthi fod rhaid iddi fynd at y brenin i bledio ac apelio arno i arbed ei phobl.

Dyma Esther yn dweud wrtho, "Mae unrhyw un sy'n mynd i weld y brenin heb gael gwahoddiad i fod i farw. Dw i ddim wedi cael gwahoddiad i fynd i weld y brenin ers mis cyfan!"

Yna dyma Mordecai yn anfon yr ateb yma yn ôl: "Paid meddwl am funud y byddi di'n osgoi cael dy ladd fel pob Iddew arall am dy fod ti'n byw yn y palas. Falle mai dyma'n union pam rwyt ti wedi dod yn rhan o'r teulu brenhinol ar yr adeg yma!"

Yna dyma Esther yn anfon ateb yn ôl at Mordecai: "Gwna i fynd i weld y brenin, er fod hynny'n golygu torri'r gyfraith. Dw i'n barod i farw os oes rhaid."

Dyma Esther yn gwisgo ei dillad brenhinol, a mynd i gyntedd mewnol y palas tu allan i neuadd y brenin. Roedd y brenin yno, yn eistedd ar ei orsedd gyferbyn â'r drws. Pan welodd fod y Frenhines Esther yn sefyll yn y cyntedd tu allan, roedd e wrth ei fodd.

A dyma fe'n gofyn iddi, "Esther, beth alla i wneud i ti i? Beth wyt ti eisiau? Dw i'n fodlon rhoi hyd at hanner y deyrnas i ti!"

Dyma Esther yn ateb, "Byddwn i'n hoffi i'r brenin a Haman ddod heddiw i wledd dw i wedi ei pharatoi."

A dyma'r brenin yn gorchymyn, "Ewch i nôl Haman ar unwaith, i ni wneud beth mae Esther yn ei ofyn."

Diwrnod 206

Esther yn achub ei phobl
(Esther 7:1-6)

Felly dyma'r brenin a Haman yn mynd i wledda gyda'r Frenhines Esther. Tra'n yfed gwin yn y wledd, dyma'r brenin yn gofyn i Esther, "Esther. Gofynna am beth bynnag wyt ti eisiau, ac fe'i cei. Beth fyddet ti'n hoffi i mi ei wneud i ti?"

A dyma Esther yn ateb, "Os ydw i wedi plesio'r brenin, arbed fy mywyd i a'm pobl. Dyna dw i eisiau. Dŷn ni i gael ein lladd a'n dinistrio'n llwyr! Petaen ni wedi cael ein gwerthu'n gaethweision fyddwn i wedi dweud dim."

"Pwy fyddai'n meiddio gwneud y fath beth?" meddai'r brenin.

A dyma Esther yn ateb, "Dyn drwg ydy e sy'n ein casáu ni! Dyma fe – Haman!"

Roedd Haman wedi dychryn am ei fywyd o flaen y brenin a'r frenhines.

ESTHER

250

Diwrnod 207

Cosbi Haman
(Esther 7:7-8:2)

Roedd y brenin wedi gwylltio'n lân, a dyma fe'n codi o'r bwrdd a mynd allan i ardd y palas. Yna dyma Haman yn dechrau pledio ar y Frenhines Esther i arbed ei fywyd. Roedd yn gweld fod y brenin yn mynd i drefnu i'w ladd yn y ffordd fwya creulon.

Pan ddaeth y brenin yn ôl i mewn o'r ardd, roedd Haman yn taflu ei hun ar y soffa roedd Esther yn gorwedd arni. A dyma'r brenin yn gweiddi, "Ydy e am dreisio'r frenhines hefyd, a minnau'n dal yn yr adeilad!"

Wrth i'r brenin ddweud hyn, dyma'i weision yn rhoi mwgwd dros ben Haman. A dyma un o'r gweision yn dweud, "Mae Haman wedi adeiladu crocbren i grogi Mordecai."

"Crogwch Haman arno!" meddai'r brenin. Felly cafodd Haman ei grogi ar y crocbren oedd wedi ei fwriadu i Mordecai.

Y diwrnod hwnnw, dyma'r Brenin yn rhoi ystad Haman i'r Frenhines Esther. Yna dyma Mordecai yn cael ei alw i sefyll o flaen y brenin. A dyma'r brenin yn cymryd ei sêl-fodrwy (sef yr un oedd Haman wedi bod yn ei gwisgo), a'i rhoi hi i Mordecai.

Wedyn dyma Esther yn penodi Mordecai i redeg ystad Haman.

Diwrnod 208

Amser i ddathlu

(Esther 8:3-17; 9:1-28)

Dyma'r Brenin Ahasferus yn dweud wrth y Frenhines Esther ac wrth Mordecai, "Dw i wedi rhoi ystad Haman i Esther, ac wedi crogi Haman am ei fod wedi bwriadu ymosod ar yr Iddewon. A nawr cewch chi ysgrifennu ar fy rhan beth bynnag dych chi'n deimlo sy'n iawn i'w wneud gyda'r Iddewon."

Felly dyma ysgrifenyddion y brenin yn cael eu galw. A dyma nhw'n ysgrifennu popeth roedd Mordecai yn ei orchymyn – at yr Iddewon, ac at raglawiaid, llywodraethwyr a swyddogion pob talaith o India i Affrica.

Yn y taleithiau a'r trefi i gyd lle roedd gorchymyn y brenin wedi ei gyhoeddi, roedd yr Iddewon wedi cymryd gwyliau i ddathlu a gwledda. Roedd swyddogion y taleithiau, y rhaglawiaid a'r llywodraethwyr a pawb oedd yn gwasanaethu'r brenin, yn helpu'r Iddewon am fod ganddyn nhw i gyd ofn Mordecai.

Ysgrifennodd Mordecai hanes popeth oedd wedi digwydd. Wedyn anfonodd lythyrau at yr Iddewon ym mhobman, yn cadarnhau eu bod nhw i gymryd gwyliau bob blwyddyn ar y pedwerydd ar ddeg a'r pymthegfed o fis Adar. Roedden nhw i fod yn ddyddiau o bartïo a chael hwyl, rhoi anrhegion o fwyd i'w gilydd, a rhannu gyda phobl dlawd oedd mewn angen.

Y Testament Newydd

Diwrnod 209

Angel yn ymweld â Sechareias
(Luc 1:5-25)

Pan oedd Herod yn frenin ar Jwdea, roedd dyn o'r enw Sachareias yn offeiriad. Roedd ei wraig Elisabeth hefyd yn un o ddisgynyddion Aaron, brawd Moses. Roedd y ddau ohonyn nhw yn bobl dda yng ngolwg Duw, ac yn gwneud yn union fel roedd e'n dweud. Ond doedd Elisabeth ddim yn gallu cael plant, ac roedd y ddau ohonyn nhw'n eithaf hen.

Un tro, roedd Sachareias wrthi'n llosgi'r arogldarth yn y deml, ac yn sydyn gwelodd un o angylion yr Arglwydd o'i flaen. Roedd Sachareias wedi dychryn am ei fywyd.

Ond dyma'r angel yn dweud wrtho: "Paid bod ofn, Sachareias. Mae Elisabeth dy wraig yn mynd i gael plentyn! Ioan ydy'r enw rwyt i'w roi iddo. Bydd e'n was pwysig iawn i'r Arglwydd Dduw. Bydd wedi cael ei lenwi â'r Ysbryd Glân hyd yn oed cyn iddo gael ei eni. Bydd yn troi llawer iawn o bobl Israel yn ôl at yr Arglwydd eu Duw. Bydd yn gwella perthynas rhieni â'u plant, ac yn peri i'r rhai sydd wedi bod yn anufudd weld mai byw yn iawn sy'n gwneud synnwyr."

"Sut alla i gredu'r fath beth?" meddai Sachareias, "Wedi'r cwbl, dw i'n hen ddyn ac mae ngwraig i mewn oed hefyd."

Dyma'r angel yn ateb, "Gabriel ydw i. Fi ydy'r angel sy'n sefyll o flaen Duw i'w wasanaethu. Gan dy fod ti wedi gwrthod credu beth dw i'n ei ddweud, byddi'n methu siarad nes bydd y plentyn wedi ei eni. Ond daw'r cwbl dw i'n ei ddweud yn wir yn amser Duw."

Ar ôl i'r cyfnod pan oedd Sachareias yn gwasanaethu yn y deml ddod i ben, aeth adre. Yn fuan wedyn dyma ei wraig Elisabeth yn darganfod ei bod hi'n disgwyl babi. "Yr Arglwydd Dduw sydd wedi gwneud hyn i mi!" meddai. "Mae wedi bod mor garedig, ac wedi symud y cywilydd roeddwn i'n ei deimlo am fod gen i ddim plant."

Diwrnod 210

Angel yn ymweld â Mair
(Luc 1:26-38)

Pan oedd Elisabeth chwe mis yn feichiog, anfonodd Duw yr angel Gabriel i Nasareth, un o drefi Galilea, at ferch ifanc o'r enw Mair. Roedd Mair yn wyryf ac wedi ei haddo'n wraig i ddyn o'r enw Joseff.

Dyma'r angel yn mynd ati a'i chyfarch, "Mair, mae Duw wedi dangos ffafr atat ti! Mae'r Arglwydd gyda thi!"

Ond gwnaeth yr angel i Mair deimlo'n ddryslyd iawn. Doedd hi ddim yn deall o gwbl beth roedd yn ei feddwl. Felly dyma'r angel yn dweud wrthi, "Paid bod ofn, Mair. Mae Duw wedi dewis dy fendithio di'n fawr. Rwyt ti'n mynd i fod yn feichiog, a byddi di'n cael mab. Iesu ydy'r enw rwyt i'w roi iddo. Bydd yn ddyn pwysig iawn, a bydd yn cael ei alw'n Fab y Duw Goruchaf. Bydd yr Arglwydd Dduw yn ei osod i eistedd ar orsedd y Brenin Dafydd, a bydd yn teyrnasu dros bobl Jacob am byth. Fydd ei deyrnasiad byth yn dod i ben!"

Ond meddai Mair, "Sut mae'r fath beth yn bosib? Dw i erioed wedi cael rhyw."

Dyma'r angel yn esbonio iddi, "Bydd yr Ysbryd Glân yn dod arnat ti, a nerth y Duw Goruchaf yn gofalu amdanat ti. Bydd y plentyn yn cael ei alw yn Fab Duw. Meddylia! Mae hyd yn oed Elisabeth, sy'n perthyn i ti, yn mynd i gael babi er ei bod hi mor hen. Roedd pawb yn gwybod ei bod hi'n methu cael plant, ond mae hi chwe mis yn feichiog! Does dim byd sy'n amhosib i Dduw ei wneud."

A dyma Mair yn dweud, "Dw i eisiau gwasanaethu'r Arglwydd Dduw. Felly gad i beth rwyt wedi ei ddweud ddod yn wir."

Wedyn dyma'r angel yn ei gadael hi.

255

GENI IESU

Diwrnod 211

Mair yn ymweld ag Elisabeth
(Luc 1:39-45)

Cyn gynted ag y gallai, dyma Mair yn mynd i'r dref yng nghanol bryniau Jwda lle roedd Sachareias ac Elisabeth yn byw. Pan gyrhaeddodd y tŷ dyma hi'n cyfarch Elisabeth, a dyma fabi Elisabeth yn neidio yn ei chroth hi. Cafodd Elisabeth ei hun ei llenwi â'r Ysbryd Glân pan glywodd lais Mair, a gwaeddodd yn uchel: "Mair, rwyt ti wedi dy fendithio fwy nag unrhyw wraig arall, a bydd y babi rwyt ti'n ei gario wedi ei fendithio hefyd! Pam mae Duw wedi rhoi'r fath fraint i mi? – cael mam fy Arglwydd yn dod i ngweld i! Wir i ti, wrth i ti nghyfarch i, dyma'r babi sydd yn fy nghroth i yn neidio o lawenydd pan glywais dy lais di. Rwyt ti wedi dy fendithio'n fawr, am dy fod wedi credu y bydd yr Arglwydd yn gwneud beth mae wedi ei ddweud wrthot ti."

Diwrnod 212

Breuddwyd Joseff
(Mathew 1:18-24)

Roedd Mair wedi cael ei haddo i fod yn wraig i Joseff. Ond cyn iddyn nhw briodi a chael rhyw, dyma nhw'n darganfod fod yr Ysbryd Glân wedi ei gwneud hi'n feichiog. Roedd Joseff yn ddyn da a charedig. Doedd e ddim eisiau gwneud esiampl ohoni a'i chyhuddo hi'n gyhoeddus, felly roedd yn ystyried yn dawel fach i ganslo'r briodas.

Roedd wedi bod yn meddwl am hyn pan gafodd freuddwyd: gwelodd angel Duw yn dod ato a dweud wrtho, "Joseff fab Dafydd, paid petruso mynd â Mair adre i fod yn wraig i ti, am mai'r Ysbryd Glân sydd wedi gwneud iddi feichiogi. Bachgen fydd hi'n ei gael. Rwyt i roi'r enw Iesu iddo, am mai fe fydd yn achub ei bobl o'u pechodau."

Digwyddodd hyn er mwyn i beth ddwedodd Duw drwy ei broffwyd ddod yn wir: "Edrychwch! Bydd merch ifanc sy'n wyryf yn feichiog ac yn cael mab. Bydd y plentyn yn cael ei alw yn Emaniwel" (Ystyr Emaniwel ydy "Mae Duw gyda ni.")

256

GENI IESU

257

GENI IESU

Diwrnod 213

Geni Iesu
(Luc 2:1-7)

Tua'r un adeg dyma Cesar Awgwstws yn gorchymyn cynnal cyfrifiad drwy'r Ymerodraeth Rufeinig i gyd. Roedd pawb yn mynd adre i'r trefi lle cawson nhw eu geni, i gofrestru ar gyfer y cyfrifiad.

Felly gan fod Joseff yn perthyn i deulu'r Brenin Dafydd, gadawodd Nasareth yn Galilea, a mynd i gofrestru yn Jwdea – yn Bethlehem, hynny ydy tref Dafydd. Aeth yno gyda Mair oedd yn mynd i fod yn wraig iddo, ac a oedd erbyn hynny'n disgwyl babi. Tra roedden nhw yno daeth yn amser i'r babi gael ei eni, a dyna lle cafodd ei phlentyn cyntaf ei eni – bachgen bach. Dyma hi'n lapio cadachau geni yn ofalus amdano, a'i osod i orwedd mewn cafn ar gyfer bwydo anifeiliaid. Doedd dim llety iddyn nhw aros ynddo.

Diwrnod 214

Y bugeiliaid
(Luc 2:8-20)

Yn ardal Bethlehem roedd bugeiliaid allan drwy'r nos yn yr awyr agored yn gofalu am eu defaid. Yn sydyn dyma nhw'n gweld un o angylion yr Arglwydd, ac roedd ysblander yr Arglwydd fel golau llachar o'u cwmpas nhw. Roedden nhw wedi dychryn am eu bywydau.

Ond dyma'r angel yn dweud wrthyn nhw, "Peidiwch bod ofn. Mae gen i newyddion da i chi! Newyddion fydd yn gwneud pobl ym mhobman yn llawen iawn. Mae eich Achubwr wedi cael ei eni heddiw, yn Bethlehem. Ie, y Meseia! Yr Arglwydd! Dyma sut byddwch chi'n ei nabod e: Dewch o hyd iddo yn fabi bach wedi ei lapio mewn cadachau ac yn gorwedd mewn cafn bwydo anifeiliaid."

Yn sydyn dyma filoedd o angylion eraill yn dod i'r golwg, roedd fel petai holl angylion y nefoedd yno yn addoli Duw! "Gogoniant i Dduw yn y nefoedd uchaf, heddwch ar y ddaear islaw, a bendith Duw ar bobl."

Pan aeth yr angylion i ffwrdd yn ôl i'r nefoedd, dyma'r bugeiliaid yn dweud wrth ei gilydd, "Dewch! Gadewch i ni fynd i Bethlehem, i weld beth mae'r Arglwydd wedi ei ddweud wrthon ni sydd wedi digwydd."

Felly i ffwrdd â nhw, a dyma nhw'n dod o hyd i Mair a Joseff a'r babi bach yn gorwedd mewn cafn bwydo anifeiliaid. Ar ôl ei weld, dyma'r bugeiliaid yn mynd ati i ddweud wrth bawb beth oedd wedi digwydd, a beth ddwedodd yr angel wrthyn nhw am y plentyn yma.

Diwrnod 215

Y brenin Herod yn clywed am Iesu
(Mathew 2:1-6)

Cafodd Iesu ei eni yn Bethlehem yn Jwdea, yn y cyfnod pan oedd Herod yn frenin.

Ar ôl hynny daeth gwŷr doeth o wledydd y dwyrain i Jerwsalem i ofyn, "Ble mae'r un sydd newydd gael ei eni yn frenin yr Iddewon? Gwelon ni ei seren yn codi yn y dwyrain, a dŷn ni yma i dalu teyrnged iddo."

Pan glywodd y Brenin Herod hyn roedd wedi cynhyrfu'n lân. Roedd cynnwrf yn Jerwsalem hefyd. Felly galwodd Herod y prif offeiriaid a'r arbenigwyr yn y Gyfraith Iddewig i'w gyfarfod. Gofynnodd iddyn nhw, "Ble mae'r Meseia i fod i gael ei eni?" "Yn Bethlehem Jwdea," medden nhw. "Dyna ysgrifennodd y proffwyd:

'Bethlehem, yn nhir Jwda –
Nid rhyw bentref dibwys yn Jwda wyt ti;
achos ohonot ti daw un i deyrnasu, un fydd yn fugail i arwain fy mhobl Israel.'"

Diwrnod 216

y gwŷr doeth
(Mathew 2:7-12)

Dyma Herod yn galw'r gwŷr doeth i gyfarfod preifat. Cafodd wybod ganddyn nhw pryd yn union oedd y seren wedi ymddangos. Yna dwedodd, "Ewch i Bethlehem i chwilio am y plentyn. Yna gadewch i mi wybod pan ddowch o hyd iddo, er mwyn i mi gael mynd i dalu teyrnged iddo hefyd."

Ar ôl gwrando beth oedd gan y brenin i'w ddweud, i ffwrdd â nhw. Dyma'r seren yn mynd o'u blaen, nes iddi aros uwchben yr union fan lle roedd y plentyn. Roedden nhw wrth eu bodd!

Pan aethon nhw i mewn i'r tŷ, dyna lle roedd y plentyn gyda'i fam, Mair, a dyma nhw'n disgyn ar eu gliniau o'i flaen a'i addoli. Yna dyma nhw'n agor eu paciau a rhoi anrhegion gwerthfawr iddo – aur a thus a myrr Rhybuddiodd Duw nhw mewn breuddwyd i beidio mynd yn ôl at Herod, felly dyma'r gwŷr doeth yn teithio yn ôl i'w gwlad eu hunain ar hyd ffordd wahanol.

261

GENI IESU

Diwrnod 217

Iesu o Nasareth
(Mathew 2:13-23; Luc 2:40)

Ar ôl i'r gwŷr doeth fynd, cafodd Joseff freuddwyd arall. Gwelodd angel Duw yn dweud wrtho, "Rhaid i chi ddianc ar unwaith! Dos â'r plentyn a'i fam i'r Aifft, ac aros yno nes i mi ddweud ei bod yn saff i chi ddod yn ôl. Mae Herod yn ceisio dod o hyd i'r plentyn er mwyn ei ladd."

Felly cododd Joseff ganol nos a gadael am yr Aifft gyda'r plentyn a'i fam. Buon nhw yn yr Aifft nes oedd Herod wedi marw. Felly daeth beth ddwedodd yr Arglwydd drwy'r proffwyd yn wir: "Gelwais fy mab allan o'r Aifft."

Aeth Herod yn wyllt gynddeiriog pan sylweddolodd fod y gwŷr doeth wedi ei dwyllo. Anfonodd filwyr i Bethlehem a'r cylch i ladd pob bachgen bach dan ddwyflwydd oed.

Pan fuodd Herod farw, cafodd Joseff freuddwyd arall yn yr Aifft. Gwelodd angel yr Arglwydd yn dweud wrtho, "Dos â'r plentyn a'i fam yn ôl i wlad Israel. Mae'r bobl oedd am ei ladd wedi marw."

Felly dyma nhw'n mynd yn ôl i wlad Israel. Ond cafodd ei rybuddio mewn breuddwyd eto, a throdd i gyfeiriad Galilea, a mynd i fyw i dref Nasareth. Felly daeth yr hyn ddwedodd y proffwydi am y Meseia yn wir unwaith eto: "Bydd yn cael ei alw yn Nasaread."

Tyfodd y plentyn yn fachgen cryf a doeth iawn, ac roedd hi'n amlwg bod ffafr Duw arno.

262

Diwrnod 218

Iesu yn y deml
(Luc 2:41-52)

Byddai rhieni Iesu yn arfer mynd i Jerwsalem i ddathlu Gŵyl y Pasg bob blwyddyn, a phan oedd Iesu yn ddeuddeg oed aethon nhw yno i'r Ŵyl fel arfer. Pan oedd yr Ŵyl drosodd dyma ei rieni yn troi am adre, heb sylweddoli fod Iesu wedi aros yn Jerwsalem. Dyma nhw'n mynd ati i edrych amdano ymhlith eu ffrindiau a'u perthnasau, ond methu dod o hyd iddo. Felly dyma nhw'n mynd yn ôl i Jerwsalem. Roedd hi'r trydydd diwrnod cyn iddyn nhw ddod o hyd iddo! Roedd wedi bod yn y deml, yn eistedd gyda'r athrawon ac yn gwrando arnyn nhw ac yn gofyn cwestiynau.

Roedd pawb welodd e yn rhyfeddu gymaint roedd yn ei ddeall.

Dyma'i fam yn gofyn iddo, "Machgen i, pam rwyt ti wedi gwneud hyn i ni? Mae dy dad a fi wedi bod yn poeni'n ofnadwy ac yn chwilio ym mhobman amdanat ti."

Gofynnodd Iesu iddyn nhw, "Pam roedd rhaid i chi chwilio? Wnaethoch chi ddim meddwl y byddwn i'n siŵr o fod yn nhŷ fy Nhad?" Ond doedd ei rieni ddim wir yn deall beth roedd yn ei olygu.

Felly aeth Iesu yn ôl i Nasareth gyda nhw a bu'n ufudd iddyn nhw. Roedd Mair yn cofio pob manylyn o beth ddigwyddodd, a beth gafodd ei ddweud. Tyfodd Iesu'n fachgen doeth a chryf. Roedd ffafr Duw arno.

IESU YN BLENTYN

Diwrnod 219

Ioan Fedyddiwr
(Ioan 1:19-28)

Dyma'r arweinwyr Iddewig yn Jerwsalem yn anfon offeiriaid a Lefiaid at Ioan Fedyddiwr i ofyn iddo pwy oedd. Dwedodd Ioan yn blaen wrthyn nhw, "Dim fi ydy'r Meseia."

"Felly pwy wyt ti?" medden nhw. "Ai Elias y proffwyd wyt ti?"

"Nage" meddai Ioan.

"Ai y Proffwyd soniodd Moses amdano wyt ti?"

Atebodd eto, "Na."

"Felly, pwy ti'n ddweud wyt ti?" medden nhw yn y diwedd, "i ni gael rhoi rhyw ateb i'r rhai sydd wedi'n hanfon ni. Beth fyddet ti'n ei ddweud amdanat ti dy hun?"

Atebodd Ioan drwy ddyfynnu geiriau'r proffwyd Eseia: "Llais yn gweiddi'n uchel yn yr anialwch, 'Cliriwch y ffordd i'r Arglwydd!' Dyna ydw i."

Yna dyma'r rhai ohonyn nhw oedd yn Phariseaid yn gofyn iddo, "Ond pa hawl sydd gen ti i fedyddio os mai dim ti ydy'r Meseia, nac Elias, na'r Proffwyd?"

Atebodd Ioan nhw, "Dŵr dw i'n ei ddefnyddio i fedyddio pobl. Ond mae rhywun dych chi ddim yn ei nabod yn sefyll yn eich plith chi – sef yr un sy'n dod ar fy ôl i. Fyddwn i ddim digon da i fod yn gaethwas i ddatod carrai ei sandalau hyd yn oed!"

Digwyddodd hyn i gyd yn Bethania yr ochr draw i Afon Iorddonen, lle roedd Ioan yn bedyddio.

IOAN FEDYDDIWR

Diwrnod 220

Ioan yn siarad am Iesu
(Ioan 1:29-34)

Y diwrnod wedyn gwelodd Ioan Iesu yn dod i'w gyfeiriad. "Edrychwch!" meddai, "Dacw Oen Duw, yr un sy'n cymryd pechod y byd i ffwrdd. Dyma'r dyn ddwedais i amdano, 'Mae un sy'n dod ar fy ôl i yn bwysicach na fi. Roedd e'n bodoli o'm blaen i.' Doeddwn i ddim yn gwybod mai fe oedd yr un. Ond dw i wedi bod yn bedyddio â dŵr er mwyn i Israel ei weld e."

Yna dyma Ioan yn dweud hyn: "Gwelais yr Ysbryd Glân yn disgyn o'r nefocdd fel colomen ac yn aros arno. Cyn hynny doeddwn i ddim yn gwybod mai fe oedd yr un, ond roedd yr un anfonodd fi i fedyddio â dŵr wedi dweud wrtho i, 'Os gweli di'r Ysbryd yn dod i lawr ac yn aros ar rywun, dyna'r un fydd yn bedyddio â'r Ysbryd Glân.' A dyna welais i'n digwydd! Dw i'n dweud wrthoch chi mai Iesu ydy Mab Duw."

IOAN FEDYDDIWR

Diwrnod 221

Bedyddio Iesu

(Mathew 3:1-17)

Bryd hynny daeth Iesu o Galilea at Afon Iorddonen i gael ei fedyddio gan Ioan. Ond ceisiodd Ioan ei rwystro. Meddai wrtho, "Fi ddylai gael fy medyddio gen ti! Pam wyt ti'n dod ata i?"

Atebodd Iesu, "Gwna beth dw i'n ei ofyn; dyma sy'n iawn i'w wneud." Felly cytunodd Ioan i'w fedyddio.

Ar ôl cael ei fedyddio, yr eiliad y daeth allan o'r dŵr, dyma'r awyr yn rhwygo'n agored, a gwelodd Ysbryd Duw yn dod i lawr fel colomen ac yn glanio arno.

A dyma lais o'r nefoedd yn dweud: "Hwn ydy fy Mab annwyl i; mae wedi fy mhlesio i'n llwyr."

266

GWEINIDOGAETH GYNNAR IESU

Diwrnod 222

Y diafol yn temtio Iesu
(Luc 4:1-15)

Roedd Iesu'n llawn o'r Ysbryd Glân pan aeth yn ôl o ardal yr Iorddonen. Gadawodd i'r Ysbryd ei arwain i'r anialwch, lle cafodd ei demtio gan y diafol am bedwar deg diwrnod. Wnaeth Iesu ddim bwyta o gwbl yn ystod y dyddiau yna, ac erbyn y diwedd roedd yn llwgu.

Dyma'r diafol yn dweud wrtho, "Os mai Mab Duw wyt ti, gwna i'r garreg yma droi'n dorth o fara."

Atebodd Iesu, "Na! Mae'r ysgrifau sanctaidd yn dweud: 'Dim bwyd ydy'r unig beth mae pobl ei angen i fyw.'"

Dyma'r diafol yn ei arwain i le uchel ac yn dangos holl wledydd y byd iddo mewn eiliad. Ac meddai'r diafol wrtho, "Gwna i adael i ti reoli'r rhain i gyd, a chael eu cyfoeth nhw hefyd. Mae'r cwbl wedi eu rhoi i mi, ac mae gen i hawl i'w rhoi nhw i bwy bynnag dw i'n ei ddewis. Felly, os gwnei di fy addoli i, cei di'r cwbl."

Atebodd Iesu, "Mae'r ysgrifau sanctaidd yn dweud: 'Addola'r Arglwydd dy Dduw, a'i wasanaethu e yn unig.'"

Dyma'r diafol yn mynd â Iesu i Jerwsalem a gwneud iddo sefyll ar y tŵr uchaf un yn y deml. "Os mai Mab Duw wyt ti," meddai, "neidia i lawr o'r fan yma. Mae'r ysgrifau sanctaidd yn dweud:

'Bydd Duw yn gorchymyn i'w angylion
 dy gadw'n saff;
 byddan nhw'n dy ddal yn eu breichiau,
 fel na fyddi'n taro dy droed ar garreg.'"

Atebodd Iesu, "Mae'r ysgrifau sanctaidd yn dweud hefyd: 'Paid rhoi'r Arglwydd dy Dduw ar brawf.'"

Pan oedd y diafol wedi ceisio temtio Iesu bob ffordd bosib, gadawodd iddo nes i gyfle arall godi.

Aeth Iesu yn ôl i Galilea yn llawn o nerth yr Ysbryd, ac aeth y sôn amdano ar led drwy'r ardal gyfan. Roedd yn dysgu yn y synagogau, ac yn cael ei ganmol gan bawb.

267

Disgyblion cyntaf Iesu

(Ioan 1:35-45)

Roedd Ioan yno eto'r diwrnod wedyn gyda dau o'i
ddisgyblion. Wrth i Iesu fynd heibio, roedd Ioan yn syllu
arno, ac meddai "Edrychwch! Oen Duw!"

Dyma'r ddau ddisgybl glywodd beth ddwedodd Ioan yn
mynd i ddilyn Iesu. Trodd Iesu a'u gweld nhw'n ei ddilyn,
a gofynnodd iddyn nhw, "Beth dych chi eisiau?"

"Rabbi" medden nhw "ble rwyt ti'n aros?"
(Ystyr y gair Hebraeg 'Rabbi' ydy 'Athro')

Atebodd Iesu nhw, "Dewch i weld."

Felly dyma nhw'n mynd i weld lle roedd yn
aros, a threulio gweddill y diwrnod gydag e.
Roedd hi tua pedwar o'r gloch y p'nawn erbyn hynny.

Andreas (brawd Simon Pedr) oedd un o'r ddau, a'r
peth cyntaf wnaeth wedyn oedd mynd i chwilio am ei
frawd Simon, a dweud wrtho, "Dŷn ni wedi dod o hyd
i'r Meseia" (gair Hebraeg sy'n golygu 'Yr un wedi ei
eneinio'n frenin').

Aeth Andreas ag e i gyfarfod Iesu. Edrychodd Iesu arno,
ac yna dweud, "Simon fab Ioan wyt ti. Ond Ceffas fyddi
di'n cael dy alw," (enw sy'n golygu'r un peth â Pedr,
sef 'craig').

Y diwrnod wedyn penderfynodd Iesu fynd i
Galilea. Daeth o hyd i Philip, a dweud wrtho,
"Tyrd, dilyn fi." Roedd Philip hefyd (fel
Andreas a Pedr), yn dod o dref Bethsaida.

Yna aeth Philip i edrych am Nathanael a
dweud wrtho, "Dŷn ni wedi dod o hyd i'r
dyn yr ysgrifennodd Moses amdano yn
y Gyfraith, a'r un soniodd y proffwydi
amdano hefyd – Iesu, mab Joseff o
Nasareth."

GWEINIDOGAETH GYNNAR IESU

269

GWEINIDOGAETH GYNNAR IESU

Diwrnod 224

Pysgotwyr pobl
(Luc 5:1-11)

Un diwrnod roedd Iesu'n sefyll ar lan Llyn Galilea, ac roedd tyrfa o bobl o'i gwmpas yn gwthio ymlaen i wrando ar neges Duw. Gwelodd fod dau gwch wedi eu gadael ar y lan tra roedd y pysgotwyr wrthi'n golchi eu rhwydi. Aeth i mewn i un o'r cychod, a gofyn i Simon, y perchennog, ei wthio allan ychydig oddi wrth y lan. Yna eisteddodd a dechrau dysgu'r bobl o'r cwch.

Pan oedd wedi gorffen siarad dwedodd wrth Simon, "Dos â'r cwch allan lle mae'r dŵr yn ddwfn, a gollwng y rhwydi i ti gael dalfa o bysgod."

"Meistr," meddai Simon wrtho, "buon ni'n gweithio'n galed drwy'r nos neithiwr heb ddal dim byd! Ond am mai ti sy'n gofyn, gollynga i y rhwydi."

Dyna wnaethon nhw a dyma nhw'n dal cymaint o bysgod nes i'r rhwydi ddechrau rhwygo. Dyma nhw'n galw ar eu partneriaid yn y cwch arall i ddod i'w helpu. Pan ddaeth y rheiny, cafodd y ddau gwch eu llenwi â chymaint o bysgod nes eu bod bron â suddo!

Pan welodd Simon Pedr beth oedd wedi digwydd, syrthiodd ar ei liniau o flaen Iesu a dweud, "Dos i ffwrdd oddi wrtho i, Arglwydd; dw i'n ormod o bechadur!" Roedd Simon a'i gydweithwyr wedi

270

GWEINIDOGAETH GYNNAR IESU

dychryn wrth weld faint o bysgod gafodd eu dal; ac felly hefyd partneriaid Simon – Iago ac Ioan, meibion Sebedeus. Dyma Iesu'n dweud wrth Simon, "Paid bod ofn; o hyn ymlaen byddi di'n dal pobl yn lle pysgod." Felly ar ôl llusgo eu cychod i'r lan, dyma nhw'n gadael popeth i fynd ar ei ôl.

Diwrnod 225

Iesu yn troi dŵr yn win
(Ioan 2:1-11)

Roedd priodas yn Cana, pentref yn Galilea. Roedd mam Iesu yno, ac roedd Iesu a'i ddisgyblion wedi derbyn y gwahoddiad i'r briodas hefyd. Pan doedd dim gwin ar ôl, dyma fam Iesu'n dweud wrtho, "Does ganddyn nhw ddim mwy o win."

Atebodd Iesu, "Mam annwyl, gad lonydd i mi. Dydy fy amser i ddim wedi dod eto."

Ond dwedodd ei fam wrth y gweision, "Gwnewch beth bynnag fydd yn ei ddweud wrthoch chi."

Roedd chwech ystên garreg wrth ymyl (y math sy'n cael eu defnyddio gan yr Iddewon i ddal dŵr ar gyfer y ddefod o ymolchi seremonïol). Roedd pob un ohonyn nhw'n dal rhwng wyth deg a chant dau ddeg litr.

Dwedodd Iesu wrth y gweision, "Llanwch yr ystenau yma gyda dŵr." Felly dyma nhw'n eu llenwi i'r top. Yna dwedodd wrthyn nhw, "Cymerwch beth ohono a mynd ag e i lywydd y wledd." Dyma nhw'n gwneud hynny, a dyma llywydd y wledd yn blasu'r dŵr oedd wedi ei droi'n win. Doedd ganddo ddim syniad o ble roedd wedi dod (ond roedd y gweision oedd wedi codi'r dŵr yn gwybod). Yna galwodd y priodfab ato ac meddai wrtho, "Mae pobl fel arfer yn dod â'r gwin gorau allan gyntaf a'r gwin rhad yn nes ymlaen ar ôl i'r gwesteion gael gormod i'w yfed. Pam wyt ti wedi cadw'r gorau i'r diwedd?"

Y wyrth hon yn Cana Galilea oedd y gyntaf wnaeth Iesu, fel arwydd o pwy oedd. Roedd yn dangos ei ysblander, a dyma'i ddisgyblion yn credu ynddo.

GWEINIDOGAETH GYNNAR IESU

Diwrnod 226

Iesu'n clirio'r deml

(Ioan 2:13-22)

Roedd yn amser Gŵyl y Pasg (un o wyliau'r Iddewon), a dyma Iesu'n mynd i Jerwsalem. Yng nghwrt y deml gwelodd bobl yn gwerthu ychen, defaid a colomennod, ac eraill yn eistedd wrth fyrddau yn cyfnewid arian. Felly gwnaeth chwip o reffynnau, a'u gyrru nhw i gyd allan o'r deml gyda'r defaid a'r ychen. Chwalodd holl arian y rhai oedd yn cyfnewid arian, a throi eu byrddau drosodd. Yna meddai wrth y rhai oedd yn gwerthu colomennod "Ewch â'r rhain allan o ma! Stopiwch droi tŷ fy Nhad i yn farchnad!"

Ond dyma'r arweinwyr Iddewig yn ei herio, "Pa arwydd gwyrthiol wnei di i brofi i ni fod gen ti hawl i wneud hyn i gyd?"

Atebodd Iesu nhw, "Dinistriwch y deml hon, a gwna i ei hadeiladu hi eto o fewn tri diwrnod."

Atebodd yr arweinwyr Iddewig, "Mae'r deml wedi bod yn cael ei hadeiladu ers pedwar deg chwech mlynedd! Wyt ti'n mynd i'w hadeiladu mewn tri diwrnod?" (Ond y deml oedd Iesu'n sôn amdani oedd ei gorff. Ar ôl i Iesu ddod yn ôl yn fyw, cofiodd ei ddisgyblion ei fod wedi dweud hyn, a dyma nhw'n credu'r ysgrifau sanctaidd a beth ddwedodd Iesu.)

Diwrnod 227

Iesu a Nicodemus

(Ioan 3:1-6,16-17)

Un noson ar ôl iddi dywyllu daeth un o'r arweinwyr Iddewig at Iesu. Pharisead o'r enw Nicodemus oedd y dyn. Meddai wrth Iesu, "Rabbi, dŷn ni'n gwybod dy fod di'n athro wedi ei anfon gan Dduw i'n dysgu ni. Mae'r gwyrthiau rwyt ti'n eu gwneud yn profi fod Duw gyda ti."

Dyma Iesu'n ymateb trwy ddweud hyn wrtho: "Cred di fi – all neb weld Duw'n teyrnasu heb fod wedi cael ei eni oddi uchod."

"Sut gall unrhyw un gael ei eni pan mae'n oedolyn?" gofynnodd Nicodemus.

Atebodd Iesu, "Cred di fi, all neb brofi Duw'n teyrnasu heb fod wedi cael ei eni drwy ddŵr a drwy'r Ysbryd. Mae'r corff dynol yn rhoi genedigaeth i berson dynol, ond yr Ysbryd sy'n rhoi genedigaeth ysbrydol.

"Ydy, mae Duw wedi caru'r byd cymaint nes iddo roi ei unig Fab, er mwyn i bwy bynnag sy'n credu ynddo beidio mynd i ddistryw ond cael bywyd tragwyddol. Oherwydd anfonodd Duw ei Fab i achub y byd, dim i gondemnio'r byd.

GWEINIDOGAETH GYNNAR IESU

GWEINIDOGAETH GYNNAR IESU

Diwrnod 228

Dŵr bywiol

(Ioan 4:4-26)

Roedd rhaid i Iesu basio drwy Samaria. Daeth i bentref o'r enw Sychar, yn ymyl y darn tir enwog roedd Jacob wedi ei roi i'w fab Joseff ers talwm. A dyna lle roedd ffynnon Jacob. Roedd Iesu wedi blino'n lân, ac eisteddodd i orffwys wrth y ffynnon. Roedd hi tua chanol dydd.

Daeth gwraig yno i godi dŵr. Samariad oedd y wraig, a gofynnodd Iesu iddi, "Ga i ddiod gen ti?"

"Iddew wyt ti," meddai'r wraig, "Sut alli di ofyn i mi am ddiod? Dw i'n wraig o Samaria." (Y rheswm pam wnaeth hi ymateb fel yna oedd fod Iddewon fel arfer yn gwrthod defnyddio'r un llestri â'r Samariaid.)

Atebodd Iesu, "Taset ti ond yn gwybod beth sydd gan Dduw i'w roi i ti, a phwy ydw i sy'n gofyn i ti am ddiod! Ti fyddai'n gofyn wedyn, a byddwn i'n rhoi dŵr bywiol i ti."

"Syr," meddai'r wraig, "Ble mae'r 'dŵr bywiol' yma sydd gen ti? Does gen ti ddim bwced i godi dŵr ac mae'r pydew yn ddwfn."

Atebodd Iesu, "Bydd syched eto ar bawb sy'n yfed y dŵr yma, ond fydd dim syched byth ar y rhai sy'n yfed y dŵr dw i'n ei roi. Yn wir, bydd y dŵr dw i'n ei roi yn troi'n ffynnon o ddŵr y tu mewn iddyn nhw, fel ffrwd yn llifo i fywyd tragwyddol."

Meddai'r wraig, "Dw i'n gwybod fod y Meseia yn dod. Pan ddaw, bydd yn esbonio popeth i ni."

"Fi ydy e," meddai Iesu wrthi, "yr un sy'n siarad â ti."

Diwrnod 229

Pobl Samaria yn credu

(Ioan 4:27-42)

Dyna pryd daeth ei ddisgyblion yn ôl. Roedden nhw'n rhyfeddu ei weld yn siarad â gwraig, ond wnaethon nhw ddim gofyn iddi "Beth wyt ti eisiau?", na "Pam wyt ti'n siarad â hi?" i Iesu.

Dyma'r wraig yn gadael ei hystên ddŵr, a mynd yn ôl i'r pentref. Dwedodd wrth y bobl yno, "Dewch i weld dyn oedd yn gwybod popeth amdana i. Allai e fod y Meseia tybed?" Felly dyma'r bobl yn mynd allan o'r pentref i gyfarfod Iesu.

Yn y cyfamser roedd ei ddisgyblion wedi bod yn ceisio ei gael i fwyta rhywbeth. "Rabbi," medden nhw, "bwyta."

Ond dyma ddwedodd Iesu: "Mae gen i fwyd i'w fwyta dych chi'n gwybod dim amdano."

"Ddaeth rhywun arall â bwyd iddo'i fwyta?" meddai'r disgyblion wrth ei gilydd.

"Gwneud beth mae Duw'n ddweud ydy fy mwyd i," meddai Iesu, "a gorffen y gwaith mae wedi ei roi i mi."

Roedd nifer o Samariaid y pentref wedi credu yn Iesu am fod y wraig wedi dweud, "Roedd yn gwybod popeth amdana i." Felly pan ddaethon nhw ato, dyma nhw'n ei annog i aros gyda nhw, ac arhosodd yno am ddau ddiwrnod.

Daeth llawer iawn mwy o bobl i gredu ynddo ar ôl clywed beth oedd ganddo i'w ddweud.
A dyma nhw'n dweud wrth y wraig, "Dŷn ni'n credu bellach am ein bod ni wedi ei glywed ein hunain, nid dim ond o achos beth ddwedaist ti. Dŷn ni'n reit siŵr mai'r dyn yma ydy Achubwr y byd."

GWEINIDOGAETH GYNNAR IESU

275

GWEINIDOGAETH GYNNAR IESU

Diwrnod 230

Iesu yn iacháu mab y swyddog
(Ioan 4:43-54)

Dyma Iesu'n mynd yn ei flaen i Galilea. Roedd wedi bod yn dweud bod proffwyd ddim yn cael ei barchu yn yr ardal lle cafodd ei fagu. Ond pan gyrhaeddodd Galilea cafodd groeso brwd gan y bobl oedd wedi bod yn Jerwsalem adeg Gŵyl y Pasg a gweld y cwbl roedd e wedi ei wneud yno.

Aeth yn ôl i bentref Cana, lle roedd wedi troi'r dŵr yn win. Clywodd un o swyddogion llywodraeth Herod yn Capernaum fod Iesu wedi dod yn ôl o Jwdea i Galilea. Roedd mab y dyn mor sâl roedd ar fin marw, felly aeth i Cana i chwilio am Iesu ac ymbil arno i fynd i lawr i iacháu ei fab.

Dwedodd Iesu, "Heb gael gweld arwyddion a gwyrthiau rhyfeddol wnewch chi bobl byth gredu!"

"Ond syr," meddai'r swyddog wrtho, "tyrd gyda mi cyn i'm plentyn bach i farw."

"Dos di," meddai Iesu wrtho, "mae dy fab yn mynd i fyw." Dyma'r dyn yn credu beth ddwedodd Iesu, a mynd.

Tra oedd ar ei ffordd adre, daeth ei weision i'w gyfarfod gyda'r newyddion fod y bachgen yn mynd i fyw. Gofynnodd iddyn nhw pryd yn union wnaeth e ddechrau gwella, a dyma nhw'n ateb, "Diflannodd y gwres tua un o'r gloch p'nawn ddoe."

Sylweddolodd y tad mai dyna'n union pryd ddwedodd Iesu wrtho, "mae dy fab yn mynd i fyw." Felly daeth y dyn a phawb yn ei dŷ i gredu yn Iesu.

Hon oedd yr ail wyrth wnaeth Iesu ar ôl dod yn ôl o Jwdea i Galilea.

Diwrnod 231

Awdurdod y Mab
(Ioan 5:19-30)

Dwedodd Iesu: "Credwch chi fi, dydy'r Mab ddim yn gallu gwneud unrhyw beth ohono'i hun; dim ond beth mae'n gweld ei Dad yn ei wneud. Dw i y Mab yn gwneud yn union beth mae'r Tad yn ei wneud. Mae'r Tad yn caru'r Mab ac yn dangos iddo bopeth mae'n ei wneud.

Bydda i'n gwneud pethau mwy na iacháu'r dyn yma – pethau fydd yn eich syfrdanu chi hyd yn oed! Bydd y Mab yn dod â pwy bynnag mae'n ei ddewis yn ôl yn fyw, yn union fel y mae'r Tad yn codi'r meirw a rhoi bywyd iddyn nhw.

Hefyd, dydy'r Tad ddim yn barnu neb – mae wedi rhoi'r awdurdod i farnu yng ngofal y Mab, er mwyn i bawb anrhydeddu'r Mab yn union fel y maen nhw'n anrhydeddu'r Tad. Credwch chi fi, mae bywyd tragwyddol gan y rhai sy'n gwrando ar beth dw i'n ei ddweud, ac yn credu yn Nuw wnaeth fy anfon i. Dyn nhw ddim yn cael eu condemnio; maen nhw wedi croesi o fod yn farw i fod yn fyw. Credwch chi fi, mae'r amser yn dod, ac mae yma'n barod, pan fydd y rhai sy'n farw yn clywed llais Mab Duw a bydd pob un sy'n gwrando ar beth mae'n ei ddweud yn byw. Fel mae gan y Tad fywyd ynddo'i hun i'w roi i eraill, mae wedi caniatáu i'r Mab fod a bywyd ynddo'i hun i'w roi i eraill. Ac mae hefyd wedi rhoi'r awdurdod iddo i farnu am mai fe ydy Mab y Dyn.

"Peidiwch rhyfeddu at hyn! Mae'r amser yn dod pan fydd pawb sy'n eu beddau yn clywed llais Mab Duw ac yn dod allan – bydd y rhai sydd wedi gwneud daioni yn codi i gael bywyd tragwyddol, a bydd y rhai sydd wedi gwneud drygioni yn codi i gael eu barnu. Ond dw i'n gwneud dim ohono i'n hun; dw i'n barnu yn union fel dw i'n clywed. A dw i'n dyfarnu'n iawn, achos dw i ddim yn gwneud beth dw i eisiau, dim ond beth mae Duw, wnaeth fy anfon i, eisiau."

277

Diwrnod 232

Tystion i Iesu
(Ioan 5:31-47)

Meddai Iesu, "Os mai dim ond fi sy'n tystio ar fy rhan fy hun, dydy'r dystiolaeth ddim yn ddilys. Ond mae yna un arall sy'n rhoi tystiolaeth o'm plaid i, a dw i'n gwybod fod ei dystiolaeth e amdana i yn ddilys.

"Dych chi wedi anfon negeswyr at Ioan Fedyddiwr ac mae e wedi tystio am y gwir. Does dim angen tystiolaeth ddynol arna i; ond dw i'n cyfeirio ato er mwyn i chi gael eich achub. Roedd Ioan fel lamp ddisglair, a buoch chi'n mwynhau sefyll yn ei olau am gyfnod.

GWEINIDOGAETH GYNNAR IESU

"Ond mae gen i dystiolaeth bwysicach na beth ddwedodd Ioan. Mae beth dw i'n ei wneud (y gwaith mae'r Tad wedi ei roi i mi ei gyflawni), yn dystiolaeth fod y Tad wedi fy anfon i. Ac mae'r Tad ei hun, yr un anfonodd fi, wedi tystiolaethu amdana i. Ond dych chi ddim wedi clywed ei lais heb sôn am ei weld! Dych chi ddim yn gwrando ar beth mae e'n ddweud, achos dych chi'n gwrthod credu ynof fi, yr un mae wedi ei anfon.

"Dw i ddim yn edrych am ganmoliaeth pobl. Dych chi'n mwynhau canmol eich gilydd, tra'n gwneud dim ymdrech i dderbyn y ganmoliaeth sy'n dod oddi wrth yr unig Dduw. Ond peidiwch tybio mai fi fydd yn eich cyhuddo chi o flaen y Tad. Moses ydy'r un sy'n eich cyhuddo chi. Ie, Moses, yr un dych chi wedi bod yn pwyso arno. Tasech chi wir yn credu Moses, byddech chi'n fy nghredu i, achos amdana i ysgrifennodd Moses! Ond gan eich bod chi ddim yn credu beth ysgrifennodd e, sut ydych chi'n gallu credu beth dw i'n ei ddweud?"

279

Diwrnod 233

Iesu'n iacháu dyn wedi ei barlysu
(Luc 5:17-26)

Un diwrnod, pan oedd Iesu wrthi'n dysgu'r bobl, roedd Phariseaid ac arbenigwyr yn y Gyfraith yn eistedd, heb fod yn bell, yn gwrando arno. Roedden nhw wedi dod yno o bob rhan o Galilea, a hefyd o Jwdea a Jerwsalem. A dyma ryw bobl yn dod â dyn oedd wedi ei barlysu ato, yn gorwedd ar fatras. Roedden nhw'n ceisio mynd i mewn i'w osod i orwedd o flaen Iesu. Pan wnaethon nhw fethu gwneud hynny am fod yno gymaint o dyrfa, dyma nhw'n mynd i fyny ar y to ac yn tynnu teils o'r to i'w ollwng i lawr ar ei fatras i ganol y dyrfa, reit o flaen Iesu.

Pan welodd Iesu'r ffydd oedd ganddyn nhw, dwedodd wrth y dyn, "Mae dy bechodau wedi eu maddau."

Dyma'r Phariseaid a'r arbenigwyr yn y Gyfraith yn dechrau meddwl, "Pwy ydy hwn, ei fod yn cablu fel hyn? Duw ydy'r unig un sy'n gallu maddau pechodau!"

Roedd Iesu'n gwybod beth oedd yn mynd trwy'u meddyliau, a gofynnodd iddyn nhw, "Pam dych chi'n meddwl mod i'n cablu? Beth ydy'r peth hawsaf i'w ddweud – 'Mae dy bechodau wedi eu maddau,' neu 'Cod ar dy draed a cherdda'? Cewch weld fod gen i, Fab y Dyn, hawl i faddau pechodau ar y ddaear."

A dyma Iesu'n troi at y dyn oedd wedi ei barlysu a dweud wrtho, "Cod ar dy draed, cymer dy fatras, a dos adre."

A dyna'n union wnaeth y dyn! Cododd ar ei draed o flaen pawb yn y fan a'r lle, cymryd y fatras roedd wedi bod yn gorwedd arni, ac aeth adre gan foli Duw. Roedd pawb wedi eu syfrdanu'n llwyr ac roedden nhw hefyd yn moli Duw. "Dŷn ni wedi gweld pethau anhygoel heddiw," medden nhw.

Diwrnod 234

Bydd Iesu'n mynd yn ôl at Dduw y Tad
(Ioan 7:32-36)

Daeth llawer o bobl yn y dyrfa i gredu yn Iesu. Eu dadl oedd, "Pan ddaw'r

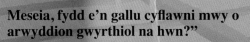

Meseia, fydd e'n gallu cyflawni mwy o arwyddion gwyrthiol na hwn?"

Daeth y Phariseaid i wybod fod sibrydion fel hyn yn mynd o gwmpas. Felly dyma'r prif offeiriaid a'r Phariseaid yn anfon swyddogion diogelwch o'r deml i'w arestio.

Dwedodd Iesu, "Dw i yma gyda chi am amser byr eto, ac wedyn dw i'n mynd yn ôl at Dduw, yr un anfonodd fi. Byddwch chi'n edrych amdana i, ond yn methu dod o hyd i mi. Fyddwch chi ddim yn gallu dod i ble bydda i."

Meddai'r arweinwyr Iddewig, "I ble mae'r dyn yma'n bwriadu mynd os fyddwn ni ddim yn gallu dod o hyd iddo? Ydy e'n mynd at ein pobl ni sy'n byw ar wasgar mewn gwledydd eraill, a dysgu pobl y gwledydd hynny? Beth mae'n e'n ei olygu wrth ddweud, 'Byddwch chi'n edrych amdana i, ond yn methu dod o hyd i mi,' a 'Fyddwch chi'n methu dod i ble bydda i'?"

281

Diwrnod 235

Nicodemus yn amddiffyn Iesu

(Ioan 7:42-52)

Roedd y dyrfa wedi ei rhannu – rhai o blaid Iesu ac eraill yn ei erbyn. Roedd rhai eisiau ei arestio, ond lwyddodd neb i'w gyffwrdd.

Aeth swyddogion diogelwch y deml yn ôl at y prif offeiriaid a'r Phariseaid, a gofynnodd y rheiny iddyn nhw, "Pam wnaethoch chi ddim dod ag e yma?"

"Does neb erioed wedi siarad fel y dyn hwn," medden nhw.

"Beth!" atebodd y Phariseaid, "Ydy e wedi'ch twyllo chi hefyd? Oes unrhyw un o'r arweinwyr neu o'r Phariseaid wedi credu ynddo? Nac oes! Dim ond y werin ddwl yma sy'n gwybod dim byd am y Gyfraith – ac maen nhw dan felltith beth bynnag!"

Roedd Nicodemus yno ar y pryd (y dyn oedd wedi mynd at Iesu'n gynharach), a gofynnodd, "Ydy'n Cyfraith ni yn condemnio pobl heb roi gwrandawiad teg iddyn nhw gyntaf er mwyn darganfod y ffeithiau?"

282

GWEINIDOGAETH GYNNAR IESU

Diwrnod 236

Parti Lefi
(Marc 2:13-17)

Aeth Iesu allan at Lyn Galilea unwaith eto. Daeth tyrfa fawr o bobl ato, ac roedd yn eu dysgu. Yna wrth fynd yn ei flaen, gwelodd Lefi fab Alffeus yn eistedd yn y swyddfa dollau lle roedd yn gweithio. "Tyrd, dilyn fi," meddai Iesu wrtho; a chododd Lefi ar unwaith a mynd ar ei ôl.

Yn nes ymlaen aeth Iesu a'i ddisgyblion am bryd o fwyd i dŷ Lefi. Roedd criw mawr o'r rhai oedd yn casglu trethi i Rufain a phobl eraill roedd y Phariseaid yn eu hystyried yn 'bechaduriaid' yn y parti hefyd. (Pobl felly oedd llawer o'r rhai oedd yn dilyn Iesu).

Wrth iddyn nhw ei weld e'n bwyta gyda 'pechaduriaid' a casglwyr trethi, dyma'r Phariseaid yn gofyn: "Pam mae e'n bwyta gyda'r bradwyr sy'n casglu trethi i Rufain, a phobl eraill sy'n ddim byd ond 'pechaduriaid'?"

Clywodd Iesu a dweud, "Dim pobl iach sydd angen meddyg, ond pobl sy'n sâl. Dw i wedi dod i alw pechaduriaid, dim y rhai sy'n meddwl eu bod nhw heb fai."

283

Diwrnod 237

Un peth sy'n bwysig

(Luc 10:38-42)

Wrth i Iesu deithio yn ei flaen i Jerwsalem gyda'i ddisgyblion, daeth i bentref lle roedd gwraig o'r enw Martha yn byw. A dyma hi'n rhoi croeso iddo i'w chartre.

Roedd gan Martha chwaer o'r enw Mair, ac eisteddodd hi o flaen yr Arglwydd yn gwrando ar yr hyn roedd e'n ei ddweud. Ond roedd yr holl baratoadau roedd angen eu gwneud yn cymryd sylw Martha i gyd, a daeth at Iesu a gofyn iddo, "Arglwydd, wyt ti ddim yn poeni bod fy chwaer wedi gadael i mi wneud y gwaith i gyd? Dywed wrthi am ddod i helpu!"

"Martha annwyl," meddai'r Arglwydd wrthi, "rwyt ti'n poeni ac yn cynhyrfu am y pethau yna i gyd, ond dim ond un peth sydd wir yn bwysig. Mae Mair wedi dewis y peth hwnnw, a fydd neb yn gallu ei gymryd oddi arni hi."

284

DYSGEIDIAETH IESU

285

Diwrnod 238

Plannu hadau

(Marc 4:1-8)

Dechreuodd Iesu ddysgu'r bobl ar lan Llyn Galilea unwaith eto. Roedd tyrfa enfawr wedi casglu o'i gwmpas nes bod rhaid iddo eistedd mewn cwch ar y llyn, tra roedd y bobl i gyd yn sefyll ar y lan. Roedd yn defnyddio llawer o straeon i ddarlunio beth roedd yn ei ddysgu iddyn nhw.

"Gwrandwch!" meddai: "Aeth ffermwr allan i hau hadau. Wrth iddo wasgaru'r had, dyma beth ohono yn syrthio ar y llwybr, a dyma'r adar yn dod a'i fwyta. Dyma beth o'r had yn syrthio ar dir creigiog lle doedd ond haen denau o bridd. Tyfodd yn ddigon sydyn ond yn yr haul poeth dyma'r tyfiant yn gwywo. Doedd ganddo ddim gwreiddiau. Yna dyma beth o'r had yn syrthio i ganol drain. Tyfodd y drain a thagu'r planhigion, felly doedd dim grawn yn y dywysen. Ond syrthiodd peth o'r had ar bridd da. Tyfodd cnwd da yno – cymaint â thri deg, chwe deg neu hyd yn oed gan gwaith mwy na gafodd ei hau."

Diwrnod 239

Iesu'n esbonio'r stori

(Marc 4:10-20)

Yn nes ymlaen, pan oedd ar ei ben ei hun, dyma'r deuddeg disgybl a rhai eraill oedd o'i gwmpas yn gofyn iddo beth oedd ystyr y stori.

Dyma ddwedodd wrthyn nhw: "Yr had ar y llwybr ydy'r bobl hynny sy'n clywed y neges, ond mae Satan yn dod yr eiliad honno ac yn cipio'r neges oddi arnyn nhw.

Wedyn yr had gafodd ei hau ar dir creigiog ydy'r bobl hynny sy'n derbyn y neges yn frwd i ddechrau. Ond dydy'r neges ddim yn gafael ynddyn nhw go iawn, a dŷn nhw ddim yn para'n hir iawn. Pan mae argyfwng yn codi, neu wrthwynebiad am eu bod wedi credu, maen nhw'n troi cefn yn ddigon sydyn.

Wedyn mae pobl eraill yn gallu bod fel yr had syrthiodd i ganol drain. Maen nhw'n clywed y neges, ond maen nhw'n rhy brysur yn poeni am hyn a'r llall, yn ceisio gwneud arian a chasglu mwy a mwy o bethau. Felly mae'r neges yn cael ei thagu a does dim ffrwyth i'w weld yn eu bywydau.

Ond yr had sy'n syrthio ar dir da ydy'r bobl hynny sy'n clywed y neges ac yn ei chredu. Mae'r effaith ar eu bywydau nhw fel cnwd anferth – tri deg, chwe deg, neu hyd yn oed gan gwaith mwy na gafodd ei hau."

Diwrnod 240

Gwenith a chwyn

(Mathew 13:24-30, 36-39)

Dwedodd Iesu stori arall wrthyn nhw: "Mae teyrnasiad yr Un nefol fel dyn yn hau had da yn ei gae. Tra oedd pawb yn cysgu, dyma rywun oedd yn ei gasáu yn hau chwyn yng nghanol y gwenith. Pan ddechreuodd y gwenith egino a thyfu, daeth y chwyn i'r golwg hefyd.

"Daeth gweision y ffermwr ato a dweud, 'Feistr, onid yr had gorau gafodd ei hau yn dy gae di? O ble mae'r holl chwyn yma wedi dod?'

DYSGEIDIAETH IESU

'"Rhywun sy'n fy nghasáu i sy'n gyfrifol am hyn' meddai.

'"Felly, wyt ti am i ni fynd i godi'r chwyn?' meddai ei weision.

'"Na,' meddai'r dyn, 'Rhag ofn i chi godi peth o'r gwenith wrth dynnu'r chwyn. Gadewch i'r gwenith a'r chwyn dyfu gyda'i gilydd. Wedyn pan ddaw'r cynhaeaf bydda i'n dweud wrth y rhai fydd yn casglu'r cynhaeaf: Casglwch y chwyn gyntaf, a'u rhwymo'n fwndeli i'w llosgi; wedyn cewch gasglu'r gwenith a'i roi yn fy ysgubor.'"

Gadawodd Iesu y dyrfa a mynd i mewn i'r tŷ. Aeth ei ddisgyblion i mewn ato a gofyn iddo, "Wnei di esbonio'r stori am y chwyn i ni?"

Atebodd Iesu, "Fi, Mab y Dyn, ydy'r un sy'n hau yr had da. Y byd ydy'r cae, ac mae'r hadau da yn cynrychioli'r bobl sy'n perthyn i'r deyrnas. Y bobl sy'n perthyn i'r un drwg ydy'r chwyn, a'r gelyn sy'n eu hau nhw ydy'r diafol. Diwedd y byd ydy'r cynhaeaf, a'r angylion ydy'r rhai fydd yn casglu'r cynhaeaf."

Diwrnod 241

Teyrnasiad Duw fel had yn tyfu
(Marc 4:26-29)

Dwedodd Iesu wedyn, "Dyma i chi ddarlun arall o deyrnasiad Duw. Mae fel ffermwr yn hau had ar y tir. Mae'r wythnosau'n mynd heibio, a'r dyn yn cysgu'r nos ac yn codi'r bore. Mae'r had gafodd ei hau yn egino ac yn dechrau tyfu heb i'r dyn wneud dim mwy. Mae'r cnwd yn tyfu o'r pridd ohono'i hun – gwelltyn yn gyntaf, wedyn y dywysen, a'r hadau yn y dywysen ar ôl hynny. Pan mae'r cnwd o wenith wedi aeddfedu, mae'r ffermwr yn ei dorri gyda'i gryman am fod y cynhaeaf yn barod."

Diwrnod 242

Teyrnasiad Duw fel burum
(Mathew 13:31-34)

Dwedodd stori arall wrthyn nhw: "Mae teyrnasiad yr Un nefol fel hedyn mwstard yn cael ei blannu gan rywun yn ei gae. Er mai dyma'r hedyn lleia un, mae'n tyfu i fod y planhigyn mwya yn yr ardd. Mae'n tyfu'n goeden y gall yr adar ddod i nythu yn ei changhennau!"

Dwedodd stori arall eto: "Mae teyrnasiad yr Un nefol fel burum. Mae gwraig yn ei gymryd a'i gymysgu gyda digonedd o flawd nes iddo ledu drwy'r toes i gyd."

287

Diwrnod 243

Pwy ydy'r pwysica?

(Mathew 18:1-5)

Bryd hynny daeth y disgyblion at Iesu a gofyn iddo, "Pwy ydy'r pwysica yn nheyrnas yr Un nefol?"

Galwodd blentyn bach ato, a'i osod yn y canol o'u blaenau, ac yna dwedodd: "Credwch chi fi, os na newidiwch chi i fod fel plant bach, fyddwch chi byth yn un o'r rhai mae'r Un nefol yn teyrnasu yn eu bywydau. Felly, pwy bynnag sy'n ystyried ei hun yn fach, fel y plentyn yma, ydy'r pwysica yn nheyrnas yr Un nefol.

"Ac mae pwy bynnag sy'n rhoi croeso i blentyn bach fel yma am ei fod yn perthyn i mi, yn rhoi croeso i mi."

Diwrnod 244

Y bywyd go iawn

(Luc 9:23-26)

"Rhaid i bwy bynnag sydd am fy nilyn i stopio rhoi nhw eu hunain gyntaf. Rhaid iddyn nhw aberthu eu hunain dros eraill bob dydd, a cherdded yr un llwybr â mi. Bydd y rhai sy'n ceisio cadw eu bywyd eu hunain yn colli'r bywyd go iawn, ond y rhai sy'n barod i ollwng gafael ar eu bywyd er fy mwyn i yn diogelu bywyd go iawn. Beth ydy'r pwynt o gael popeth sydd gan y byd i'w gynnig, a cholli eich hunan? Pawb sydd â chywilydd ohono i a beth dw i'n ei ddweud, bydd gen i, Fab y Dyn, gywilydd ohonyn nhw pan fydda i'n dod yn ôl.

DYSGEIDIAETH IESU

289

DYSGEIDIAETH IESU

Diwrnod 245

Gadewch i'r plant bach ddod ata i
(Marc 10:13-16)

Roedd pobl yn dod â'u plant bach at Iesu er mwyn iddo eu cyffwrdd a'u bendithio. Ond roedd y disgyblion yn dweud y drefn wrthyn nhw.

Roedd Iesu'n ddig pan welodd nhw'n gwneud hynny. "Gadewch i'r plant bach ddod ata i," meddai wrthyn nhw, "Peidiwch eu rhwystro, am mai rhai fel nhw sy'n derbyn teyrnasiad Duw. Credwch chi fi, heb ymddiried fel plentyn bach, wnewch chi byth ddod yn un o'r rhai mae Duw'n teyrnasu yn eu bywydau." Yna cododd y plant yn ei freichiau, rhoi ei ddwylo arnyn nhw a'u bendithio.

Diwrnod 246

Y bugail da
(Ioan 10:11-18)

Dwedodd Iesu, "Fi ydy'r bugail da. Mae'r bugail da yn fodlon marw dros y defaid. Mae'r gwas sy'n cael ei dalu i ofalu am y defaid yn rhedeg i ffwrdd pan mae'n gweld y blaidd yn dod. Mae'n gadael y defaid, ac mae'r blaidd yn ymosod ar y praidd ac yn eu gwasgaru nhw. Dim ond am ei fod yn cael ei dalu mae'n edrych ar ôl y defaid, a dydy e'n poeni dim amdanyn nhw go iawn.

"Fi ydy'r bugail da. Dw i'n nabod fy nefaid fy hun ac maen nhw'n fy nabod i – yn union fel y mae'r Tad yn fy nabod i a dw innau'n nabod y Tad. Dw i'n fodlon marw dros y defaid. Mae gen i ddefaid eraill sydd ddim yn y gorlan yma. Rhaid i mi eu casglu nhw hefyd, a byddan nhw'n gwrando ar fy llais. Yna byddan nhw'n dod yn un praidd, a bydd un bugail.

Mae fy Nhad yn fy ngharu i am fy mod yn mynd i farw'n wirfoddol, er mwyn dod yn ôl yn fyw wedyn. Does neb yn cymryd fy mywyd oddi arna i; fi fy hun sy'n dewis rhoi fy mywyd yn wirfoddol."

291

DYSGEIDIAETH IESU

Diwrnod 247

Y ddafad goll a'r darn arian oedd ar goll
(Luc 15:1-10)

Roedd y dynion oedd yn casglu trethi i Rufain
a phobl eraill oedd yn cael eu hystyried yn
'bechaduriaid' yn casglu o gwmpas Iesu
i wrando arno. Ond roedd y Phariseaid
a'r arbenigwyr yn y Gyfraith yn cwyno a
mwmblan, "Mae'r dyn yma'n rhoi croeso i
bobl sy'n 'bechaduriaid'! Mae hyd yn oed yn
bwyta gyda nhw!"

Felly dyma Iesu'n dweud y stori yma wrthyn
nhw: "Dychmygwch fod gan un ohonoch chi
gant o ddefaid, a bod un ohonyn nhw wedi
mynd ar goll. Oni fyddai'n gadael y naw deg
naw ar y tir agored ac yn mynd i chwilio am y
ddafad aeth ar goll nes dod o hyd iddi? A phan
mae'n dod o hyd iddi mae mor llawen! Mae'n
ei chodi ar ei ysgwyddau ac yn mynd adre.
Wedyn mae'n galw ei ffrindiau a'i gymdogion
draw, ac yn dweud wrthyn nhw, 'Dewch i
ddathlu; dw i wedi dod o hyd i'r ddafad oedd
wedi mynd ar goll.'

Wir i chi, dyna sut mae hi yn y nefoedd – mae
mwy o ddathlu am fod un pechadur wedi
troi at Dduw nag am naw deg naw o bobl
sy'n meddwl eu bod nhw'n iawn a dim angen
newid!

"Neu petai gan ryw wraig ddeg darn arian,
ac yn colli un ohonyn nhw. Byddai hi'n
cynnau lamp ac yn mynd ati i lanhau'r
tŷ i gyd, a chwilio ym mhob twll a
chornel am y darn arian nes iddi
ddod o hyd iddo. Pan mae'n dod o
hyd iddo, mae'n galw ei ffrindiau
a'i chymdogion draw, ac yn
dweud wrthyn nhw, 'Dewch i
ddathlu; dw i wedi dod o hyd i'r
darn arian oedd wedi mynd ar goll.'

Wir i chi, dyna sut mae Duw yn dathlu o
flaen ei angylion pan mae un pechadur yn troi
ato!"

DYSGEIDIAETH IESU

Diwrnod 248

Y mab ffôl
(Luc 15:11-19)

Aeth Iesu yn ei flaen i ddweud stori arall: "Roedd rhyw ddyn a dau fab ganddo. Dyma'r mab ifancaf yn mynd at ei dad a dweud, 'Dad, dw i eisiau i ti roi fy siâr i o'r ystâd i mi nawr.' Felly dyma'r tad yn cytuno i rannu popeth oedd ganddo rhwng y ddau fab.

"Yn fuan wedyn, dyma'r mab ifancaf yn gwerthu'r cwbl lot, gadael cartref a theithio i wlad bell. Yno gwastraffodd ei arian i gyd ar fywyd gwyllt. Ar ôl iddo golli'r cwbl bu newyn difrifol drwy'r wlad, ac roedd yn dechrau llwgu.

Llwyddodd i berswadio rhywun i roi gwaith iddo, a chafodd ei anfon allan i'r caeau i ofalu am foch. Aeth pethau mor ddrwg nes ei fod yn cael ei demtio i fwyta peth o'r bwyd moch! Doedd neb yn rhoi dim arall iddo.

"Yna o'r diwedd, calliodd, ac meddai 'Beth dw i'n ei wneud yn y fan yma yn llwgu i farwolaeth? Mae dad yn cyflogi gweithwyr, ac mae ganddyn nhw ddigonedd o fwyd. Af i adre at dad, a dweud wrtho: Dad, dw i wedi pechu yn erbyn Duw ac yn dy erbyn di. Dw i ddim yn haeddu cael fy ngalw'n fab i ti ddim mwy. Gad i mi fod yn un o'r gweithwyr sy'n cael eu cyflogi gen ti.'

293

DYSGEIDIAETH IESU

Diwrnod 249

Y tad cariadus

(Luc 15:20-24)

Aeth Iesu ymlaen â'r stori, "Felly aeth y mab ifancaf yn ôl adre.

"Gwelodd ei dad e'n dod pan oedd yn dal yn bell i ffwrdd. Roedd ei dad wedi cynhyrfu, a rhedodd at ei fab, a'i gofleidio a'i gusanu.

"A dyma'r mab yn dweud wrtho, 'Dad, dw i wedi pechu yn erbyn Duw ac yn dy erbyn di. Dw i ddim yn haeddu cael fy ngalw'n fab i ti ddim mwy.'

Meddai'r tad wrth y gweision, 'Brysiwch! Ewch i nôl clogyn iddo ei wisgo – yr un orau! Rhowch fodrwy ar ei fys a sandalau ar ei draed. Yna ewch i ladd y llo sydd wedi cael ei besgi, i ni gael parti! Roedd fy mab i wedi marw, ond mae wedi dod yn ôl yn fyw; roedd e ar goll, ond dŷn ni wedi ei gael yn ôl.' Felly dyma'r parti'n dechrau.

DYSGEIDIAETH IESU

Diwrnod 250

Y brawd eiddigeddus

(Luc 15:25-32)

A dyma ddiwedd y stori: "Roedd y mab hynaf allan yn gweithio yn y caeau. Wrth ddod yn ôl at y tŷ roedd yn clywed sŵn cerddoriaeth a dawnsio. Galwodd fachgen ifanc ato, a gofyn iddo beth oedd yn digwydd.

'Mae dy frawd yma!' meddai hwnnw, 'Mae dy dad wedi lladd y llo oedd wedi ei besgi i ddathlu ei fod wedi ei gael yn ôl yn saff.'

"Ond dyma'r mab hynaf yn digio, a gwrthod mynd i mewn. Felly dyma'i dad yn dod allan a chrefu arno i fynd i mewn. Ond meddai wrth ei dad, 'Edrych! Dw i wedi slafio ar hyd y blynyddoedd yma, heb erioed wrthod gwneud unrhyw beth i ti. Ches i erioed fyn gafr gen ti i gael parti gyda fy ffrindiau! Ond dyma hwn yn dod adre – y mab yma sydd gen ti – yr un sydd wedi gwastraffu dy arian di i gyd ar buteiniaid. O! mae'n rhaid i ti ladd y llo sydd wedi ei besgi i hwn!'

"'Machgen i,' meddai'r tad wrtho, 'rwyt ti yma bob amser, a ti sydd biau popeth sydd gen i ar ôl. Ond roedd rhaid i ni ddathlu – roedd dy frawd wedi marw, ond mae wedi dod yn ôl yn fyw; roedd e ar goll, ond dŷn ni wedi ei gael yn ôl!'"

295

DYSGEIDIAETH IESU

Diwrnod 251

Duw yn maddau

(Luc 18:9-14)

Dwedodd Iesu y stori yma wrth rai pobl oedd yn meddwl eu bod nhw eu hunain mor dduwiol, ac yn edrych i lawr eu trwynau ar bawb arall: "Aeth dau ddyn i weddïo yn y deml. Pharisead oedd un ohonyn nhw, a'r llall yn ddyn oedd yn casglu trethi i Rufain. Dyma'r Pharisead yn sefyll ar ei draed yn hyderus, a dyma oedd ei weddi: 'O Dduw, dw i yn diolch i ti mod i ddim yr un fath â phobl eraill. Dw i ddim yn twyllo na gwneud dim byd drwg arall, a dw i ddim yn gwneud pethau anfoesol. Dw i ddim yr un fath â'r bradwr yma! Dw i'n ymprydio ddwywaith yr wythnos ac yn rhoi un rhan o ddeg o bopeth sydd gen i i'r deml.'

"Ond roedd y casglwr trethi wedi mynd i sefyll mewn rhyw gornel ar ei ben ei hun. Doedd e ddim yn meiddio edrych i fyny hyd yn oed. Yn lle hynny roedd yn curo ei frest mewn cywilydd. Dyma oedd ei weddi e: 'O Dduw, wnei di faddau i mi. Dw i'n bechadur ofnadwy.'

"Dw i'n dweud wrthoch chi mai'r casglwr trethi, dim y Pharisead, oedd yr un aeth adre a'i berthynas gyda Duw yn iawn. Bydd Duw yn torri crib pobl falch ac yn anrhydeddu'r rhai gostyngedig."

Diwrnod 252

Ail gyfle
(Ioan 8:1-11)

Pan wawriodd hi y bore wedyn, roedd Iesu yn ôl yng nghwrt y deml. Dyma dyrfa yn casglu o'i gwmpas, ac eisteddodd Iesu i'w dysgu nhw. Tra roedd yn dysgu'r bobl dyma rai o'r arbenigwyr yn y Gyfraith a'r Phariseaid yn dod ato gyda gwraig oedd wedi cael ei dal yn godinebu. Dyma nhw'n ei rhoi hi i sefyll yn y canol o flaen pawb, ac yna medden nhw wrth Iesu, "Athro, mae'r wraig hon wedi cael ei dal yn y gwely gyda dyn oedd ddim yn ŵr iddi. Yn y Gyfraith mae Moses yn dweud fod gwragedd o'r fath i gael eu llabyddio i farwolaeth gyda cherrig. Beth wyt ti'n ei ddweud am y mater?" (Roedden nhw'n defnyddio'r cwestiwn fel trap, er mwyn cael sail i ddwyn cyhuddiad yn ei erbyn.) Ond dyma Iesu'n plygu i lawr a dechrau ysgrifennu gyda'i fys yn y llwch ar lawr. Ond wrth iddyn nhw ddal ati i bwyso arno i ateb, edrychodd i fyny a dweud wrthyn nhw, "Os oes un ohonoch chi ddynion erioed wedi pechu, taflwch chi'r garreg gyntaf ati hi."

Yna plygodd eto ac ysgrifennu ar lawr.

Ar ôl clywed beth ddwedodd e, dyma'r dynion yn gadael. Y rhai hynaf aeth gyntaf, a'r lleill yn dilyn, nes oedd neb ar ôl ond Iesu, a'r wraig yn dal i sefyll o'i flaen.

Edrychodd i fyny eto, a gofyn iddi, "Wel, wraig annwyl, ble maen nhw? Oes neb wedi dy gondemnio di?"

"Nac oes syr, neb" meddai.

"Dw innau ddim yn dy gondemnio di chwaith," meddai Iesu. "Felly dos, a pheidio pechu fel yna eto."

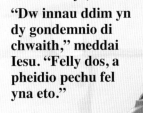

297

DYSGEIDIAETH IESU

Diwrnod 253

Gweithred o gariad

(Luc 7:36-40)

Roedd un o'r Phariseaid wedi gwahodd Iesu i swper, felly aeth Iesu i'w dŷ ac eistedd wrth y bwrdd.

Dyma wraig o'r dref oedd yn adnabyddus am ei bywyd anfoesol yn clywed fod Iesu yn cael pryd o fwyd yng nghartre'r Pharisead, ac aeth yno gyda blwch hardd yn llawn o bersawr. Plygodd y tu ôl iddo wrth ei draed, yn crïo. Roedd ei dagrau yn gwlychu ei draed, felly sychodd nhw â'i gwallt a'u cusanu, ac yna tywallt y persawr arnyn nhw.

Pan welodd y dyn oedd wedi gwahodd Iesu beth oedd yn digwydd, meddyliodd, "Petai'r dyn yma yn broffwyd byddai'n gwybod pa fath o wraig sy'n ei gyffwrdd

– dydy hi'n ddim byd ond pechadures!"

Ond dyma Iesu'n dweud wrtho, "Simon, dw i eisiau dweud rhywbeth wrthot ti."

"Beth athro?" meddai.

Diwrnod 254

Cariad a maddeuant

(Luc 7:41-50)

Atebodd Iesu, "Roedd dau o bobl mewn dyled i fenthyciwr arian. Pum can denariws oedd dyled un, a hanner can denariws oedd dyled y llall. Ond pan oedd y naill a'r llall yn methu ei dalu'n

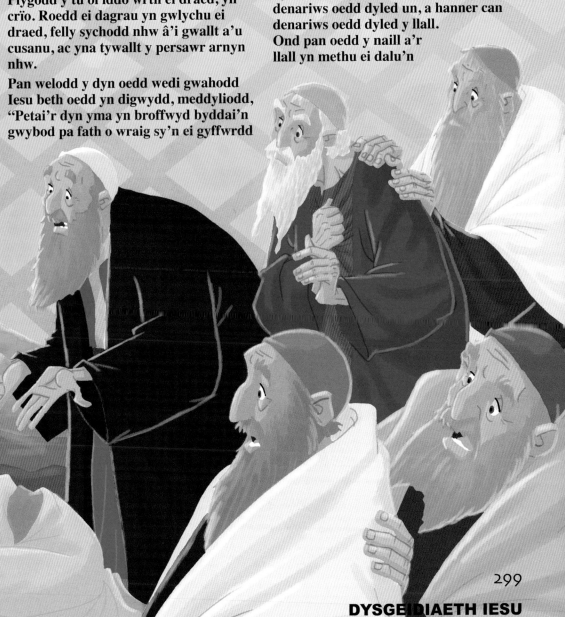

299

ôl, dyma'r benthyciwr yn canslo dyled y ddau! Felly, pa un o'r ddau wyt ti'n meddwl fydd yn ei garu fwyaf?"

"Mae'n debyg mai'r un gafodd y ddyled fwyaf wedi ei chanslo," meddai Simon.

"Rwyt ti'n iawn," meddai Iesu. "Edrych ar y wraig yma. Pan ddes i mewn i dy dŷ di, ches i ddim dŵr i olchi fy nhraed. Ond mae hon wedi gwlychu fy nhraed â'i dagrau a'u sychu â'i gwallt. Wnest ti ddim fy nghyfarch i â chusan, ond dydy hon ddim wedi stopio cusanu fy nhraed ers i mi gyrraedd. Wnest ti ddim rhoi croeso i mi drwy roi olew ar fy mhen, ond mae hon wedi tywallt persawr ar fy nhraed. Felly dw i'n dweud wrthot ti, mae pob un o'i phechodau hi wedi eu maddau – ac mae hi wedi dangos cariad mawr ata i.

Ond bach iawn ydy cariad y sawl sydd wedi cael maddeuant am bethau bach."

Wedyn dyma Iesu'n dweud wrth y wraig ei hun, "Mae dy bechodau wedi eu maddau."

300

DYSGEIDIAETH IESU

Diwrnod 255

Pwy roddodd y mwya?

(Marc 12:41-44)

Roedd Iesu yn y deml. Eisteddodd gyferbyn â'r blychau casglu lle roedd pobl yn cyfrannu arian i drysorfa'r deml, a gwylio'r dyrfa yn rhoi eu harian yn y blychau. Roedd llawer o bobl gyfoethog yn rhoi arian mawr. Ond yna daeth gwraig weddw dlawd a rhoi dwy geiniog i mewn, oedd yn werth dim byd bron.

Dyma Iesu'n galw ei ddisgyblion ato a dweud, "Credwch chi fi, mae'r wraig weddw dlawd yna wedi rhoi mwy nag unrhyw un arall. Newid mân oedd pawb arall yn ei roi, gan fod ganddyn nhw hen ddigon dros ben. Ond rhoddodd hon y cwbl oedd ganddi i fyw arno."

301

Diwrnod 256

Peidio poeni
(Mathew 6:19-30)

Meddai Iesu, "Peidiwch casglu trysorau i chi'ch hunain yn y byd yma. Mae gwyfyn a rhwd yn gallu eu difetha, ac mae lladron yn gallu dod â'u dwyn. Casglwch drysorau i chi'ch hunain yn y nefoedd – all gwyfyn a rhwd ddifetha dim byd yno, a does dim lladron yno i ddwyn dim byd. Lle bynnag mae dy drysor di y bydd dy galon di.

"Does neb yn gallu gweithio i ddau feistr gwahanol ar yr un pryd. Mae un yn siŵr o gael y flaenoriaeth ar draul y llall. Allwch chi ddim bod yn was i Dduw ac i arian ar yr un pryd.

"Felly, dyma dw i'n ddweud – peidiwch poeni beth i'w fwyta a beth i'w yfed a beth i'w wisgo. Onid oes mwy i fywyd na bwyd a dillad?

Meddyliwch am adar er enghraifft: Dyn nhw ddim yn hau nac yn medi nac yn storio mewn ysguboriau – ac eto mae eich Tad nefol yn eu bwydo nhw. Dych chi'n llawer mwy gwerthfawr na nhw. Allwch chi ddim hyd yn oed gwneud eich bywyd eiliad yn hirach trwy boeni!

"A pham poeni am ddillad? Meddyliwch sut mae blodau gwyllt yn tyfu. Dydy blodau ddim yn gweithio nac yn nyddu. Ac eto, doedd hyd yn oed y Brenin Solomon yn ei ddillad crand ddim yn edrych mor hardd ag un ohonyn nhw. Os ydy Duw yn gofalu fel yna am flodau gwyllt (sy'n tyfu heddiw, ond yn cael eu llosgi fel tanwydd fory), mae'n siŵr o ofalu amdanoch chi! Ble mae'ch ffydd chi?"

DYSGEIDIAETH IESU

Diwrnod 257

Dw i gyda chi
(Mathew 18:15-20)

Yna dwedodd Iesu, "Os ydy crediniwr arall yn pechu yn dy erbyn, dos i siarad ag e am y peth wyneb yn wyneb – paid dweud wrth neb arall. Os bydd yn gwrando arnat byddi wedi adfer y berthynas rhyngoch. Ond os fydd e ddim yn gwrando arnat, dos ag un neu ddau o bobl gyda ti, achos 'rhaid cael dau neu dri tyst i gadarnhau fod rhywbeth yn wir.'

Os bydd yn dal i wrthod gwrando, dos â'r mater o flaen yr eglwys. Ac os bydd hyd yn oed yn gwrthod gwrando ar yr eglwys, yna dylid ei drin fel pagan neu'r rhai sy'n casglu trethi i Rufain!

"Credwch chi fi, bydd pa bethau bynnag dych chi'n eu rhwystro ar y ddaear wedi eu rhwystro yn y nefoedd, a bydd pa bethau bynnag dych chi'n eu caniatáu ar y ddaear wedi eu caniatáu yn y nefoedd.

"A pheth arall hefyd: Pan mae dau ohonoch chi ar y ddaear yn cytuno i ofyn am arweiniad wrth ddelio ag unrhyw fater, cewch hynny gan fy Nhad yn y nefoedd. Pan mae dau neu dri sy'n perthyn i mi wedi dod at ei gilydd, dw i yna gyda nhw."

303

DYSGEIDIAETH IESU

Diwrnod 258

Bendith fawr
(Mathew 5:1-12)

Pan welodd Iesu yr holl dyrfaoedd, aeth i fyny i ben y mynydd. Pan eisteddodd i lawr, daeth ei ddilynwyr ato, a dechreuodd eu dysgu, a dweud:

"Mae'r rhai sy'n teimlo'n dlawd ac annigonol wedi eu bendithio'n fawr, oherwydd mae'r Un nefol yn teyrnasu yn eu bywydau.

Mae'r rhai sy'n galaru wedi eu bendithio'n fawr, oherwydd byddan nhw'n cael eu cysuro.

Mae'r rhai addfwyn sy'n cael eu gorthrymu wedi eu bendithio'n fawr, oherwydd byddan nhw'n etifeddu'r ddaear.

Mae'r rhai sy'n llwgu a sychedu am gyfiawnder wedi eu bendithio'n fawr, oherwydd byddan nhw'n cael eu bodloni'n llwyr.

Mae'r rhai sy'n dangos trugaredd wedi eu bendithio'n fawr, oherwydd byddan nhw'n cael profi trugaredd eu hunain.

Mae'r rhai sydd â chalon bur wedi eu bendithio'n fawr, oherwydd byddan nhw'n cael gweld Duw.

Mae'r rhai sy'n hyrwyddo heddwch wedi eu

304

DYSGEIDIAETH IESU

bendithio'n fawr, oherwydd byddan nhw'n cael eu galw'n blant Duw.

Mae'r rhai sy'n dioddef erledigaeth am eu bod yn byw'n gyfiawn wedi eu bendithio'n fawr, oherwydd mae'r Un nefol yn teyrnasu yn eu bywydau.

"Pan fydd pobl yn eich sarhau chi, a'ch erlid, ac yn dweud pethau drwg amdanoch chi am eich bod yn perthyn i mi, dych chi wedi'ch bendithio'n fawr! Byddwch yn llawen! Mwynhewch er gwaetha'r cwbl, achos mae gan Dduw yn y nefoedd wobr fawr i chi. Cofiwch fod y proffwydi oedd yn byw ers talwm wedi cael eu herlid yn union yr un fath!

Diwrnod 259

Bod yn halen a golau

(Mathew 5:13-16)

Dwedodd Iesu, "Chi ydy halen y ddaear. Ond pan mae'r halen wedi colli ei flas dydy e'n dda i ddim ond i'w daflu i ffwrdd a'i sathru dan draed.

"Chi ydy'r golau sydd yn y byd. Mae'n amhosib cuddio dinas sydd wedi ei hadeiladu ar ben bryn. A does neb yn goleuo lamp i'w gosod o dan fowlen! Na, dych chi'n gosod lamp ar fwrdd er mwyn iddi roi golau i bawb yn y tŷ. Dyna sut dylai'ch golau chi ddisgleirio, er mwyn i bobl foli'ch Tad yn y nefoedd wrth weld y pethau da dych chi'n eu gwneud."

305

DYSGEIDIAETH IESU

Diwrnod 260

Adeiladu tŷ ar graig
(Mathew 7:24-29)

Dwedodd Iesu, "Dyma sut bobl ydy'r rhai sy'n gwrando arna i ac yna'n gwneud beth dw i'n ei ddweud. Maen nhw fel dyn call sy'n adeiladu ei dŷ ar graig solet. Daeth glaw trwm a llifogydd a gwyntoedd cryf i daro yn erbyn y tŷ hwnnw, ond wnaeth y tŷ ddim syrthio am fod ei sylfeini ar graig solet.

Ond mae pawb sy'n gwrando arna i heb wneud beth dw i'n ei ddweud yn debyg i ddyn dwl sy'n adeiladu ei dŷ ar dywod! Daeth glaw trwm a llifogydd a gwyntoedd cryf i daro yn erbyn y tŷ hwnnw, a syrthiodd y tŷ a chwalu'n llwyr."

Pan oedd Iesu wedi gorffen dweud y pethau yma, roedd y tyrfaoedd yn rhyfeddu at beth roedd yn ei ddysgu. Roedd yn wahanol i'r arbenigwyr yn y Gyfraith – roedd ganddo awdurdod oedd yn gwneud i bobl wrando arno.

306

DYSGEIDIAETH IESU

Diwrnod 261

Y fynedfa gul
(Mathew 7:7-14)

Dwedodd Iesu, "Daliwch ati i ofyn a byddwch yn ei gael; chwiliwch a byddwch yn dod o hyd iddo; curwch ar y drws a bydd yn cael ei agor. Mae pawb sy'n gofyn yn derbyn; pawb sy'n chwilio yn cael; ac mae'r drws yn cael ei agor i bawb sy'n curo.

"Pwy ohonoch chi fyddai'n rhoi carreg i'ch plentyn pan mae'n gofyn am fara? Neu neidr pan mae'n gofyn am bysgodyn? Felly os dych chi sy'n ddrwg yn gwybod sut i roi anrhegion da i'ch plant, mae'ch Tad yn y nefoedd yn siŵr o roi rhoddion da i'r rhai sy'n gofyn iddo!

Dylech chi bob amser drin pobl eraill fel byddech chi'n hoffi iddyn nhw eich trin chi. Mae'n egwyddor sy'n crynhoi popeth mae Cyfraith Moses ac ysgrifau'r proffwydi'n ei ddweud.

"Ewch i mewn drwy'r fynedfa gul. Oherwydd mae'r fynedfa i'r ffordd sy'n arwain i ddinistr yn llydan. Mae'n ddigon hawdd dilyn y ffordd honno, ac mae llawer o bobl yn mynd arni. Ond mae'r fynedfa sy'n arwain i fywyd yn gul, a'r llwybr yn galed. Does ond ychydig o bobl yn dod o hyd iddi."

DYSGEIDIAETH IESU

Diwrnod 262

Dilyn Iesu
(Marc 10:23-31)

Dyma Iesu'n troi at ei ddisgyblion a dweud, "Mae hi mor anodd i bobl gyfoethog adael i Dduw deyrnasu yn eu bywydau!" Roedd y disgyblion wedi eu syfrdanu gan yr hyn roedd yn ei ddweud. Ond dwedodd Iesu eto, "Wyddoch chi beth? Mae pobl yn ei chael hi mor anodd i adael i Dduw deyrnasu yn eu bywydau! Mae'n haws i gamel wthio drwy grau nodwydd nag i bobl gyfoethog adael i Dduw deyrnasu yn eu bywydau."

Roedd y disgyblion yn rhyfeddu fwy fyth, ac yn gofyn i'w gilydd, "Oes gobaith i unrhyw un gael ei achub felly?"

Dyma Iesu'n edrych arnyn nhw, a dweud, "Mae'r peth yn amhosib i bobl ei wneud, ond mae Duw yn gallu! Mae Duw'n gallu gwneud popeth!"

Yna dyma Pedr yn dechrau dweud, "Ond dŷn ni wedi gadael y cwbl i dy ddilyn di!"

"Credwch chi fi," meddai Iesu, "Bydd pwy bynnag sydd wedi mynd oddi cartref a gadael brodyr a chwiorydd, mam neu dad, neu blant neu diroedd er fy mwyn i a'r newyddion da yn derbyn can gwaith cymaint yn y bywyd yma! Bydd yn derbyn cartrefi, brodyr,

DYSGEIDIAETH IESU

chwiorydd, mamau, plant, a thiroedd –
ac erledigaeth ar ben y cwbl. Ond yn yr
oes sydd i ddod byddan nhw'n derbyn
bywyd tragwyddol! Ond bydd llawer o'r
rhai sydd ar y blaen yn cael eu hunain
yn y cefn, a'r rhai sydd yn y cefn yn cael
bod ar y blaen."

Diwrnod 263

Y dyn ifanc cyfoethog
(Mathew 19:16-22)

Daeth dyn at Iesu a gofyn iddo, "Athro,
pa weithred dda sy'n rhaid i mi ei
gwneud i gael bywyd tragwyddol?"

"Pam wyt ti'n gofyn i mi am beth sy'n
dda?" atebodd Iesu. "Does dim ond Un
sy'n dda, a Duw ydy hwnnw. Os wyt
ti eisiau mynd i'r bywyd, ufuddha i'r
gorchmynion."

"Pa rai?" meddai. Atebodd Iesu,
"'Peidio llofruddio, peidio godinebu,
peidio dwyn, peidio rhoi tystiolaeth ffals,
gofalu am dy dad a dy fam,' a 'caru dy
gymydog fel rwyt ti'n dy garu dy hun'."

"Dw i wedi cadw'r rheolau yma i gyd,"
meddai'r dyn ifanc. "Ond mae rhywbeth
ar goll."

Atebodd Iesu, "Os wyt ti am gyrraedd
y nod, dos, a gwertha dy eiddo i gyd
a rho'r arian i bobl dlawd. Wedyn cei
drysor yn y nefoedd. Yna tyrd, dilyn fi."

Pan glywodd y dyn ifanc hyn, cerddodd
i ffwrdd yn siomedig, am ei fod yn ddyn
cyfoethog iawn.

309

Diwrnod 264

Bywyd tragwyddol
(Luc 10:25-28)

Un tro safodd un o'r arbenigwyr yn y Gyfraith ar ei draed i roi prawf ar Iesu. Gofynnodd iddo, "Athro, beth sydd raid i mi ei wneud i gael bywyd tragwyddol?"

Atebodd Iesu, "Beth mae Cyfraith Moses yn ei ddweud? Sut wyt ti'n ei deall?"

Meddai'r dyn: "'Rwyt i garu'r Arglwydd dy Dduw â'th holl galon, ac â'th holl enaid, â'th holl nerth ac â'th holl feddwl,' a 'Rwyt i garu dy gymydog fel rwyt ti'n dy garu dy hun.'"

"Rwyt ti'n iawn!" meddai Iesu. "Gwna hynny a chei di fywyd."

Diwrnod 265

Y Samariad caredig
(Luc 10:29-37)

Ond roedd y dyn eisiau cyfiawnhau ei hun, felly gofynnodd i Iesu, "Ond pwy ydy fy nghymydog i?"

Dyma sut atebodd Iesu: "Roedd dyn yn teithio i lawr o Jerwsalem i Jericho, a dyma ladron yn ymosod arno. Dyma nhw'n dwyn popeth oddi arno, ac yna ei guro cyn dianc. Cafodd ei adael bron marw ar ochr y ffordd.

Dyma offeiriad Iddewig yn digwydd dod heibio, ond pan welodd y dyn yn gorwedd yno croesodd i ochr arall y ffordd a mynd yn ei flaen. A dyma un o Lefiaid y deml yn gwneud yr un peth; aeth i edrych arno, ond yna croesi'r ffordd a mynd yn ei flaen.

Ond wedyn dyma Samariad yn dod i'r fan lle roedd y dyn yn gorwedd. Pan welodd e'r dyn, roedd yn teimlo trueni drosto. Aeth ato a rhwymo cadachau am ei glwyfau, a'u trin gydag olew a gwin. Yna cododd y dyn a'i roi ar gefn ei asyn ei hun, a dod o hyd i lety a gofalu amdano yno. Y diwrnod wedyn rhoddodd ddau ddenariws i berchennog y llety. 'Gofala amdano,' meddai wrtho, 'Ac os bydd costau ychwanegol, gwna i dalu i ti y tro nesa bydda i'n mynd heibio.'

"Felly" meddai Iesu, "yn dy farn di, pa un o'r tri fu'n gymydog i'r dyn wnaeth y lladron ymosod arno?"

Dyma'r arbenigwr yn y Gyfraith yn ateb, "Yr un wnaeth ei helpu."

A dwedodd Iesu, "Dos dithau a gwna'r un fath."

311

DYSGEIDIAETH IESU

Diwrnod 266

Y dyn cyfoethog a Lasarus
(Luc 16:19-31)

Dwedodd Iesu, "Roedd rhyw ddyn cyfoethog oedd bob amser yn gwisgo'r dillad mwya crand ac yn byw yn foethus. Y tu allan i'w dŷ roedd dyn tlawd o'r enw Lasarus yn cael ei adael i gardota; dyn oedd â briwiau dros ei gorff i gyd. Dyna lle roedd, yn disgwyl am unrhyw sbarion bwyd oedd yn cael eu taflu gan y dyn cyfoethog! Byddai cŵn yn dod ato ac yn llyfu'r briwiau agored ar ei gorff.

"Un diwrnod dyma'r cardotyn yn marw, a daeth yr angylion i'w gario i'r nefoedd at Abraham. Ond pan fuodd y dyn cyfoethog farw, a chael ei gladdu, aeth i uffern. Yno roedd yn dioddef yn ofnadwy, ac yn y pellter roedd yn gweld Abraham gyda Lasarus. Gwaeddodd arno, 'Fy nhad Abraham, plîs helpa fi! Anfon Lasarus yma i roi blaen ei fys mewn dŵr a'i roi ar fy nhafod i'w hoeri. Dw i mewn poen ofnadwy yn y tân yma!'

"Ond dyma Abraham yn ei ateb, 'Fy mab, roedd gen ti bopeth roeddet ti eisiau ar y ddaear, ond doedd gan Lasarus ddim byd. Bellach mae e yma'n cael ei gysuro, a tithau'n cael dy

DYSGEIDIAETH IESU

arteithio. A beth bynnag, mae'r hyn rwyt yn ei ofyn yn amhosib achos mae yna agendor enfawr yn ein gwahanu ni. Does neb yn gallu croesi oddi yma atat ti, a does neb yn gallu dod drosodd o lle rwyt ti aton ni chwaith.'

"Felly dyma'r dyn cyfoethog yn dweud, 'Os felly dw i'n ymbil arnat ti, plîs wnei di anfon Lasarus i rybuddio fy nheulu i. Mae gen i bum brawd, a fyddwn i ddim am iddyn nhw ddod i'r lle ofnadwy yma pan fyddan nhw farw.'

"Ond atebodd Abraham, 'Mae Cyfraith Moses ac ysgrifau'r proffwydi yn eu rhybuddio nhw. Does ond rhaid iddyn nhw wrando ar y rheiny.'

"'Na, fy nhad,' meddai'r dyn cyfoethog. 'Petai rhywun sydd wedi marw yn cael ei anfon atyn nhw, bydden nhw'n troi cefn ar eu pechod.'

"Ond meddai Abraham, 'Os ydyn nhw ddim yn gwrando ar Moses a'r Proffwydi, fyddan nhw ddim yn gwrando chwaith os bydd rhywun yn dod yn ôl yn fyw ar ôl marw.'"

313

DYSGEIDIAETH IESU

Diwrnod 267

Efûl cyfoethog
(Luc 12:13-21)

Yna dyma rywun o ganol y dyrfa yn galw arno, "Athro, mae fy mrawd yn gwrthod rhannu'r eiddo mae dad wedi ei adael i ni."

Atebodd Iesu, "Ffrind, pwy wnaeth fi yn farnwr neu'n ganolwr i sortio rhyw broblem felly rhyngoch chi'ch dau?" Yna dwedodd, "Gwyliwch eich hunain! Mae'r awydd i gael mwy a mwy o bethau yn beryglus. Dim faint o bethau sydd gynnoch chi sy'n rhoi bywyd go iawn i chi."

A dwedodd stori wrthyn nhw: "Roedd rhyw ddyn cyfoethog yn berchen tir, a chafodd gnwd arbennig o dda un cynhaeaf. 'Does gen i ddim digon o le i storio'r cwbl,' meddai. 'Beth wna i?'

"'Dw i'n gwybod! Tynnu'r hen ysguboriau i lawr, ac adeiladau rhai mwy yn eu lle! Bydd gen i ddigon o le i storio popeth wedyn. Yna bydda i'n gallu eistedd yn ôl a dweud wrtho i'n hun, "Mae gen i ddigon i bara am flynyddoedd lawer. Dw i'n mynd i ymlacio a mwynhau fy hun yn bwyta ac yn yfed.'"

"Ond dyma Duw yn dweud wrtho, 'Y ffŵl dwl! Heno ydy'r noson rwyt ti'n mynd i farw. Pwy fydd yn cael y cwbl rwyt ti wedi ei gasglu i ti dy hun?'

"Ie, fel yna bydd hi ar bobl sy'n casglu cyfoeth iddyn nhw eu hunain ond sy'n dlawd mewn gwirionedd, am eu bod heb Dduw."

DYSGEIDIAETH IESU

Diwrnod 268

Bod yn barod am y meistr
(Luc 12:35-40)

Dwedodd Iesu, "Byddwch yn barod bob amser; a cadwch eich lampau yn olau, fel petaech yn disgwyl i'r meistr gyrraedd adre o wledd briodas. Pan fydd yn cyrraedd ac yn curo'r drws, byddwch yn gallu agor y drws yn syth. Bydd y gweision hynny sy'n effro ac yn disgwyl am y meistr yn cael eu gwobrwyo – wir i chi, bydd y meistr yn mynd ati i weini arnyn nhw, a byddan nhw'n eistedd wrth y bwrdd i fwyta! Falle y bydd hi'n oriau mân y bore pan fydd yn cyrraedd, ond bydd y gweision sy'n effro yn cael eu gwobrwyo.

"Meddyliwch! Petai perchennog y tŷ yn gwybod ymlaen llaw pryd roedd y lleidr yn dod, byddai wedi ei rwystro rhag torri i mewn i'w dŷ! Rhaid i chi fod yn barod drwy'r adeg, achos bydda i, Mab y Dyn, yn cyrraedd pan fyddwch chi ddim yn disgwyl!"

Diwrnod 269

Gweision ffyddlon
(Luc 12:41-46)

Gofynnodd Pedr, "Ydy'r stori yma i ni yn unig neu i bawb?"

Atebodd yr Arglwydd, "Pwy ydy'r rheolwr doeth mae'r meistr yn gallu dibynnu arno? Mae wedi ei benodi i fod yn gyfrifol am y gweision i gyd, ac i'w bwydo'n rheolaidd. Ac os bydd yn gwneud ei waith yn iawn pan ddaw'r meistr yn ôl, bydd yn cael ei wobrwyo. Wir i chi, bydd yn cael y cyfrifoldeb o ofalu am eiddo'r meistr i gyd!

"Ond beth petai'r gwas yn meddwl wrtho'i hun, 'Mae'r meistr yn hir iawn yn cyrraedd,' ac yn mynd ati i gamdrin y gweision a'r morynion eraill, ac i bartïo ac yfed a meddwi? Byddai'r meistr yn dod yn ôl yn gwbl ddirybudd, a'i gosbi'n llym a'i daflu allan gyda'r rhai sydd ddim yn credu."

315

Diwrnod 270

Y wledd fawr

(Luc 14:15-24)

Un Saboth, roedd Iesu wedi mynd am bryd o fwyd i gartref un o arweinwyr y Phariseaid. Dyma un o'r bobl oedd yn eistedd wrth y bwrdd yn dweud wrth Iesu, "Mae'r rhai fydd yn cael bwyta yn y wledd pan ddaw Duw i deyrnasu wedi eu bendithio'n fawr!"

Atebodd Iesu: "Roedd rhyw ddyn wedi trefnu gwledd fawr a gwahodd llawer o bobl iddi. Pan oedd popeth yn barod, anfonodd ei was i ddweud wrth y rhai oedd wedi cael gwahoddiad, 'Dewch, mae'r wledd yn barod.'

"Ond dyma bob un ohonyn nhw yn dechrau hel esgusion. Dyma un yn dweud, 'Dw i newydd brynu ychydig o dir, ac mae'n rhaid i mi fynd i'w weld. Wnei di f'esgusodi fi os gweli di'n dda?'

"Dyma un arall yn dweud, 'Dw i newydd brynu pum pâr o ychen, a dw i'n mynd i roi prawf arnyn nhw. Wnei di f'esgusodi fi os gweli di'n dda?'

"A dyma un arall eto yn dweud, 'Dw i newydd briodi, felly alla i ddim dod.'

"Felly dyma'r gwas yn mynd yn ôl a dweud wrth ei feistr beth oedd wedi digwydd. Roedd y meistr wedi gwylltio, ac meddai wrth y gwas, 'Dos i'r dre ar unwaith, a thyrd â'r bobl sy'n cardota ar y strydoedd i mewn yma – y tlawd, y methedig, pobl sy'n gloff ac yn ddall.'

"Pan ddaeth y gwas yn ôl dwedodd wrth ei feistr, 'Syr, dw i wedi gwneud beth ddwedaist ti, ond mae yna le ar ôl o hyd.'

"Felly dyma'r meistr yn dweud, 'Dos allan o'r ddinas, i'r ffyrdd a'r lonydd yng nghefn gwlad. Perswadia'r bobl sydd yno i ddod. Dw i eisiau i'r tŷ fod yn llawn. Fydd yna ddim lle i neb o'r bobl hynny gafodd eu gwahodd! Fyddan nhw ddim yn cael tamaid o'r wledd dw i wedi ei threfnu.'"

317

DYSGEIDIAETH IESU

Diwrnod 271

Y morynion priodas

(Mathew 25:1-13)

"Pan fydd yr Un nefol yn dod i deyrnasu, bydd yr un fath â deg morwyn briodas yn mynd allan gyda lampau yn y nos i gyfarfod â'r priodfab. Roedd pump ohonyn nhw'n ddwl, a phump yn gall. Aeth y rhai dwl allan heb olew sbâr. Ond roedd y lleill yn ddigon call i fynd ag olew sbâr gyda nhw.

Roedd y priodfab yn hir iawn yn cyrraedd, ac felly dyma nhw i gyd yn dechrau pendwmpian a disgyn i gysgu.

"Am hanner nos dyma rhywun yn gweiddi'n uchel: 'Mae'r priodfab wedi cyrraedd! Dewch allan i'w gyfarfod!'

"Dyma'r merched yn deffro ac yn goleuo eu lampau eto. Ond meddai'r morynion dwl wrth y rhai call, 'Rhowch beth o'ch olew chi i ni! Mae'n lampau ni'n diffodd!'

"'Na wir,' meddai'r lleill, 'fydd gan neb ddigon wedyn. Rhaid i chi fynd i brynu peth yn rhywle.'

"Ond tra roedden nhw allan yn prynu mwy o olew, dyma'r priodfab yn cyrraedd. Aeth y morynion oedd yn barod i mewn i'r wledd briodas gydag e, a dyma'r drws yn cael ei gau.

"Yn nes ymlaen cyrhaeddodd y lleill yn ôl, a dyma nhw'n galw, 'Syr! Syr! Agor y drws i ni!'

"Ond dyma'r priodfab yn ateb, 'Ond dw i ddim yn eich nabod chi!'

"Gwyliwch eich hunain felly! Dych chi ddim yn gwybod y dyddiad na'r amser o'r dydd pan fydda i'n dod yn ôl.

DYSGEIDIAETH IESU

Diwrnod 272

Amserau anodd i ddod

(Mathew 24:3-14)

Yn nes ymlaen, pan oedd Iesu'n eistedd ar ochr Mynydd yr Olewydd, daeth ei ddisgyblion ato yn breifat a gofyn, "Pryd mae beth roeddet ti'n sôn amdano yn mynd i ddigwydd? Fydd unrhyw rybudd i ddangos i ni dy fod di'n dod, a bod diwedd y byd wedi cyrraedd?"

Atebodd Iesu: "Gwyliwch fod neb yn eich twyllo chi. Bydd llawer yn dod yn hawlio fy awdurdod i, ac yn dweud, 'Fi ydy'r Meseia,' a byddan nhw'n llwyddo i dwyllo llawer o bobl. Bydd rhyfeloedd a byddwch yn clywed sôn am ryfeloedd. Ond peidiwch cynhyrfu – mae pethau felly'n siŵr o ddigwydd, ond fydd y diwedd yn dal heb ddod. Bydd gwledydd a llywodraethau yn rhyfela yn erbyn ei gilydd. Bydd newyn mewn gwahanol leoedd, a daeargrynfeydd. Dim ond y dechrau ydy hyn i gyd!

"Cewch eich arestio a'ch cam-drin a'ch lladd. Bydd pobl ym mhob gwlad yn eich casáu chi am eich bod yn ddilynwyr i mi. Bydd llawer yn troi cefn arna i bryd hynny, ac yn bradychu a casáu ei gilydd. Bydd proffwydi ffug yn codi ac yn twyllo llawer iawn o bobl. Bydd mwy a mwy o ddrygioni, bydd cariad y rhan fwyaf yn oeri, ond bydd yr un sy'n sefyll yn gadarn i'r diwedd un yn cael ei achub. A bydd y newyddion da am deyrnasiad Duw yn cael ei gyhoeddi drwy'r byd i gyd. Bydd pob gwlad yn ei glywed, a dim ond wedyn fydd y diwedd yn dod."

DYSGEIDIAETH IESU

Diwrnod 273

Y brenin wnaeth faddau
(Mathew 18:21-27)

Gofynnodd Pedr i Iesu, "Arglwydd, sawl gwaith ddylwn i faddau i frawd neu chwaer sy'n dal i bechu yn fy erbyn? Gymaint â saith gwaith?"

Atebodd Iesu, "Na, wir i ti, dim saith gwaith, ond o leia saith deg saith gwaith!

"Dyna sut mae'r Un nefol yn teyrnasu – mae fel brenin oedd wedi benthyg arian i'w swyddogion, ac am archwilio'r cyfrifon. Roedd newydd ddechrau ar y

320

DYSGEIDIAETH IESU

gwaith pan ddaethon nhw â dyn o'i flaen oedd mewn dyled o filiynau lawer iddo. Doedd y swyddog ddim yn gallu talu'r ddyled, felly gorchmynnodd y meistr i'r dyn a'i wraig a'i blant gael eu gwerthu yn gaethweision, a bod y cwbl o'i eiddo i gael ei werthu hefyd, i dalu'r ddyled.

"Syrthiodd y dyn ar ei liniau o'i flaen, a phledio, 'Rho amser i mi, a tala i'r cwbl yn ôl i ti.' Roedd y brenin yn teimlo trueni drosto, felly canslodd y ddyled gyfan a gadael iddo fynd yn rhydd."

Diwrnod 274

Y gwas cas
(Mathew 18:28-35)

Aeth Iesu yn ei flaen i ddweud, "Pan aeth y dyn allan, daeth ar draws un o'i gydweithwyr oedd mewn dyled fechan iddo. Gafaelodd ynddo a dechrau ei dagu, gan ddweud 'Pryd wyt ti'n mynd i dalu dy ddyled i mi?'

"Dyma'r cydweithiwr yn syrthio ar ei liniau a chrefu, 'Rho amser i mi, a tala i'r cwbl yn ôl i ti.'

"Ond gwrthododd y dyn wrando arno. Yn lle hynny, aeth â'r mater at yr awdurdodau, a cafodd ei gydweithiwr ei daflu i'r carchar nes gallai dalu'r ddyled.

"Roedd y gweision eraill wedi ypsetio'n fawr pan welon nhw beth ddigwyddodd, a dyma nhw'n mynd ac yn dweud y cwbl wrth y brenin.

"Felly dyma'r brenin yn galw'r dyn yn ôl. 'Y cnaf drwg!' meddai wrtho, 'wnes i ganslo dy ddyled di yn llwyr am i ti grefu mor daer o mlaen i. Ddylet ti ddim maddau i dy gydweithiwr fel gwnes i faddau i ti?'

"Roedd y brenin yn gandryll, felly gorchmynnodd daflu'r swyddog i'r carchar i gael ei arteithio, nes iddo dalu'r cwbl o'r ddyled yn ôl.

"Dyna sut fydd fy Nhad nefol yn delio gyda chi os na wnewch chi faddau'n llwyr i'ch gilydd."

Diwrnod 275

Y deg gwas
(Luc 19:11-14)

Roedd y dyrfa'n gwrando ar bopeth roedd Iesu'n ei ddweud. Gan ei fod yn dod yn agos at Jerwsalem, dwedodd stori wrthyn nhw i gywiro'r syniad oedd gan bobl fod teyrnasiad Duw yn mynd i ddod unrhyw funud. Dyma'r stori: "Roedd rhyw ddyn pwysig aeth i ffwrdd i wlad bell i gael ei wneud yn frenin ar ei bobl. Ond cyn mynd, galwodd ddeg o'i weision ato a rhannu swm o arian rhyngddyn nhw. 'Defnyddiwch yr arian yma i farchnata ar fy rhan, nes dof i yn ôl adre,' meddai.

"Ond roedd ei bobl yn ei gasáu, a dyma nhw'n anfon cynrychiolwyr ar ei ôl i ddweud eu bod nhw ddim eisiau iddo fod yn frenin arnyn nhw.

Diwrnod 276

Gwneud job dda
(Luc 19:15-26)

Aeth Iesu yn ei flaen i orffen y stori, "Cafodd y dyn ei wneud yn frenin, a phan ddaeth adre galwodd ato y gweision hynny oedd wedi rhoi'r arian iddyn nhw. Roedd eisiau gwybod a oedden nhw wedi llwyddo i wneud elw.

"Dyma'r cyntaf yn dod, ac yn dweud ei fod wedi llwyddo i wneud elw mawr – deg gwaith cymaint â'r swm gwreiddiol!

"'Da iawn ti!' meddai'r meistr, 'Rwyt ti'n weithiwr da. Gan dy fod di wedi bod yn ffyddlon wrth drin yr ychydig rois i yn dy ofal di, dw i am dy wneud di'n rheolwr ar ddeg dinas.'

"Wedyn dyma'r ail yn dod ac yn dweud ei fod yntau wedi gwneud elw – pum gwaith cymaint â'r swm gwreiddiol.

'Da iawn ti!' meddai'r meistr, 'Dw i am dy osod di yn rheolwr ar bum dinas.'

"Wedyn dyma was arall yn dod ac yn rhoi'r arian oedd wedi ei gael yn ôl i'w feistr, a dweud, 'Dw i wedi cadw'r arian yn saff i ti. Roedd gen i ofn gwneud colled gan dy fod di'n ddyn caled. Rwyt ti'n ecsbloetio pobl, ac yn dwyn eu cnydau nhw.'

"Atebodd y meistr, 'Dw i'n ddyn caled ydw i? Iawn! Dyna sut cei di dy drin gan dy fod ti'n was da i ddim!

Pam wnest ti ddim rhoi'r arian mewn cyfri banc? Byddwn i o leia wedi ei gael yn ôl gyda rhyw fymryn o log!'

"Felly dyma'r brenin yn rhoi gorchymyn i'r rhai eraill oedd yn sefyll yno, 'Cymerwch yr arian oddi arno, a'i roi i'r un oedd wedi gwneud y mwya o elw!'

"'Ond feistr,' medden nhw, 'Mae gan hwnnw hen ddigon yn barod!'

"Atebodd y meistr nhw, 'Bydd y rhai sydd wedi gwneud defnydd da o beth sydd ganddyn nhw yn derbyn mwy; ond am y rhai sy'n gwneud dim byd, bydd hyd yn oed yr ychydig sydd ganddyn nhw'n cael ei gymryd oddi arnyn nhw!'"

DYSGEIDIAETH IESU

Diwrnod 277

Y dyn oedd â llaw ddiffrwyth

(Marc 3:1-6)

Dro arall eto pan aeth Iesu i'r synagog, roedd yno ddyn oedd â'i law yn ddiffrwyth. Roedd yna rai yn gwylio Iesu'n ofalus i weld a fyddai'n iacháu'r dyn ar y Saboth. Roedden nhw'n edrych am unrhyw esgus i'w gyhuddo! Dyma Iesu'n galw'r dyn ato, "Tyrd i sefyll yma'n y canol."

Wedyn dyma Iesu'n gofyn i'r rhai oedd eisiau ei gyhuddo, "Beth mae'r Gyfraith yn ei ddweud sy'n iawn i'w wneud ar y dydd Saboth: pethau da neu bethau drwg? Achub bywyd neu ladd?" Ond wnaeth neb ateb.

Edrychodd Iesu arnyn nhw bob yn un – roedd yn ddig ac wedi cynhyrfu drwyddo am eu bod mor ystyfnig. Yna dwedodd wrth y dyn, "Estyn dy law allan." Ac wrth i'r dyn wneud hynny cafodd y llaw ei gwella'n llwyr.

Dyma'r Phariseaid yn mynd allan ar unwaith i drafod gyda chefnogwyr Herod sut allen nhw ladd Iesu.

323

GWYRTHIAU IESU

Diwrnod 278

Iesu'n iacháu dau ddyn dall

(Mathew 9:27-34)

Pan aeth Iesu yn ei flaen oddi yno dyma ddau ddyn dall yn ei ddilyn, gan weiddi'n uchel, "Helpa ni, Fab Dafydd!"

Ar ôl mynd i mewn i'r tŷ, dyma'r dynion yn dod ato, a gofynnodd iddyn nhw, "Ydych chi'n credu go iawn y galla i wneud hyn?"

"Ydyn, Arglwydd," medden nhw.

Yna cyffyrddodd eu llygaid nhw a dweud, "Cewch beth dych wedi ei gredu sy'n bosib," ac roedden nhw'n gallu gweld eto. Dyma Iesu'n eu rhybuddio'n llym, "Gwnewch yn siŵr fod neb yn gwybod am hyn." Ond pan aethon nhw allan, dyma nhw'n dweud wrth bawb drwy'r ardal i gyd amdano.

Wrth iddyn nhw adael, dyma rhyw bobl yn dod â dyn at Iesu oedd yn methu siarad am ei fod yng ngafael cythraul. Pan gafodd y cythraul ei fwrw allan ohono, dyma'r dyn yn dechrau siarad. Roedd y dyrfa wedi ei syfrdanu, a phobl yn dweud, "Does dim byd tebyg i hyn wedi digwydd yn Israel erioed o'r blaen."

Ond roedd y Phariseaid yn dweud, "Tywysog y cythreuliaid sy'n rhoi'r gallu iddo wneud hyn."

GWYRTHIAU IESU

325

GWYRTHIAU IESU

Diwrnod 279

Gwraig oedd yn sâl
(Marc 5:21-34)

Ar ôl i Iesu groesi mewn cwch yn ôl i ochr arall Llyn Galilea, dyma dyrfa fawr yn casglu o'i gwmpas ar lan y dŵr. Daeth un o arweinwyr y synagog ato, dyn o'r enw Jairus. Aeth ar ei liniau o flaen Iesu a phledio'n daer, "Mae fy merch fach i'n marw. Plîs tyrd i'w hiacháu drwy roi dy ddwylo arni, iddi gael byw." Felly aeth Iesu gyda'r dyn.

Roedd tyrfa fawr o bobl o'i gwmpas yn gwthio o bob cyfeiriad.

Yn eu canol roedd gwraig oedd wedi bod â gwaedlif arni ers deuddeng mlynedd. Roedd hi wedi dioddef yn ofnadwy dan ofal llawer o feddygon, ac wedi gwario ei harian i gyd ar gael ei thrin, ond yn lle gwella roedd hi wedi mynd o ddrwg i waeth. Roedd wedi clywed am Iesu, a sleifiodd y tu ôl iddo yng nghanol y dyrfa, gan feddwl, "Dim ond i mi lwyddo i gyffwrdd ei ddillad, ca i fy iacháu." Pan lwyddodd i gyffwrdd ymyl ei glogyn dyma'r gwaedu yn stopio'n syth. Roedd hi'n gallu teimlo ei bod wedi ei hiacháu.

Sylweddolodd Iesu fod nerth wedi llifo allan ohono, a throdd yng nghanol y dyrfa a gofyn, "Pwy gyffyrddodd fy nillad i?"

Atebodd ei ddisgyblion, "Sut alli di ofyn y fath gwestiwn a'r dyrfa yma'n gwthio o dy gwmpas di?"

Ond roedd Iesu'n dal i edrych o gwmpas i weld pwy oedd wedi ei gyffwrdd. Roedd y wraig yn gwybod yn iawn beth oedd wedi digwydd iddi, ac felly dyma hi'n dod ac yn syrthio o'i flaen yn dal i grynu. Dwedodd yr hanes i gyd wrtho.

Yna meddai e wrthi, "Wraig annwyl, am i ti gredu rwyt wedi dy iacháu. Dos adre! Bendith Duw arnat ti! Mae'r dioddef ar ben."

326

327

GWYRTHIAU IESU

Diwrnod 280

Merch oedd yn marw

(Marc 5:35-43)

Tra roedd Iesu'n siarad, roedd rhyw bobl o dŷ Jairus wedi cyrraedd, a dweud wrtho, "Mae dy ferch wedi marw, felly does dim pwynt poeni'r athro ddim mwy."

Ond chymerodd Iesu ddim sylw o beth gafodd ei ddweud, dim ond dweud wrth Jairus, "Paid bod ofn; dalia i gredu."

Dim ond Pedr, a Iago a'i frawd Ioan gafodd fynd yn eu blaenau gyda Iesu. Dyma nhw'n cyrraedd cartref Jairus, ac roedd y lle mewn cynnwrf, a phobl yn crïo ac yn udo mewn galar. Pan aeth Iesu i mewn dwedodd wrthyn nhw, "Beth ydy'r holl sŵn yma? Pam dych chi'n crïo? Dydy'r ferch fach ddim wedi marw – cysgu mae hi!" Dechreuodd pobl chwerthin am ei ben, ond dyma Iesu'n eu hanfon nhw i gyd allan o'r tŷ.

Yna aeth a'r tad a'r fam a'r tri disgybl i mewn i'r ystafell lle roedd y ferch fach. Gafaelodd yn ei llaw, a dweud wrthi, "Talitha cŵm" (sef, "Cod ar dy draed, ferch fach!") A dyma'r ferch, oedd yn ddeuddeg oed, yn codi ar ei thraed a dechrau cerdded o gwmpas. Roedd y rhieni a'r disgyblion wedi eu syfrdanu'n llwyr. Rhybuddiodd Iesu nhw i beidio dweud wrth neb beth oedd wedi digwydd; yna dwedodd "Rhowch rywbeth i'w fwyta iddi."

328

GWYRTHIAU IESU

329

GWYRTHIAU IESU

Diwrnod 281

Iesu'n tawelu storm
(Marc 4:35-41)

Yn hwyr y p'nawn hwnnw, dwedodd Iesu wrth ei ddisgyblion, "Gadewch i ni groesi i ochr draw'r llyn." Felly dyma nhw'n gadael y dyrfa, a mynd gyda Iesu yn y cwch. Aeth cychod eraill gyda nhw hefyd.

Yn sydyn cododd storm ofnadwy. Roedd y tonnau mor wyllt nes bod dŵr yn dod i mewn i'r cwch ac roedd mewn peryg o suddo. Ond roedd Iesu'n cysgu'n drwm drwy'r cwbl ar glustog yn starn y cwch. Dyma'r disgyblion mewn panig yn ei ddeffro, "Athro, wyt ti ddim yn poeni ein bod ni'n mynd i foddi?"

Cododd Iesu a cheryddu'r gwynt, a dweud wrth y tonnau, "Distaw! Byddwch lonydd!" Ac yn sydyn stopiodd y gwynt chwythu ac roedd pobman yn hollol dawel.

GWYRTHIAU IESU

Yna meddai wrth ei ddisgyblion, "Pam
dych chi mor ofnus? Ydych chi'n dal
ddim yn credu?"
Roedden nhw wedi eu syfrdanu'n llwyr.
"Pwy ydy hwn?" medden nhw, "Mae
hyd yn oed y gwynt a'r tonnau yn
ufuddhau iddo!"

331

GWYRTHIAU IESU

Diwrnod 282

Y dyn gwyllt yn y fynwent
(Marc 5:1-13)

Dyma Iesu a'i ddisgyblion yn croesi'r llyn i ardal Gerasa.

Wrth i Iesu gamu allan o'r cwch, dyma ddyn oedd ag ysbryd drwg ynddo yn dod ato o gyfeiriad y fynwent – yno roedd yn byw, yng nghanol y beddau. Roedd yn aml yn cael ei rwymo gyda chadwyni am ei ddwylo a'i draed, ond lawer gwaith roedd wedi llwyddo i dorri'r cadwyni a

GWYRTHIAU IESU

dianc. Doedd neb yn gallu ei gadw dan reolaeth. A dyna lle roedd, ddydd a nos, yn y fynwent ac ar y bryniau cyfagos yn sgrechian ac anafu ei hun â cherrig.

Rhedodd y dyn at Iesu a phlygu ar lawr o'i flaen. Rhoddodd sgrech a gwaeddodd nerth ei ben, "Gad di lonydd i mi, Iesu, mab y Duw Goruchaf!" (Roedd Iesu newydd orchymyn i'r ysbryd drwg ddod allan o'r dyn.)

Gofynnodd Iesu iddo wedyn, "Beth ydy dy enw di?"

"Lleng ydw i," atebodd, "achos mae llawer iawn ohonon ni yma." Roedd yr ysbrydion drwg yn crefu ar i Iesu i beidio eu hanfon nhw i ffwrdd o'r ardal, ac yn pledio arno, "Anfon ni i'r moch acw; gad i ni fyw ynddyn nhw."

Dyma Iesu'n rhoi caniatâd iddyn nhw fynd, ac allan a'r ysbrydion drwg o'r dyn i mewn i'r moch. Dyma'r moch i gyd, tua dwy fil ohonyn nhw, yn rhuthro i lawr y llechwedd serth i mewn i'r llyn, a boddi.

GWYRTHIAU IESU

334

GWYRTHIAU IESU

Diwrnod 283

Herodias yn dial

(Marc 6:14-29)

Roedd y Brenin Herod wedi clywed am beth oedd yn digwydd, am fod pawb yn gwybod am Iesu. Roedd rhai yn dweud, "Ioan Fedyddiwr sydd wedi dod yn ôl yn fyw. Dyna pam mae'n gallu gwneud gwyrthiau." A pan glywodd Herod beth oedd Iesu'n ei wneud, dwedodd ar unwaith "Ioan ydy e! Torrais ei ben i ffwrdd ac mae wedi dod yn ôl yn fyw!"

Herod oedd wedi gorchymyn i Ioan Fedyddiwr gael ei arestio a'i roi yn y carchar. Roedd wedi gwneud hynny o achos ei berthynas â Herodias. Er ei bod yn wraig i'w frawd Philip, roedd Herod wedi ei phriodi. Roedd Ioan wedi dweud wrtho dro ar ôl tro, "Dydy'r Gyfraith ddim yn caniatáu i ti gymryd gwraig dy frawd." Felly roedd Herodias yn dal dig yn erbyn Ioan, ac eisiau ei ladd. Ond roedd gan Herod barch mawr at Ioan. Roedd yn gwybod fod Ioan yn ddyn duwiol a chyfiawn.

Ond gwelodd Herodias ei chyfle pan oedd Herod yn dathlu ei ben-blwydd. Yn ystod y dathlu dyma ferch Herodias yn perfformio dawns. Roedd hi wedi plesio Herod a'i westeion yn fawr. Dwedodd wrthi, "Cei di beth bynnag rwyt ti eisiau, hyd yn oed hanner y deyrnas!"

Aeth y ferch allan at ei mam, "Am beth wna i ofyn?", meddai wrthi.

"Gofyn iddo dorri pen Ioan Fedyddiwr," meddai ei mam.

Felly dyma hi yn brysio'n ôl i mewn at y brenin, gyda'i chais: "Dw i eisiau i ti dorri pen Ioan Fedyddiwr nawr, a'i roi i mi ar hambwrdd."

Doedd y brenin ddim yn hapus o gwbl. Ond am ei fod wedi addo ar lw o flaen ei westeion, doedd ganddo mo'r wyneb i'w gwrthod hi. Felly dyma fe'n anfon un o'i filwyr ar unwaith i ddienyddio Ioan.

Aeth y milwr i'r carchar a thorri pen Ioan i ffwrdd. Daeth yn ei ôl gyda'r pen ar hambwrdd a'i roi i'r ferch, ac aeth hithau ag e i'w mam. Pan glywodd disgyblion Ioan beth oedd wedi digwydd dyma nhw'n cymryd y corff a'i roi mewn bedd.

Diwrnod 284

Gwaith dilynwyr Iesu

(Luc 10:1-12)

Ar ôl hyn dyma Iesu'n penodi saith deg dau o rai eraill a'u hanfon o'i flaen bob yn ddau i'r lleoedd roedd ar fin mynd iddyn nhw. Meddai wrthyn nhw, "Mae'r cynhaeaf mor fawr, a'r gweithwyr mor brin! Felly, gofynnwch i Arglwydd y cynhaeaf anfon mwy o weithwyr i'w feysydd. Ewch! Dw i'n eich anfon chi allan fel ŵyn i ganol pac o fleiddiaid. Peidiwch mynd â phwrs na bag teithio na sandalau gyda chi; a pheidiwch stopio i gyfarch neb ar y ffordd.

GWYRTHIAU IESU

"Pan ewch i mewn i gartre rhywun, gofynnwch i Dduw fendithio'r cartref hwnnw cyn gwneud unrhyw beth arall. Os oes rhywun yna sy'n agored i dderbyn y fendith, bydd yn cael ei fendithio; ond os oes neb, bydd y fendith yn dod yn ôl arnoch chi. Peidiwch symud o gwmpas o un tŷ i'r llall; arhoswch yn yr un lle, gan fwyta ac yfed beth bynnag sy'n cael ei roi o'ch blaen chi. Mae gweithiwr yn haeddu ei gyflog.

"Os byddwch yn cael croeso mewn rhyw dref, bwytwch beth bynnag sy'n cael ei roi o'ch blaen chi. Ewch ati i iacháu y rhai sy'n glaf yno, a dweud wrthyn nhw, 'Mae Duw ar fin dod i deyrnasu.' Ond os ewch i mewn i ryw dref heb gael dim croeso yno, ewch allan i'w strydoedd a dweud, 'Dŷn ni'n sychu llwch eich tref chi i ffwrdd oddi ar ein traed ni, fel arwydd yn eich erbyn chi! Ond gallwch fod yn reit siŵr o hyn – bod Duw ar fin dod i deyrnasu!'

Pan ddaeth y saith deg dau yn ôl, dyma nhw'n dweud yn frwd, "Arglwydd, mae hyd yn oed y cythreuliaid yn ufuddhau i ni wrth i ni dy enwi di."

Atebodd Iesu, "Peidiwch bod yn llawen am fod ysbrydion drwg yn ufuddhau i chi; y rheswm dros fod yn llawen ydy bod eich enwau wedi eu hysgrifennu yn y nefoedd."

337

GWYRTHIAU IESU

Diwrnod 285

Iesu'n diolch i Dduw, ei dad
(Luc 10:21-24)

Bryd hynny roedd Iesu'n fwrlwm o lawenydd yr Ysbryd Glân, ac meddai "Fy Nhad. Arglwydd y nefoedd a'r ddaear. Diolch i ti am guddio'r pethau yma oddi wrth y bobl sy'n meddwl eu bod nhw mor ddoeth a chlyfar, a'u dangos i'r rhai sy'n agored fel plant bach. Ie, fy Nhad, dyna sy'n dy blesio di.

"Mae fy Nhad wedi rhoi popeth yn fy ngofal i. Does neb yn nabod y Mab go iawn ond y Tad, a does neb yn nabod y Tad go iawn ond y Mab, a'r rhai hynny mae'r Mab wedi dewis ei ddangos iddyn nhw."

Pan oedden nhw ar eu pennau eu hunain trodd at ei ddisgyblion a dweud, "Dych chi'n cael y fath fraint o weld beth sy'n digwydd! Dw i'n dweud wrthoch chi fod llawer o broffwydi a brenhinoedd wedi bod yn ysu am gael gweld beth dych chi'n ei weld a chlywed beth dych chi'n ei glywed, ond chawson nhw ddim."

GWYRTHIAU IESU

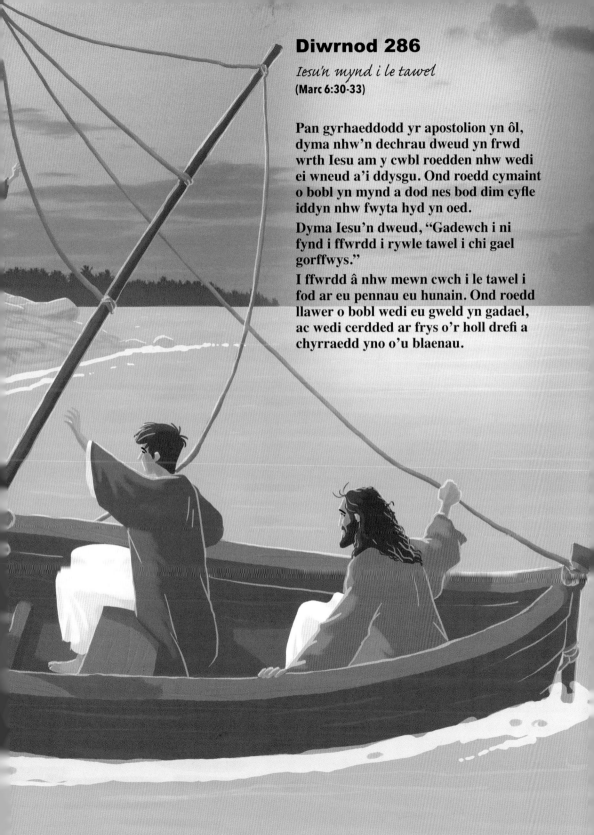

Diwrnod 286

Iesu'n mynd i le tawel
(Marc 6:30-33)

Pan gyrhaeddodd yr apostolion yn ôl, dyma nhw'n dechrau dweud yn frwd wrth Iesu am y cwbl roedden nhw wedi ei wneud a'i ddysgu. Ond roedd cymaint o bobl yn mynd a dod nes bod dim cyfle iddyn nhw fwyta hyd yn oed.

Dyma Iesu'n dweud, "Gadewch i ni fynd i ffwrdd i rywle tawel i chi gael gorffwys."

I ffwrdd â nhw mewn cwch i le tawel i fod ar eu pennau eu hunain. Ond roedd llawer o bobl wedi eu gweld yn gadael, ac wedi cerdded ar frys o'r holl drefi a chyrraedd yno o'u blaenau.

339

GWYRTHIAU IESU

Diwrnod 287

Pobl oedd eisiau bwyd

(Marc 6:34-38; Ioan 6:5-9)

Pan gyrhaeddodd Iesu'r lan a gweld y dyrfa fawr yno, roedd yn teimlo i'r byw drostyn nhw, am eu bod fel defaid heb fugail i ofalu amdanyn nhw. Felly treuliodd amser yn dysgu llawer o bethau iddyn nhw.

Roedd hi'n mynd yn hwyr, felly dyma'i ddisgyblion yn dod ato a dweud, "Mae'r lle yma'n anial, ac mae'n mynd yn hwyr.

GWYRTHIAU IESU

Anfon y bobl i ffwrdd i'r pentrefi sydd o gwmpas, iddyn nhw gael mynd i brynu rhywbeth i'w fwyta."

Ond atebodd Iesu, "Rhowch chi rywbeth i'w fwyta iddyn nhw."

"Beth? Ni?" medden nhw, "Byddai'n costio ffortiwn i gael bwyd iddyn nhw i gyd!"

Yna dyma Andreas (brawd Simon Pedr), yn dweud, "Mae bachgen yma sydd â phum torth haidd a dau bysgodyn bach ganddo. Ond dydy hynny fawr o werth hefo cymaint o bobl!"

341

GWYRTHIAU IESU

Diwrnod 288

Pum torth a dau bysgodyn
(Marc 6:39-44, Ioan 6:10-14)

Roedd digon o laswellt lle roedden nhw, a dyma'r dyrfa (oedd yn cynnwys tua pum mil o ddynion) yn eistedd. Yna cymerodd Iesu y torthau, ac ar ôl dweud gweddi o ddiolch, eu rhannu i'r bobl. Yna gwnaeth yr un peth gyda'r pysgod, a chafodd pawb cymaint ag oedd arnyn nhw eisiau.

Ar ôl i bawb gael llond eu boliau, dwedodd Iesu wrth ei ddisgyblion, "Casglwch y tameidiau sydd dros ben. Peidiwch gwastraffu dim." Felly dyma nhw'n eu casglu a llenwi deuddeg basged gyda'r tameidiau o'r pum torth haidd oedd heb eu bwyta.

Ar ôl i'r bobl weld yr arwydd gwyrthiol hwn, roedden nhw'n dweud, "Mae'n rhaid mai hwn ydy'r Proffwyd ddwedodd Moses ei fod yn dod i'r byd."

342

GWYRTHIAU IESU

Diwrnod 289

Iesu'n cerdded ar ddŵr
(Marc 6:45-50)

Dyma Iesu'n gwneud i'w ddisgyblion fynd yn ôl i'r cwch a chroesi drosodd o'i flaen i Bethsaida, tra roedd e'n anfon y dyrfa adre. Ar ôl ffarwelio gyda nhw, aeth i ben mynydd er mwyn cael lle tawel i weddïo.

Roedd hi'n nosi, a'r cwch ar ganol y llyn, ac yntau ar ei ben ei hun ar y tir.

Gwelodd fod y disgyblion yn cael trafferthion wrth geisio rhwyfo yn erbyn y gwynt. Yna rywbryd ar ôl tri o'r gloch y bore aeth Iesu allan atyn nhw, gan gerdded ar y dŵr. Roedd fel petai'n mynd heibio iddyn nhw, a dyma nhw'n ei weld yn cerdded ar y llyn. Roedden nhw'n meddwl eu bod yn gweld ysbryd, a dyma nhw'n gweiddi mewn ofn. Roedden nhw wedi dychryn am eu bywydau. Ond dyma Iesu'n dweud wrthyn nhw, "Mae'n iawn! Fi ydy e. Peidiwch bod ag ofn."

Diwrnod 290

Pedr angen mwy o ffydd
(Mathew 14:28-36)

"Arglwydd, os mai ti sydd yna" meddai Pedr, "gad i mi ddod atat ti ar y dŵr."

"Iawn, tyrd," meddai Iesu.

Yna camodd Pedr allan o'r cwch a dechrau cerdded ar y dŵr tuag at Iesu. Ond pan welodd mor gryf oedd y gwynt, roedd arno ofn. Dechreuodd suddo, a gwaeddodd allan "Achub fi, Arglwydd!"

Dyma Iesu'n estyn ei law allan a gafael ynddo. "Ble mae dy ffydd di?" meddai wrtho, "Pam wnest ti amau?"

Wrth iddyn nhw ddringo i mewn i'r cwch dyma'r gwynt yn tawelu. Dyma'r rhai oedd yn y cwch yn ei addoli, a dweud, "Ti ydy Mab Duw go iawn."

Ar ôl croesi'r llyn, dyma nhw'n glanio yn Genesaret. Dyma'r dynion yno yn nabod Iesu, ac yn anfon i ddweud wrth bawb drwy'r ardal i gyd. Roedd pobl yn dod â phawb oedd yn sâl ato ac yn pledio arno i adael iddyn nhw gyffwrdd y taselau ar ei glogyn. Roedd pawb oedd yn ei gyffwrdd yn cael eu hiacháu.

344

GWYRTHIAU IESU

Diwrnod 291

Ffydd y wraig Gananeaidd
(Mathew 15:21-28)

Gadawodd Iesu Galilea ac aeth i ffwrdd i gylch Tyrus a Sidon. Daeth gwraig ato (gwraig o'r ardal o dras Cananeaidd), a gweiddi, "Arglwydd, Fab Dafydd, helpa fi! Mae fy merch yn dioddef yn ofnadwy am ei bod yng ngafael cythraul."

Wnaeth Iesu ddim ymateb o gwbl. A dyma'i ddisgyblion yn dod ato a phwyso arno, "Anfon hi i ffwrdd, mae hi'n boen yn dal ati i weiddi ar ein holau ni!"

Felly atebodd Iesu hi, "Dim ond at bobl Israel, sydd fel defaid ar goll, ces i fy anfon."

Ond dyma'r wraig yn dod a phenlinio o'i flaen. "Helpa fi, Arglwydd!" meddai.

Atebodd Iesu, "Dydy hi ddim yn iawn i bobl daflu bwyd y plant i'r cŵn."

"Digon gwir, Arglwydd," meddai'r wraig, "ond mae hyd yn oed y cŵn yn bwyta'r briwsion sy'n disgyn oddi ar fwrdd eu meistr."

Atebodd Iesu, "Wraig annwyl, mae gen ti lot o ffydd! Cei beth ofynnaist amdano."

A dyna'r union adeg y cafodd ei merch ei hiacháu.

345

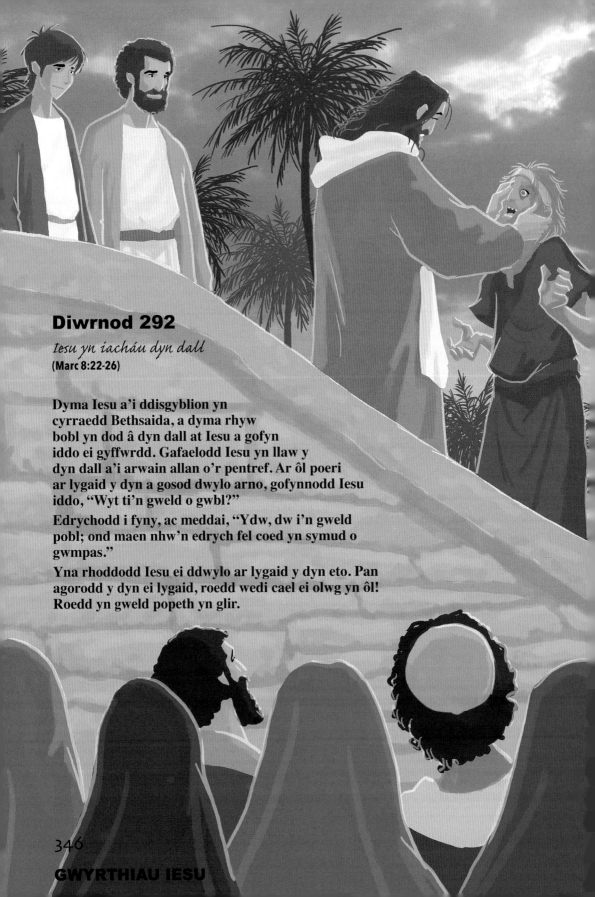

Diwrnod 292

Iesu yn iacháu dyn dall
(Marc 8:22-26)

Dyma Iesu a'i ddisgyblion yn cyrraedd Bethsaida, a dyma rhyw bobl yn dod â dyn dall at Iesu a gofyn iddo ei gyffwrdd. Gafaelodd Iesu yn llaw y dyn dall a'i arwain allan o'r pentref. Ar ôl poeri ar lygaid y dyn a gosod dwylo arno, gofynnodd Iesu iddo, "Wyt ti'n gweld o gwbl?"

Edrychodd i fyny, ac meddai, "Ydw, dw i'n gweld pobl; ond maen nhw'n edrych fel coed yn symud o gwmpas."

Yna rhoddodd Iesu ei ddwylo ar lygaid y dyn eto. Pan agorodd y dyn ei lygaid, roedd wedi cael ei olwg yn ôl! Roedd yn gweld popeth yn glir.

346

GWYRTHIAU IESU

Diwrnod 293

Pan gyrhaeddodd Iesu ardal Cesarea Philipi, gofynnodd i'w ddisgyblion, "Pwy mae pobl yn ei ddweud ydw i, Mab y Dyn?"

"Mae rhai yn dweud Ioan Fedyddiwr," medden nhw, "eraill yn dweud Elias, ac eraill eto'n dweud Jeremeia neu un o'r proffwydi."

"Ond beth amdanoch chi?" meddai. "Pwy dych chi'n ddweud ydw i?"

Atebodd Simon Pedr, "Ti ydy'r Meseia, Mab y Duw byw."

"Rwyt ti wedi dy fendithio'n fawr, Simon fab Jona," meddai Iesu, "am mai dim person dynol ddangosodd hyn i ti, ond fy Nhad yn y nefoedd. A dw i'n dweud wrthyt ti mai ti ydy Pedr (sef, 'y garreg'). A dyma'r graig dw i'n mynd i adeiladu fy eglwys arni hi, a fydd grym marwolaeth ddim yn ei gorchfygu hi. Dw i'n mynd i roi allweddi teyrnas yr Un nefol i ti."

347

GWYRTHIAU IESU

Diwrnod 294

Deg dyn oedd yn dioddef
(Luc 17:11-19)

Aeth Iesu ymlaen ar ei ffordd i Jerwsalem, a daeth at y ffin rhwng Galilea a Samaria. Wrth iddo fynd i mewn i ryw bentref, dyma ddeg dyn oedd yn dioddef o'r gwahanglwyf yn dod i'w gyfarfod. Dyma nhw'n sefyll draw ac yn gweiddi'n uchel arno o bell, "Feistr! Iesu! – wnei di'n helpu ni?"

Pan welodd Iesu nhw, dwedodd wrthyn nhw, "Ewch i ddangos eich hunain i'r offeiriaid." Ac roedden nhw ar eu ffordd i wneud hynny pan wnaeth y gwahanglwyf oedd ar eu cyrff ddiflannu!

Dyma un ohonyn nhw'n troi'n ôl pan welodd ei fod wedi cael ei iacháu. Roedd yn gweiddi'n uchel, "Clod i Dduw!"

Taflodd ei hun ar lawr o flaen Iesu, a diolch iddo am yr hyn roedd wedi ei wneud. (Gyda llaw, Samariad oedd y dyn!)

Meddai Iesu, "Roeddwn i'n meddwl mod i wedi iacháu deg o ddynion. Ble mae'r naw arall? Ai dim ond y Samariad yma sy'n fodlon rhoi'r clod i Dduw?"

Yna dwedodd wrth y dyn, "Cod ar dy draed, a dos adre. Am i ti gredu rwyt wedi dy iacháu."

GWYRTHIAU IESU

349

GWYRTHIAU IESU

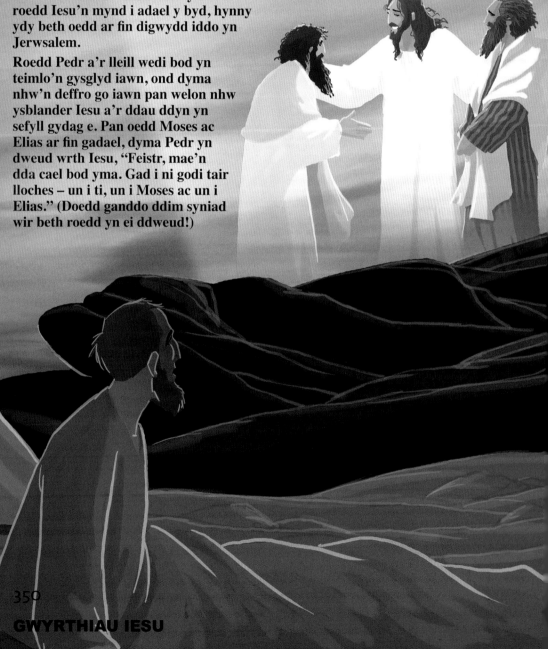

Diwrnod 295

Iesu gyda Moses ac Elias
(Luc 9:28-36)

Tuag wythnos wedyn, aeth Iesu i weddïo i ben mynydd, a mynd â Pedr, Iago ac Ioan gydag e. Wrth iddo weddïo newidiodd ei olwg, a throdd ei ddillad yn wyn llachar. A dyma nhw'n gweld dau ddyn, Moses ac Elias, yn sgwrsio gyda Iesu. Roedd hi'n olygfa anhygoel, ac roedden nhw'n siarad am y ffordd roedd Iesu'n mynd i adael y byd, hynny ydy beth oedd ar fin digwydd iddo yn Jerwsalem.

Roedd Pedr a'r lleill wedi bod yn teimlo'n gysglyd iawn, ond dyma nhw'n deffro go iawn pan welon nhw ysblander Iesu a'r ddau ddyn yn sefyll gydag e. Pan oedd Moses ac Elias ar fin gadael, dyma Pedr yn dweud wrth Iesu, "Feistr, mae'n dda cael bod yma. Gad i ni godi tair lloches – un i ti, un i Moses ac un i Elias." (Doedd ganddo ddim syniad wir beth roedd yn ei ddweud!)

Tra roedd yn dweud hyn, dyma gwmwl yn dod i lawr a chau o'u cwmpas. Roedden nhw wedi dychryn wrth iddyn nhw fynd i mewn i'r cwmwl. A dyma lais yn dod o'r cwmwl a dweud, "Fy Mab i ydy hwn – yr un dw i wedi ei ddewis. Gwrandwch arno!" Ar ôl i'r llais ddweud hyn, roedd Iesu ar ei ben ei hun unwaith eto. Dyma'r lleill yn cadw'n dawel am y peth – ddwedon nhw ddim wrth neb bryd hynny am beth roedden nhw wedi ei weld.

GWYRTHIAU IESU

Diwrnod 296

Iesu'n iacháu gwraig ar y Saboth
(Luc 13:10-17)

Roedd Iesu'n dysgu yn un o'r synagogau ryw Saboth, ac roedd gwraig yno oedd ag ysbryd drwg wedi ei gwneud hi'n anabl ers un deg wyth mlynedd. Roedd ei chefn wedi crymu nes ei bod yn methu sefyll yn syth o gwbl. Dyma Iesu'n ei gweld hi ac yn ei galw draw ato. "Wraig annwyl," meddai wrthi "rwyt ti'n mynd i gael dy iacháu o dy wendid." Yna rhoddodd ei ddwylo arni, a dyma ei chefn yn sythu yn y fan a'r lle. A dechreuodd foli Duw.

Ond roedd arweinydd y synagog wedi gwylltio am fod Iesu wedi iacháu ar y Saboth. Cododd a dweud wrth y bobl oedd yno, "Mae yna chwe diwrnod i weithio. Dewch i gael eich iacháu y dyddiau hynny, dim ar y Saboth!"

Ond meddai'r Arglwydd wrtho, "Ti mor ddauwynebog! Dych chi i gyd yn gollwng ych ac asyn yn rhydd ar y Saboth, ac yn eu harwain at ddŵr!

Dyma i chi un o blant Abraham – gwraig wedi ei rhwymo gan Satan ers un deg wyth mlynedd! Onid ydy'n iawn iddi hi hefyd gael ei gollwng yn rhydd ar y Saboth?"

Roedd ei eiriau yn codi cywilydd ar ei wrthwynebwyr i gyd. Ond roedd y bobl gyffredin wrth eu bodd gyda'r holl bethau gwych roedd yn eu gwneud.

351

GWYRTHIAU IESU

Diwrnod 297

Lasarus yn marw

(Ioan 11:1-16)

Roedd dyn o'r enw Lasarus yn sâl.
Roedd yn dod o Bethania, pentref Mair
a'i chwaer Martha. (Mair oedd wedi
tywallt persawr ar yr Arglwydd Iesu a
sychu ei draed gyda'i gwallt, a'i brawd
hi oedd Lasarus oedd yn sâl yn ei wely.)
Dyma'r chwiorydd yn anfon neges at
Iesu, "Arglwydd, mae dy ffrind annwyl
di'n sâl."

Pan gafodd y neges, meddai Iesu, "Dim
marwolaeth fydd yn cael y gair olaf."
Arhosodd Iesu lle roedd e am ddau
ddiwrnod arall. Yna dwedodd wrth ei
ddisgyblion, "Gadewch inni fynd yn ôl i
Jwdea."

"Ond Rabbi," medden nhw, "roedd yr
arweinwyr Iddewig yn Jwdea yn ceisio
dy ladd gynnau! Wyt ti wir am fynd yn
ôl yno?"

Atebodd Iesu, "Mae ein ffrind Lasarus
wedi syrthio i gysgu. Dw i i'n mynd yno
i'w ddeffro."

"Arglwydd," meddai'r disgyblion, "os
ydy e'n cysgu, bydd yn gwella." Ond
marwolaeth oedd Iesu'n ei olygu wrth
'gwsg'. Roedd ei ddisgyblion wedi cael
y syniad ei fod yn golygu gorffwys
naturiol. Felly dyma Iesu'n dweud
wrthyn nhw'n blaen, "Mae Lasarus wedi
marw, a dw i'n falch fy mod i ddim yno
er eich mwyn chi. Dw i eisiau i chi gredu.
Gadewch inni fynd ato."

GWYRTHIAU IESU

353

GWYRTHIAU IESU

Diwrnod 298

Iesu'n dod â Lasarus yn ôl yn fyw
(Ioan 11:20-44)

Pan glywodd Martha fod Iesu'n dod, aeth allan i'w gyfarfod.

Dwedodd Iesu wrthi, "Fi ydy'r atgyfodiad a'r bywyd. Bydd pawb sy'n credu ynof fi yn dod yn fyw, er iddyn nhw farw. Wyt ti'n credu hyn?"

"Ydw, Arglwydd," meddai Martha wrtho, "dw i'n credu mai ti ydy'r Meseia, Mab Duw."

Pan gyrhaeddodd Mair, syrthiodd wrth draed Iesu a dweud, "Arglwydd, taset ti wedi bod yma, fyddai fy mrawd ddim wedi marw."

Roedd Iesu yn ei ddagrau.

"Edrychwch gymaint roedd yn ei garu e!" meddai'r bobl oedd yno.

354

GWYRTHIAU IESU

Ogof oedd y bedd, a charreg wedi ei gosod dros geg yr ogof.

"Symudwch y garreg," meddai Iesu.

Ond dyma Martha yn dweud "Arglwydd, bydd yn drewi bellach; mae wedi ei gladdu ers pedwar diwrnod."

Dyma nhw'n symud y garreg. Yna edrychodd Iesu i fyny, a dweud, "Dad, diolch i ti am wrando arna i. Dw i fy hun yn gwybod dy fod ti'n gwrando arna i bob amser, ond dw i'n dweud hyn er mwyn y bobl sy'n sefyll yma, iddyn nhw gredu mai ti sydd wedi fy anfon i."

Ar ôl dweud hyn, dyma Iesu'n gweiddi'n uchel, "Lasarus, tyrd allan!" A dyma'r dyn oedd wedi marw'n dod allan. Roedd ei freichiau a'i goesau wedi eu rhwymo gyda stribedi o liain, ac roedd cadach am ei wyneb.

"Tynnwch nhw i ffwrdd a'i ollwng yn rhydd," meddai Iesu.

355

Diwrnod 299

Y dyn wrth y pwll dŵr

(Ioan 5:1-9)

Aeth Iesu i Jerwsalem eto, i un o wyliau'r Iddewon. Yn Jerwsalem wrth ymyl Giât y Defaid mae pwll o'r enw Bethsatha (enw Hebraeg). Roedd nifer fawr o bobl anabl yn gorwedd yno – rhai yn ddall, eraill yn gloff neu wedi eu parlysu.

Roedd un dyn yno oedd wedi bod yn anabl ers tri deg wyth o flynyddoedd. Gwelodd Iesu e'n gorwedd yno, ac roedd yn gwybod ers faint roedd y dyn wedi bod yn y cyflwr hwnnw, felly gofynnodd iddo, "Wyt ti eisiau gwella?"

"Syr," meddai'r dyn, "does gen i neb i'm helpu i fynd i mewn i'r pwll pan mae'r dŵr yn cyffroi. Tra dw i'n ceisio mynd i mewn, mae rhywun arall yn llwyddo i gyrraedd o mlaen i."

Yna dwedodd Iesu wrtho, "Saf ar dy draed! Cod dy fatras a cherdda." A dyma'r dyn yn cael ei wella ar unwaith.

Diwrnod 300

Sacheus, y dyn bach
(Luc 19:1-10)

Aeth Iesu yn ei flaen i Jericho, ac roedd yn mynd drwy'r dref. Roedd dyn o'r enw Sacheus yn byw yno – arolygwr yn adran casglu trethi Rhufain. Roedd yn ddyn hynod o gyfoethog. Roedd arno eisiau gweld Iesu, ond roedd yn ddyn byr ac yn methu ei weld am fod gormod o dyrfa o'i gwmpas. Rhedodd ymlaen a dringo coeden sycamorwydden.

Pan ddaeth Iesu at y goeden, edrychodd i fyny a dweud wrtho, "Sacheus, tyrd i lawr. Mae'n rhaid i mi ddod i dy dŷ di heddiw." Dringodd Sacheus i lawr ar unwaith a rhoi croeso brwd i Iesu i'w dŷ.

Doedd y bobl welodd hyn ddim yn hapus o gwbl! Roedden nhw'n cwyno a mwmblan, "Mae wedi mynd i aros i dŷ 'pechadur' – dyn ofnadwy!"

Ond dyma Sacheus yn dweud wrth Iesu, "Arglwydd, dw i'n mynd i roi hanner popeth sydd gen i i'r rhai sy'n dlawd. Ac os ydw i wedi twyllo pobl a chymryd mwy o drethi nag y dylwn i, tala i bedair gwaith cymaint yn ôl iddyn nhw."

Meddai Iesu, "Mae'r bobl sy'n byw yma wedi gweld beth ydy achubiaeth heddiw. Mae'r dyn yma wedi dangos ei fod yn fab i Abraham. Dw i, Mab y Dyn, wedi dod i chwilio am y rhai sydd ar goll, i'w hachub nhw."

357

Diwrnod 301

Yr orymdaith fawr
(Luc 19:28-38)

Aeth Iesu yn ei flaen i gyfeiriad Jerwsalem. Pan oedd wrth Fynydd yr Olewydd, dwedodd wrth ddau o'i ddisgyblion, "Ewch i'r pentref acw sydd o'ch blaen. Wrth fynd i mewn iddo, dewch o hyd i ebol wedi ei rwymo – un does neb wedi bod ar ei gefn o'r blaen. Dewch â'r ebol i mi. Os bydd rhywun yn gofyn, 'Pam ydych chi'n ei ollwng yn rhydd?' dwedwch wrthyn nhw, 'Mae'r meistr ei angen.'"

Felly i ffwrdd â'r ddau ddisgybl; a dyna lle roedd yr ebol yn union fel roedd Iesu wedi dweud. Wrth iddyn nhw ei ollwng yn rhydd, dyma'r rhai oedd biau'r ebol yn dweud, "Hei! Beth ydych chi'n ei wneud?"

"Mae'r meistr ei angen," medden nhw. Pan ddaethon nhw â'r ebol at Iesu dyma nhw'n taflu eu cotiau drosto, a dyma Iesu'n eistedd ar ei gefn. Wrth iddo fynd yn ei flaen, dyma bobl yn taflu eu cotiau fel carped ar y ffordd. Pan gyrhaeddon nhw'r fan lle mae'r ffordd yn mynd i lawr o Fynydd yr Olewydd, dyma'r dyrfa oedd yn dilyn Iesu yn dechrau gweiddi'n uchel a chanu mawl i Dduw o achos yr holl wyrthiau rhyfeddol roedden nhw wedi eu gweld: "Mae'r Brenin sy'n dod i gynrychioli'r Arglwydd wedi ei fendithio'n fawr! Heddwch yn y nefoedd a chlod i Dduw yn y goruchaf!"

358

DYDDIAU OLAF IESU

Diwrnod 302

Jerwsalem! Jerwsalem!
(Luc 19:39-44)

Ond dyma ryw Phariseaid oedd yn y dyrfa yn troi at Iesu a dweud, "Athro, cerydda dy ddisgyblion am ddweud y fath bethau!"

Atebodd Iesu, "Petaen nhw'n tewi, byddai'r cerrig yn dechrau gweiddi."

Wrth iddyn nhw ddod yn agos at Jerwsalem dyma Iesu yn dechrau crïo wrth weld y ddinas o'i flaen.

"Petaet ti, hyd yn oed heddiw, ond wedi deall beth fyddai'n dod â heddwch parhaol i ti! Ond mae'n rhy hwyr, a dydy heddwch ddim o fewn dy gyrraedd o gwbl. Mae dydd yn dod pan fydd dy elynion yn codi gwrthglawdd yn dy erbyn ac yn dy gau i mewn ac ymosod arnat o bob cyfeiriad. Cei dy sathru dan draed, ti a'r bobl sy'n byw ynot. Bydd waliau'r ddinas yn cael eu chwalu'n llwyr, am dy fod wedi gwrthod dy Dduw ar y foment honno pan ddaeth i dy helpu di."

359

DYDDIAU OLAF IESU

Diwrnod 303

Iacháu yn y deml
(Mathew 21:14-17)

Roedd pobl ddall a rhai cloff yn dod ato i'r deml, ac roedd yn eu hiacháu nhw. Ond roedd y prif offeiriaid a'r arbenigwyr yn y Gyfraith wedi gwylltio'n lân wrth weld y gwyrthiau rhyfeddol roedd yn eu gwneud, a'r plant yn gweiddi yn y deml, "Clod i Fab Dafydd!"

"Wyt ti ddim yn clywed beth mae'r plant yma'n ei ddweud?" medden nhw wrtho.

"Ydw," atebodd Iesu. "Ydych chi erioed wedi darllen yn yr ysgrifau sanctaidd, 'Rwyt wedi dysgu plant a babanod i dy foli di'?"

Dyma fe'n eu gadael nhw, a mynd allan i Bethania, lle arhosodd dros nos.

360

DYDDIAU OLAF IESU

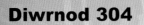

Diwrnod 304

Jwdas yn bradychu Iesu
(Mathew 26:1-5,14-16)

Pan oedd Iesu wedi gorffen dweud y pethau yma i gyd, meddai wrth ei ddisgyblion, "Fel dych chi'n gwybod, mae'n Ŵyl y Pasg nos fory. Bydda i, Mab y Dyn, yn cael fy mradychu i'm croeshoelio."

Yr un pryd, roedd y prif offeiriaid ac arweinwyr Iddewig eraill yn cyfarfod ym mhalas Caiaffas yr archoffeiriad, i drafod sut allen nhw arestio Iesu a'i ladd. "Ond dim yn ystod yr Ŵyl," medden nhw, "neu bydd reiat."

Yna aeth Jwdas Iscariot, un o'r deuddeg disgybl, at y prif offeiriaid a gofyn iddyn nhw, "Faint wnewch chi dalu i mi os gwna i ei fradychu e?" A dyma nhw'n cytuno i roi tri deg darn arian iddo. O hynny ymlaen roedd Jwdas yn edrych am ei gyfle i fradychu Iesu iddyn nhw.

363

Diwrnod 305

Paratoi pryd o fwyd sbesial
(Luc 22:7-13)

Daeth diwrnod cyntaf Gŵyl y Bara Croyw. Dyma Iesu'n anfon Pedr ac Ioan yn eu blaenau i wneud y trefniadau. "Ewch i baratoi swper y Pasg i ni, er mwyn i ni i gyd gael bwyta gyda'n gilydd," meddai wrthyn nhw.

"Ble rwyt ti am i ni fynd i'w baratoi?" medden nhw wrtho.

Atebodd e, "Wrth i chi fynd i mewn i'r ddinas bydd dyn yn dod i'ch cyfarfod yn cario llestr dŵr. Ewch ar ei ôl i mewn i'r tŷ y bydd yn mynd iddo, a gofyn i'r perchennog, 'Mae'r athro eisiau gwybod ble mae'r ystafell westai, iddo ddathlu'r Pasg gyda'i ddisgyblion.' Bydd yn mynd â chi i fyny'r grisiau i ystafell fawr wedi ei pharatoi'n barod. Gwnewch swper i ni yno."

I ffwrdd â nhw, a digwyddodd popeth yn union fel roedd Iesu wedi dweud. Felly dyma nhw'n paratoi swper y Pasg yno.

Diwrnod 306

Parod i wasanaethu
(Luc 22:14, 24-30)

Yn gynnar y noson honno eisteddodd Iesu wrth y bwrdd, a'i apostolion gydag e.

Ond yna dyma ddadl yn codi yn eu plith nhw ynglŷn â pha un ohonyn nhw oedd y pwysica. Felly dwedodd Iesu wrthyn nhw, "Mae brenhinoedd y cenhedloedd yn ei lordio hi dros bobl; ac mae pobl fawr eraill sy'n hoffi dangos eu hawdurdod yn cael teitlau fel 'Cyfaill y bobl'! Ond dim fel yna dylech chi fod. Dylai'r pwysica ohonoch chi ymddwyn fel y person lleia pwysig, a dylai'r un sy'n arwain fod fel un sy'n gwasanaethu. Pwy ydy'r pwysica fel arfer? Ai'r sawl sy'n eistedd wrth y bwrdd neu'r sawl sy'n gwasanaethu? Y sawl sy'n eistedd wrth y bwrdd wrth gwrs! Ond dw i yma fel un sy'n gwasanaethu.

"Dych chi wedi sefyll gyda mi drwy'r treialon, a dw i'n mynd i roi hawl i chi deyrnasu yn union fel gwnaeth y Tad ei roi i mi. Cewch chi fwyta ac yfed wrth fy mwrdd i pan fydda i'n teyrnasu, a byddwch yn eistedd ar orseddau i farnu deuddeg llwyth gwlad Israel.

363

DYDDIAU OLAF IESU

Diwrnod 307

Gorchymyn newydd
(loan 13:31-35)

Dwedodd Iesu, "Mae'n amser i mi, Mab y Dyn, gael fy anrhydeddu, ac i Dduw gael ei anrhydeddu drwy beth fydd yn digwydd i mi.

"Fy mhlant annwyl i, fydda i ddim ond gyda chi am ychydig mwy. Byddwch yn edrych amdana i, ond yn union fel dwedais i wrth yr arweinwyr Iddewig, allwch chi ddim dod i ble dw i'n mynd.

"Dw i'n rhoi gorchymyn newydd i chi: Carwch eich gilydd. Rhaid i chi garu'ch gilydd yn union fel dw i wedi'ch caru chi. Dyma sut bydd pawb yn gwybod eich bod chi'n ddilynwyr i mi, am eich bod chi'n caru'ch gilydd."

Diwrnod 308

Iesu'n addo'r Ysbryd Glân
(loan 14:15-20)

Dwedodd Iesu, "Os dych chi'n fy ngharu i, byddwch yn gwneud beth dw i'n ei ddweud. Bydda i'n gofyn i'r Tad, a bydd e'n rhoi un arall fydd yn sefyll gyda chi ac yn aros gyda chi am byth – sef yr Ysbryd sy'n dangos y gwir i chi. Dydy'r byd ddim yn gallu ei dderbyn am fod y byd ddim yn ei weld nac yn ei nabod. Ond dych chi yn ei nabod am ei fod yn sefyll gyda chi ac am ei fod yn mynd i fod ynoch chi. Wna i ddim eich gadael chi ar eich pennau eich hunain – dw i'n mynd i ddod yn ôl atoch chi. Cyn hir, fydd y byd ddim yn fy ngweld i eto, ond byddwch chi'n fy ngweld i. Am fy mod i'n mynd i fyw eto, bydd gynnoch chithau fywyd. Byddwch yn sylweddoli y diwrnod hwnnw fy mod i yn y Tad. A byddwch chi ynof fi a minnau ynoch chi."

364

Diwrnod 309

Swper yr Arglwydd
(Marc 14:18-25)

Tra roedd Iesu a'i ddisgyblion yn bwyta, dyma Iesu'n dweud, "Wir i chi, mae un ohonoch chi'n mynd i'm bradychu i. Un ohonoch chi sy'n bwyta gyda mi yma."

Dyma nhw'n mynd yn drist iawn, a dweud un ar ôl y llall, "Dim fi ydy'r un, nage?"

"Un ohonoch chi'r deuddeg," meddai Iesu, "Un ohonoch chi sy'n bwyta yma, ac yn trochi ei fara yn y ddysgl saws gyda mi. Rhaid i mi, Mab y Dyn, farw yn union fel mae'r ysgrifau sanctaidd yn dweud. Ond gwae'r un sy'n mynd i'm bradychu i! Byddai'n well arno petai erioed wedi cael ei eni!"

Tra roedden nhw'n bwyta dyma Iesu'n cymryd torth, ac yna, ar ôl adrodd y weddi o ddiolch, ei thorri a'i rhannu i'w ddisgyblion. "Cymerwch y bara yma" meddai, "Dyma fy nghorff i."

Yna cododd y cwpan, adrodd y weddi o ddiolch eto a'i basio iddyn nhw, a dyma nhw i gyd yn yfed ohono.

"Dyma fy ngwaed," meddai, "sy'n selio ymrwymiad Duw i'w bobl. Mae'n cael ei dywallt ar ran llawer o bobl. Credwch chi fi, fydda i ddim yn yfed gwin eto, nes daw'r diwrnod hwnnw pan fydda i'n yfed o'r newydd pan fydd Duw yn teyrnasu."

365

DYDDIAU OLAF IESU

Diwrnod 310

Iesu'n golchi traed ei ddisgyblion
(Ioan 13:1-9)

Erbyn hyn roedd hi bron yn amser dathlu Gŵyl y Pasg. Roedd Iesu'n gwybod fod yr amser wedi dod iddo adael y byd a mynd at y Tad. Roedd wedi caru y rhai oedd yn perthyn iddo, ac yn awr dangosodd iddyn nhw mor fawr oedd ei gariad.

Roedden nhw wrthi'n bwyta swper. Roedd y diafol eisoes wedi rhoi'r syniad i Jwdas, mab Simon Iscariot, i fradychu Iesu. Gwyddai Iesu fod y Tad wedi rhoi popeth yn ei ddwylo e. Roedd wedi dod oddi wrth Dduw, ac roedd yn mynd yn ôl at Dduw. Cododd oddi wrth y bwrdd, tynnu ei glogyn allanol, a rhwymo tywel am ei ganol. Yna tywalltodd ddŵr i fowlen a dechrau golchi traed ei ddisgyblion, a'u sychu gyda'r tywel oedd am ei ganol.

Pan ddaeth tro Simon Pedr, dyma Simon yn dweud, "Arglwydd, ti'n golchi fy nhraed i?"

Atebodd Iesu, "Ti ddim yn deall beth dw i'n wneud ar hyn o bryd, ond byddi'n dod i ddeall yn nes ymlaen."

Ond meddai Pedr, "Na, byth! chei di ddim golchi fy nhraed i!"

"Os ga i ddim dy olchi di," meddai Iesu, "ti ddim yn perthyn i mi."

"Os felly, Arglwydd," meddai Simon Pedr, "golcha fy nwylo a'm pen i hefyd, dim jest fy nhraed i!"

Diwrnod 311

Iesu'n rhoi esiampl i'w ddisgyblion
(Ioan 13:12-17)

Ar ôl i Iesu orffen golchi traed ei ddisgyblion, gwisgodd ei glogyn eto a mynd yn ôl i'w le. "Ydych chi'n deall beth dw i wedi ei wneud i chi?" meddai. "Dych chi'n fy ngalw i yn 'Athro' neu'n 'Arglwydd', ac mae hynny'n iawn, am mai dyna ydw i. Felly, am fy mod i, eich Arglwydd a'ch Athro wedi golchi eich traed chi, dylech chi olchi traed eich gilydd. Dw i wedi rhoi esiampl i chi er mwyn i chi wneud yr un peth i'ch gilydd. Credwch chi fi, dydy caethwas ddim uwchlaw ei feistr, a dydy negesydd ddim yn bwysicach na'r un wnaeth ei anfon e. Dych chi'n gwybod y pethau yma, ond eu gwneud sy'n dod â bendith."

DYDDIAU OLAF IESU

367

DYDDIAU OLAF IESU

Diwrnod 312

Gweld Iesu fel gweld y Tad
(Ioan 14:8-14)

"Arglwydd," meddai Philip, "dangos y Tad i ni, a fydd angen dim mwy arnon ni!"

Atebodd Iesu: "Dw i wedi bod gyda chi i gyd ers cymaint o amser! Wyt ti'n dal ddim yn fy nabod i, Philip? Mae pwy bynnag sydd wedi fy ngweld i wedi gweld y Tad. Felly sut alli di ddweud, 'Dangos y Tad i ni'? Wyt ti ddim yn credu fy mod i yn y Tad, a bod y Tad ynof fi?

Credwch beth dw i'n ddweud – dw i yn y Tad ac mae'r Tad ynof fi. Os ydy fy ngeiriau i ddim yn ddigon, dylech chi o leia gredu o achos y pethau dw i'n eu gwneud. Credwch chi fi, bydd pwy bynnag sy'n credu ynof fi yn gwneud yr un pethau ag ydw i wedi bod yn eu gwneud. Yn wir, byddan nhw'n gwneud llawer iawn mwy, am fy mod i yn mynd at y Tad. Bydda i'n gwneud beth bynnag ofynnwch chi am awdurdod i'w wneud, fel bod y Mab yn anrhydeddu'r Tad. Cewch ofyn i mi am awdurdod i wneud unrhyw beth, ac fe'i gwnaf."

368

DYDDIAU OLAF IESU

Diwrnod 313

Bydd Pedr yn gwadu nabod Iesu
(Marc 14:26-31)

Ar ôl canu emyn, dyma Iesu a'i ddisgyblion yn mynd allan i Fynydd yr Olewydd.

"Dych chi i gyd yn mynd i droi cefn arna i," meddai Iesu wrthyn nhw. "Mae'r ysgrifau sanctaidd yn dweud:

'Bydda i'n taro'r bugail,
a bydd y defaid yn mynd ar chwâl.'

Ond ar ôl i mi ddod yn ôl yn fyw af i o'ch blaen chi i Galilea."

"Wna i byth droi cefn arnat ti!" meddai Pedr wrtho. "Hyd yn oed os bydd pawb arall yn gwneud hynny!"

"Wir i ti," meddai Iesu wrtho, "heno, cyn i'r ceiliog ganu ddwywaith, byddi di wedi gwadu dair gwaith dy fod yn fy nabod i!"

Ond roedd Pedr yn mynnu, "Na! wna i byth wadu mod i'n dy nabod di! Hyd yn oed os bydd rhaid i mi farw gyda thi!" Ac roedd y lleill yn dweud yr un peth.

369

DYDDIAU OLAF IESU

Diwrnod 314

Cartref yn y nefoedd

(Ioan 14:1-7)

"Peidiwch cynhyrfu," meddai Iesu wrth y disgyblion "Credwch yn Nuw, a chredwch ynof fi hefyd. Mae digon o le i fyw yn nhŷ fy Nhad; byddwn i wedi dweud wrthoch chi os oedd hi fel arall. Dw i'n mynd yno i baratoi lle ar eich cyfer chi. Wedyn dw i'n mynd i ddod yn ôl, a bydda i'n mynd â chi yno gyda mi, a chewch chi aros yno gyda mi. Dych chi'n gwybod y ffordd i ble dw i'n mynd."

"Ond Arglwydd," meddai Tomos "dŷn ni ddim yn gwybod ble rwyt ti'n mynd, felly sut allwn ni wybod y ffordd yno?"

"Fi ydy'r ffordd," atebodd Iesu, "Fi ydy'r un gwir, y bywyd. Does neb yn gallu dod i berthynas gyda Duw y Tad ond trwof fi. Os dych chi wedi dod i fy nabod i, byddwch yn nabod fy Nhad hefyd. Yn wir, dych chi yn ei nabod e bellach, ac wedi ei weld."

DYDDIAU OLAF IESU

Diwrnod 315

Iesu'n gweddïo dros ei ddilynwyr
(Ioan 17:1-18:1)

Pan oedd wedi gorffen siarad â'i ddisgyblion, edrychodd Iesu i fyny i'r nefoedd a dechrau gweddïo: "Dad, mae'r amser iawn wedi dod. Anrhydedda dy Fab, er mwyn i mi, y Mab hwnnw, ddangos dy ysblander di. Rwyt wedi rhoi awdurdod i mi dros y ddynoliaeth gyfan, i mi roi bywyd tragwyddol i'r rhai roist ti i berthyn i mi. Dyma beth ydy bywyd tragwyddol: iddyn nhw dy nabod di, yr unig Dduw sy'n bodoli go iawn, a Iesu y Meseia wyt ti wedi ei anfon.

"Dw i wedi dangos sut un wyt ti i'r rhai roist ti i mi allan o'r byd. Maen nhw wedi derbyn dy neges di. Dw i wedi dweud wrthyn nhw beth ddwedaist ti wrtho i, ac maen nhw wedi derbyn y cwbl. Maen nhw'n gwybod go iawn fy mod wedi dod oddi wrthyt ti, ac yn credu mai ti sydd wedi fy anfon i. Dw i ddim yn aros yn y byd ddim mwy, ond maen nhw yn dal yn y byd. Dw i ddim yn gweddïo ar i ti eu cymryd nhw allan o'r byd, ond ar i ti eu hamddiffyn nhw rhag yr un drwg. Dyn nhw ddim yn perthyn i'r byd fwy na dw i'n perthyn i'r byd.

"Dw i'n gweddïo hefyd dros bawb fydd yn credu ynof fi drwy eu neges nhw; dw i'n gweddïo y byddan nhw i gyd yn un, Dad, yn union fel rwyt ti a fi yn un.

"Dad Cyfiawn, dydy'r byd ddim yn dy nabod di, ond dw i yn dy nabod, ac mae'r rhain wedi dod i wybod mai ti sydd wedi fy anfon i. Dw i wedi dangos pwy wyt ti iddyn nhw, a bydda i'n dal ati i wneud hynny, er mwyn iddyn nhw garu eraill fel rwyt ti wedi fy ngharu i, ac i mi fy hun fod ynddyn nhw."

Ar ôl gorffen gweddïo, dyma Iesu'n croesi Dyffryn Cidron gyda'i ddisgyblion a mynd i ardd olewydd oedd yno.

DYDDIAU OLAF IESU

373

Diwrnod 316

Y disgyblion yn disgyn i gysgu
(Marc 14:33-42)

Aeth a Pedr, Iago ac Ioan gydag e, a dechreuodd brofi dychryn a gwewyr meddwl oedd yn ei lethu. "Mae'r tristwch dw i'n ei deimlo yn ddigon i'm lladd i," meddai wrthyn nhw. "Arhoswch yma a gwylio."

Aeth yn ei flaen ychydig, a syrthio ar lawr a gweddïo i'r profiad ofnadwy oedd o'i flaen fynd i ffwrdd petai hynny'n bosib. "Abba! Dad!" meddai, "Mae popeth yn bosib i ti. Cymer y cwpan chwerw yma oddi arna i. Ond paid gwneud beth dw i eisiau, gwna beth rwyt ti eisiau."

Pan aeth yn ôl at ei ddisgyblion roedden nhw'n cysgu. A meddai wrth Pedr, "Simon, wyt ti'n cysgu? Allet ti ddim cadw golwg am un awr fechan? Cadwch yn effro, a gweddïwch y byddwch chi ddim yn syrthio pan gewch chi'ch profi.

Mae'r ysbryd yn frwd, ond y corff yn wan."

Yna aeth Iesu i ffwrdd a gweddïo'r un peth eto. Ond pan ddaeth yn ôl roedden nhw wedi syrthio i gysgu eto – roedden nhw'n methu'n lân â chadw eu llygaid ar agor. Doedden nhw ddim yn gwybod beth i'w ddweud.

Pan ddaeth yn ôl y drydedd waith, meddai wrthyn nhw, "Mae'r foment wedi dod. Dw i, Mab y Dyn, ar fin cael fy mradychu i afael pechaduriaid. Codwch, gadewch i ni fynd! Mae'r bradwr wedi cyrraedd!"

375

376
DYDDIAU OLAF IESU

Diwrnod 317

Bradychu â chusan
(Ioan 18:2-8; Mathew 26:48-49)

Roedd Jwdas yn gwybod am yr ardd, am fod Iesu a'i ddisgyblion wedi cyfarfod yno lawer gwaith. Felly aeth Jwdas yno gyda mintai o filwyr a swyddogion diogelwch wedi eu hanfon gan y prif offeiriaid a'r Phariseaid. Roedden nhw'n cario ffaglau a lanternau ac arfau. Roedd Jwdas wedi trefnu y byddai'n rhoi arwydd iddyn nhw: "Yr un fydda i'n ei gyfarch â chusan ydy'r dyn i'w arestio."

Roedd Iesu'n gwybod yn union beth oedd yn mynd i ddigwydd iddo, felly aeth atyn nhw a gofyn, "Am bwy dych chi'n edrych?"

"Iesu o Nasareth," medden nhw.

"Fi ydy e," meddai Iesu.

Pan ddwedodd Iesu "Fi ydy e," dyma nhw'n symud at yn ôl ac yn syrthio ar lawr.

Gofynnodd iddyn nhw eto, "Pwy dych chi eisiau?"

A dyma nhw'n dweud "Iesu o Nasareth."

"Dw i wedi dweud wrthoch chi mai fi ydy e," meddai Iesu. "Felly os mai fi ydy'r un dych chi'n edrych amdano, gadewch i'r dynion yma fynd yn rhydd."

Aeth Jwdas yn syth at Iesu. "Helo Rabbi!", meddai, ac yna ei gyfarch â chusan.

Diwrnod 318

Cymryd Iesu i'r ddalfa
(Ioan 18:10-11; Luc 22:51-54)

Yna dyma Simon Pedr yn tynnu cleddyf allan ac yn taro gwas yr archoffeiriad, a thorri ei glust dde i ffwrdd. (Malchus oedd enw'r gwas.)

"Cadw dy gleddyf!" meddai Iesu wrtho, "Wyt ti'n meddwl mod i ddim yn barod i ddioddef, ac yfed o'r cwpan chwerw mae'r Tad wedi ei roi i mi?"

"Dyna ddigon!" meddai Iesu. Yna cyffyrddodd glust y dyn a'i iacháu.

Yna dwedodd wrth y prif offeiriaid, swyddogion diogelwch y deml a'r arweinwyr eraill oedd wedi dod i'w ddal, "Ydw i'n arwain gwrthryfel neu rywbeth? Ai dyna pam mae angen y cleddyfau a'r pastynau yma? Pam na ddalioch chi fi yn y deml? Roeddwn i yno gyda chi bob dydd! Ond dyma'ch cyfle chi – yr amser pan mae pwerau'r tywyllwch yn rheoli."

Dyma nhw'n gafael ynddo, a mynd ag e i dŷ'r archoffeiriad. Roedd Pedr yn eu dilyn o bell.

DYDDIAU OLAF IESU

Diwrnod 319

Pedr yn gwadu ei fod yn nabod Iesu
(Ioan 18:12-14, Luc 22:54-62)

Dyma'r fintai o filwyr a'i chapten a swyddogion yr arweinwyr Iddewig yn arestio Iesu a'i rwymo, a mynd ag e i dŷ'r archoffeiriad. Roedd Pedr yn eu dilyn o bell.

Ar ôl iddyn nhw gynnau tân yng nghanol yr iard dyma Pedr yn mynd yno ac yn eistedd gyda nhw. Dyma un o'r morynion yn sylwi ei fod yn eistedd yno. Edrychodd hi'n ofalus arno yng ngolau'r tân, ac yna dweud, "Roedd y dyn yma gyda Iesu!"

Ond gwadu wnaeth Pedr. "Dw i ddim yn nabod y dyn, ferch!" meddai.

Yna ychydig yn ddiweddarach dyma rywun arall yn sylwi arno ac yn dweud, "Rwyt ti'n un ohonyn nhw!"

"Na dw i ddim!" atebodd Pedr.

Rhyw awr yn ddiweddarach eto dyma rywun arall eto yn dweud, "Does dim amheuaeth fod hwn gyda Iesu; mae'n amlwg ei fod yn dod o Galilea."

Atebodd Pedr, "Does gen i ddim syniad am beth rwyt ti'n sôn, ddyn!" A dyma'r ceiliog yn canu wrth iddo ddweud y peth. Yna cofiodd Pedr beth roedd yr Arglwydd wedi ei ddweud: "Byddi di wedi gwadu dy fod yn fy nabod i dair gwaith cyn i'r ceiliog ganu."

Aeth allan yn beichio crïo.

DYDDIAU OLAF IESU

Diwrnod 320

Iesu'n cael ei holi

(Marc 14:53-65; 15:1)

Roedd y prif offeiriaid a'r arweinwyr eraill, a'r arbenigwyr yn y Gyfraith wedi dod at ei gilydd. Roedden nhw'n edrych am dystiolaeth yn erbyn Iesu er mwyn ei ddedfrydu i farwolaeth. Y broblem oedd fod eu straeon yn gwrth-ddweud ei gilydd.

Yn y diwedd, dyma rhywrai yn dweud: "Clywon ni e'n dweud, 'Dw i'n mynd i ddinistrio'r deml yma sydd wedi ei hadeiladu gan ddynion a chodi un arall o fewn tri diwrnod heb help dynion.'"

Ddwedodd Iesu ddim gair.

Yna gofynnodd yr archoffeiriad eto, "Ai ti ydy'r Meseia, Mab yr Un Bendigedig?"

"Ie, fi ydy e," meddai Iesu. "A byddwch chi'n fy ngweld i, Mab y Dyn, yn llywodraethu gyda'r Un Grymus ac yn dod yn ôl ar gymylau'r awyr."

Wrth glywed yr hyn ddwedodd Iesu dyma'r archoffeiriad yn rhwygo ei ddillad. "Pam mae angen tystion arnon ni?!" meddai. "Dych chi i gyd wedi ei glywed yn cablu. Beth ydy'ch dyfarniad chi?" A dyma nhw i gyd yn dweud ei fod yn haeddu ei gondemnio i farwolaeth.

Yna dyma rai ohonyn nhw'n dechrau poeri ato, a rhoi mwgwd dros ei lygaid, a'i ddyrnu yn ei wyneb. Wedyn dyma'r gweision diogelwch yn ei gymryd i ffwrdd a'i guro, yna ei rwymo a'i drosglwyddo i Peilat.

DYDDIAU OLAF IESU

Diwrnod 321

Anfon Iesu at Herod
(Luc 23:7-12)

Doedd Peilat ddim yn credu fod unrhyw sail i ddwyn cyhuddiad yn erbyn Iesu. Ond roedd y prif offeiriaid yn benderfynol, "Mae'n creu helynt drwy Jwdea i gyd wrth ddysgu'r bobl. Dechreuodd yn Galilea, a nawr mae wedi dod yma."

"Felly un o Galilea ydy e?" meddai Peilat. Pan sylweddolodd hynny, anfonodd Iesu at Herod Antipas, gan ei fod yn dod o'r ardal oedd dan awdurdod Herod.

Roedd Herod wrth ei fodd ei fod yn cael cyfle i weld Iesu. Roedd wedi clywed amdano ers amser maith, ac wedi bod yn gobeithio cael ei weld yn gwneud rhywbeth gwyrthiol. Gofynnodd un cwestiwn ar ôl y llall i Iesu, ond roedd Iesu'n gwrthod ateb. A dyna lle roedd y prif offeiriaid a'r arbenigwyr yn y Gyfraith yn ei gyhuddo'n ffyrnig.

Yna dyma Herod a'i filwyr yn dechrau gwneud hwyl am ei ben a'i sarhau. Dyma nhw'n ei wisgo mewn clogyn crand, a'i anfon yn ôl at Peilat. Cyn i hyn i gyd ddigwydd roedd Herod a Peilat wedi bod yn elynion, ond dyma nhw'n dod yn ffrindiau y diwrnod hwnnw.

383

DYDDIAU OLAF IESU

Diwrnod 322

Peilat eisiau rhyddhau Iesu

(Ioan 18:28-40)

Aeth yr arweinwyr Iddewig â Iesu i'r pencadlys Rhufeinig. Erbyn hyn roedd hi'n dechrau gwawrio.

Daeth Peilat allan atyn nhw a gofyn, "Beth ydy'r cyhuddiadau yn erbyn y dyn yma?"

"Fydden ni ddim wedi ei drosglwyddo i ti oni bai ei fod wedi troseddu," medden nhw.

"Felly cymerwch chi e," meddai Peilat. "Defnyddiwch eich cyfraith eich hunain i'w farnu."

"Ond does gynnon ni mo'r awdurdod i'w ddedfrydu i farwolaeth," medden nhw.

Aeth Peilat yn ôl i mewn i'r palas, a galwodd Iesu i ymddangos o'i flaen a dweud wrtho, "Felly, ti ydy Brenin yr Iddewon, ie?"

"Wyt ti'n gofyn ohonot ti dy hun," meddai Iesu, "neu ai eraill sydd wedi dweud hyn amdana i?"

"Dw i ddim yn Iddew!" atebodd Peilat. "Dy bobl di a'u prif offeiriaid sydd wedi dy drosglwyddo di i mi. Beth yn union wyt ti wedi ei wneud?"

Atebodd Iesu, "Dydy nheyrnas i ddim yn dod o'r byd yma."

"Felly rwyt ti yn frenin!" meddai Peilat.

Atebodd Iesu, "Ti sy'n defnyddio'r gair 'brenin'. Y rheswm pam ges i fy ngeni, a pham dw i wedi dod i'r byd ydy i dystio i beth sy'n wir go iawn. Mae pawb sydd ar ochr y gwir yn gwrando arna i."

Aeth Peilat allan at yr arweinwyr Iddewig eto a dweud, "Dw i ddim yn ei gael yn euog o unrhyw drosedd. Mae'n arferiad i mi ryddhau un carcharor i chi adeg y Pasg. Ydych chi eisiau i mi ryddhau hwn, 'Brenin yr Iddewon'?"

"Na!" medden nhw, gan weiddi eto, "Dim hwn. Barabbas dŷn ni eisiau!"

Terfysgwr oedd Barabbas.

384

DYDDIAU OLAF IESU

385

386
DYDDIAU OLAF IESU

Diwrnod 323

Dedfrydu Iesu i farwolaeth
(Ioan 19:1-16)

Felly dyma Peilat yn gorchymyn i Iesu gael ei chwipio. Dyma'r milwyr yn plethu drain i wneud coron i'w rhoi am ei ben, a gwisgo clogyn porffor amdano. Yna roedden nhw'n mynd ato drosodd a throsodd, a'i gyfarch gyda'r geiriau, "Eich mawrhydi, Brenin yr Iddewon!", ac wedyn ei daro ar ei wyneb.

Yna aeth Peilat allan eto a dweud wrth y dyrfa, "Dw i'n dod ag e allan eto, i chi wybod fy mod i ddim yn ei gael e'n euog o unrhyw drosedd."

Daeth Iesu allan yn gwisgo'r goron ddrain a'r clogyn porffor.

Y foment y gwelodd y prif offeiriaid a'u swyddogion e, dyma nhw'n dechrau gweiddi, "Croeshoelia fe! Croeshoelia fe!"

Ond meddai Peilat, "Cymerwch chi e a'i groeshoelio eich hunain! Lle dw i'n y cwestiwn, mae e'n ddieuog."

"Mae wedi galw ei hun yn Fab Duw," meddai'r arweinwyr Iddewig.

Pan glywodd Peilat hyn, roedd yn ofni fwy fyth. Aeth yn ôl i mewn i'r palas a gofyn i Iesu, "O ble wyt ti wedi dod?" Ond roddodd Iesu ddim ateb iddo.

"Wyt ti'n gwrthod siarad â fi?" meddai Peilat. "Wyt ti ddim yn sylweddoli mai fi sydd â'r awdurdod i dy ryddhau di neu i dy groeshoelio di?"

Atebodd Iesu, "Fyddai gen ti ddim awdurdod o gwbl drosto i oni bai ei fod wedi ei roi i ti gan Dduw. Felly mae'r un drosglwyddodd fi i ti yn euog o bechod llawer gwaeth."

O hynny ymlaen roedd Peilat yn gwneud ei orau i ollwng Iesu yn rhydd. Ond dyma'r arweinwyr Iddewig yn gweiddi eto, "Os gollyngi di'r dyn yna'n rhydd, dwyt ti ddim yn gyfaill i Cesar! Mae unrhyw un sy'n hawlio ei fod yn frenin yn gwrthryfela yn erbyn yr ymerawdwr! I ffwrdd ag e! I ffwrdd ag e! Croeshoelia fe!"

"Dych chi am i mi groeshoelio eich brenin chi?" meddai Peilat.

"Cesar ydy'n hunig frenin ni!" oedd ateb y prif offeiriaid.

Yn y diwedd dyma Peilat yn gadael iddyn nhw gael eu ffordd, ac yn rhoi Iesu i'w groeshoelio.

DYDDIAU OLAF IESU

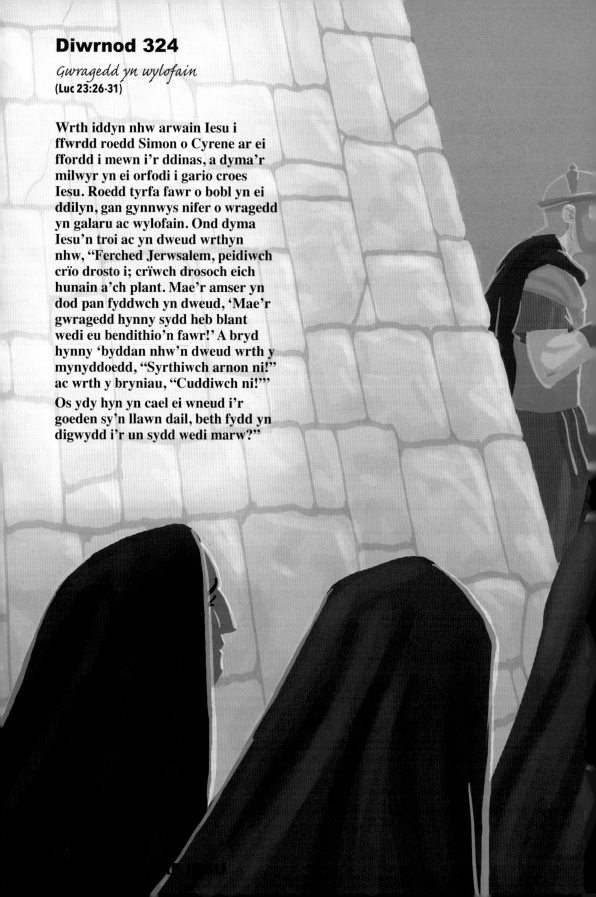

Diwrnod 324

Gwragedd yn wylofain
(Luc 23:26-31)

Wrth iddyn nhw arwain Iesu i ffwrdd roedd Simon o Cyrene ar ei ffordd i mewn i'r ddinas, a dyma'r milwyr yn ei orfodi i gario croes Iesu. Roedd tyrfa fawr o bobl yn ei ddilyn, gan gynnwys nifer o wragedd yn galaru ac wylofain. Ond dyma Iesu'n troi ac yn dweud wrthyn nhw, "Ferched Jerwsalem, peidiwch crïo drosto i; crïwch drosoch eich hunain a'ch plant. Mae'r amser yn dod pan fyddwch yn dweud, 'Mae'r gwragedd hynny sydd heb blant wedi eu bendithio'n fawr!' A bryd hynny 'byddan nhw'n dweud wrth y mynyddoedd, "Syrthiwch arnon ni!" ac wrth y bryniau, "Cuddiwch ni!"'

Os ydy hyn yn cael ei wneud i'r goeden sy'n llawn dail, beth fydd yn digwydd i'r un sydd wedi marw?"

Diwrnod 325

Iesu yn cael ei hoelio ar groes
(Luc 23:32-38)

Roedd dau ddyn arall oedd yn droseddwyr yn cael eu harwain allan i gael eu dienyddio gyda Iesu. Felly ar ôl iddyn nhw gyrraedd y lle sy'n cael ei alw 'Y Benglog', dyma nhw'n hoelio Iesu ar groes, a'r ddau droseddwr arall un bob ochr iddo.

Ond yr hyn ddwedodd Iesu oedd, "Dad, maddau iddyn nhw. Dŷn nhw ddim yn gwybod beth maen nhw'n ei wneud." A dyma'r milwyr yn gamblo i weld pwy fyddai'n cael ei ddillad.

Roedd y bobl yno'n gwylio'r cwbl, a'r arweinwyr yn chwerthin ar ei ben a'i wawdio. "Roedd e'n achub pobl eraill," medden nhw, "felly gadewch iddo'i achub ei hun, os mai fe ydy'r Meseia mae Duw wedi ei ddewis!"

Roedd y milwyr hefyd yn gwneud sbort am ei ben ac yn dweud, "Achub dy hun os mai ti ydy Brenin yr Iddewon!" Achos roedd arwydd uwch ei ben yn dweud: DYMA FRENIN YR IDDEWON.

390

DYDDIAU OLAF IESU

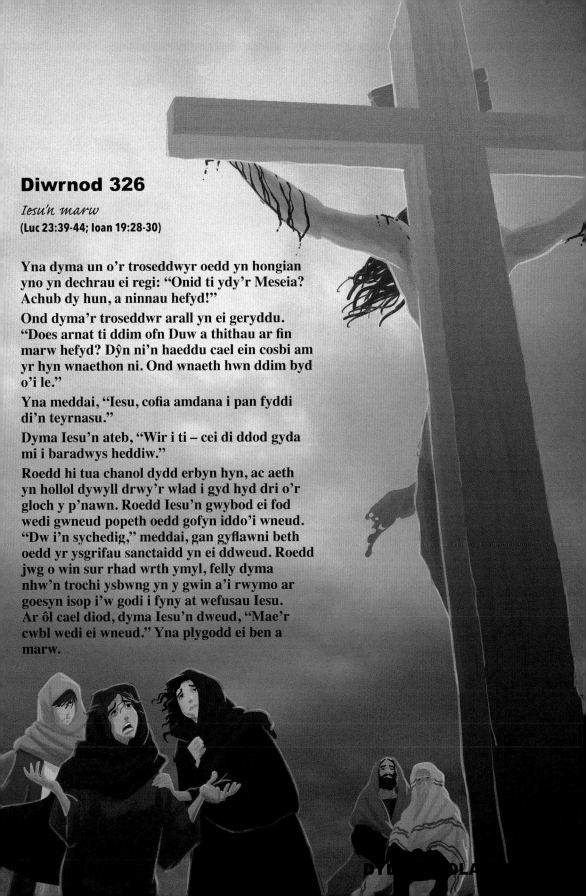

Diwrnod 326

Iesu'n marw
(Luc 23:39-44; Ioan 19:28-30)

Yna dyma un o'r troseddwyr oedd yn hongian yno yn dechrau ei regi: "Onid ti ydy'r Meseia? Achub dy hun, a ninnau hefyd!"

Ond dyma'r troseddwr arall yn ei geryddu. "Does arnat ti ddim ofn Duw a thithau ar fin marw hefyd? Dŷn ni'n haeddu cael ein cosbi am yr hyn wnaethon ni. Ond wnaeth hwn ddim byd o'i le."

Yna meddai, "Iesu, cofia amdana i pan fyddi di'n teyrnasu."

Dyma Iesu'n ateb, "Wir i ti – cei di ddod gyda mi i baradwys heddiw."

Roedd hi tua chanol dydd erbyn hyn, ac aeth yn hollol dywyll drwy'r wlad i gyd hyd dri o'r gloch y p'nawn. Roedd Iesu'n gwybod ei fod wedi gwneud popeth oedd gofyn iddo'i wneud. "Dw i'n sychedig," meddai, gan gyflawni beth oedd yr ysgrifau sanctaidd yn ei ddweud. Roedd jwg o win sur rhad wrth ymyl, felly dyma nhw'n trochi ysbwng yn y gwin a'i rwymo ar goesyn isop i'w godi i fyny at wefusau Iesu. Ar ôl cael diod, dyma Iesu'n dweud, "Mae'r cwbl wedi ei wneud." Yna plygodd ei ben a marw.

Diwrnod 327

Y ddaear yn crynu
(Mathew 27:51-56)

Pan fu Iesu farw, dyma'r llen oedd yn hongian yn y deml yn rhwygo yn ei hanner o'r top i'r gwaelod. Roedd y ddaear yn crynu a'r creigiau yn hollti, a chafodd beddau eu hagor. (Ar ôl i Iesu ddod yn ôl yn fyw cododd cyrff llawer iawn o bobl dduwiol allan o'u beddau, a mynd i mewn i Jerwsalem, y ddinas sanctaidd, a gwelodd lot fawr o bobl nhw.)

Dyma'r daeargryn a phopeth arall ddigwyddodd yn dychryn y capten Rhufeinig a'i filwyr oedd wedi bod yn cadw golwg ar Iesu. Gwaeddodd, "Mab Duw oedd y dyn yma, reit siŵr!"

Roedd nifer o wragedd wedi bod yn gwylio beth oedd yn digwydd o bell. Roedden nhw wedi dilyn Iesu yr holl ffordd o Galilea i ofalu fod ganddo bopeth oedd arno'i angen. Roedd Mair Magdalen yn un ohonyn nhw, Mair mam Iago a Joseff, a mam Iago a Ioan (sef gwraig Sebedeus) hefyd.

393

DYDDIAU OLAF IESU

394
DYDDIAU OLAF IESU

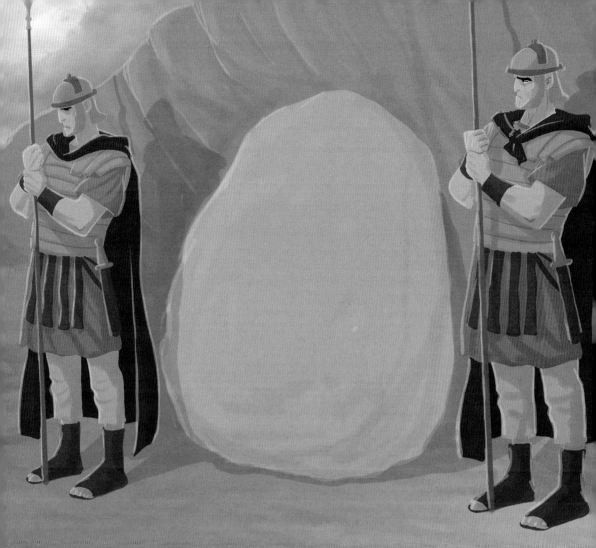

Diwrnod 328

Claddu Iesu
(Ioan 19:31-34; Mathew 27:57-61)

Gan ei bod yn ddiwrnod paratoi ar gyfer wythnos y Pasg, a'r Saboth hwnnw'n ddiwrnod arbennig iawn, dyma'r arweinwyr Iddewig yn mynd i weld Peilat. Doedd ganddyn nhw ddim eisiau i'r cyrff gael eu gadael yn hongian ar y croesau dros y Saboth. Dyma nhw'n gofyn i Peilat ellid torri coesau Iesu a'r ddau leidr iddyn nhw farw'n gynt, ac wedyn gallai'r cyrff gael eu cymryd i lawr. Felly dyma'r milwyr yn dod ac yn torri coesau'r ddau ddyn oedd

wedi eu croeshoelio gyda Iesu. Ond pan ddaethon nhw at Iesu gwelon nhw ei fod wedi marw'n barod.

Ychydig cyn iddi nosi, dyma ddyn o'r enw Joseff (dyn cyfoethog o Arimathea oedd yn un o ddilynwyr Iesu) yn mynd at Peilat. Aeth i ofyn i Peilat am ganiatâd i gymryd corff Iesu, a dyma Peilat yn gorchymyn rhoi'r corff iddo. Dyma Joseff yn cymryd y corff a'i lapio mewn lliain glân. Yna fe'i rhoddodd i orwedd yn ei fedd newydd ei hun, un wedi ei naddu yn y graig. Wedyn, ar ôl rholio carreg drom dros geg y bedd, aeth i ffwrdd.

DYDDIAU OLAF IESU

Diwrnod 329

Mae Iesu'n fyw!
(Mathew 28:1-10)

Yna'n gynnar fore Sul, pan oedd y Saboth Iddewig drosodd, a hithau'n dechrau gwawrio, dyma Mair Magdalen a'r Fair arall yn mynd i edrych ar y bedd.

Yn sydyn roedd daeargryn mawr. Dyma angel yr Arglwydd yn dod i lawr o'r nefoedd a rholio'r garreg oddi ar geg y bedd ac eistedd arni. Roedd wyneb yr angel yn disgleirio'n llachar fel mellten, a'i ddillad yn wyn fel eira. Roedd y milwyr yn crynu gan ofn a dyma nhw'n llewygu.

Yna dyma'r angel yn dweud wrth y gwragedd, "Peidiwch bod ag ofn. Dw i'n gwybod eich bod chi'n edrych am Iesu, yr un gafodd ei groeshoelio. Dydy e ddim yma; mae wedi dod yn ôl yn fyw! Dyna'n union beth ddwedodd fyddai'n digwydd. Dewch yma i weld lle bu'n gorwedd. Yna ewch ar frys a dweud wrth ei ddisgyblion: 'Mae Iesu wedi dod yn ôl yn fyw, ac mae'n mynd i Galilea o'ch blaen chi. Cewch ei weld yno.' Edrychwch, fi sydd wedi dweud wrthoch chi."

Felly dyma'r gwragedd yn rhedeg ar frys o'r bedd i ddweud wrth y disgyblion. Roedden nhw wedi dychryn, ac eto roedden nhw'n teimlo rhyw wefr. Yna'n sydyn dyma Iesu'n eu cyfarfod nhw. "Helo," meddai. Dyma nhw'n rhedeg ato ac yn gafael yn ei draed a'i addoli. "Peidiwch bod ag ofn," meddai Iesu wrthyn nhw, "Ewch i ddweud wrth fy mrodyr am fynd i Galilea; byddan nhw'n cael fy ngweld i yno."

ATGYFODIAD IESU

397

ATGYFODIAID IESU

Diwrnod 330

Y bedd gwag
(Ioan 20:2-18)

Dyma Mair Magdalen yn
rhedeg at Simon Pedr a'r
disgybl arall (yr un oedd Iesu'n
ei garu'n fawr), a dweud
wrthyn nhw, "Maen nhw wedi
cymryd yr Arglwydd allan o'r
bedd, a dŷn ni ddim yn gwybod
ble maen nhw wedi ei roi e!"

Felly dyma Pedr a'r disgybl
arall yn mynd allan i fynd at y
bedd. Rhedodd y ddau gyda'i
gilydd, ond dyma'r disgybl
arall yn rhedeg yn gynt na
Pedr a chyrraedd yno o'i flaen.
Plygodd i edrych i mewn i'r
bedd, a gweld y stribedi o liain
yn gorwedd yno, ond aeth
e ddim i mewn. Yna dyma
Simon Pedr yn cyrraedd ar ei
ôl ac yn mynd yn syth i mewn
i'r bedd. Gwelodd yntau'r
stribedi o liain yn gorwedd yno.
Gwelodd hefyd y cadach oedd
wedi bod am wyneb Iesu, ond
roedd hwnnw wedi ei blygu
a'i osod o'r neilltu ar wahân
i'r stribedi lliain. Yna, yn y
diwedd, dyma'r disgybl arall
(oedd wedi cyrraedd y bedd
gyntaf) yn mynd i mewn hefyd.
Pan welodd e'r cwbl, credodd.
(Doedden nhw ddim eto wedi
deall fod yr ysgrifau sanctaidd
yn dweud fod rhaid i Iesu ddod
yn ôl yn fyw.)

ATGYFODIAID IESU

Diwrnod 331

Iesu yn mynd at y disgyblion
(Ioan 20:19; Luc 24:37-45; Ioan 20:21-23)

Y noson honno, sef nos Sul, roedd y disgyblion gyda'i gilydd. Er bod y drysau wedi eu cloi am fod ganddyn nhw ofn yr arweinwyr Iddewig, dyma Iesu'n dod i mewn a sefyll yn y canol. Roedden nhw wedi cael braw. Roedden nhw'n meddwl eu bod nhw'n gweld ysbryd.

Ond dyma Iesu'n gofyn iddyn nhw, "Beth sy'n bod? Pam dych chi'n amau pwy ydw i? Edrychwch ar fy nwylo a'm traed i. Fi sydd yma go iawn! Cyffyrddwch fi. Byddwch chi'n gweld wedyn mai dim ysbryd ydw i. Does gan ysbryd ddim corff ag esgyrn fel hyn!" Roedd yn dangos ei ddwylo a'i draed iddyn nhw wrth ddweud y peth.

Roedden nhw'n teimlo rhyw gymysgedd o lawenydd a syfrdandod, ac yn dal i fethu credu'r peth. Felly gofynnodd Iesu iddyn nhw, "Oes gynnoch chi rywbeth i'w fwyta yma?" Dyma nhw'n rhoi darn o bysgodyn wedi ei goginio iddo, a dyma Iesu'n ei gymryd a'i fwyta o flaen eu llygaid.

Yna dwedodd wrthyn nhw, "Yn union fel anfonodd y Tad fi, dw i hefyd yn eich anfon chi." Wedyn chwythodd arnyn nhw, a dweud, "Derbyniwch yr Ysbryd Glân. Os gwnewch chi faddau pechodau rhywun, bydd y pechodau hynny yn cael eu maddau; ond os fyddwch chi ddim yn maddau iddyn nhw, fyddan nhw ddim yn cael maddeuant."

ATGYFODIAID IESU

Diwrnod 332

Tomos yn credu
(Ioan 20:24-31)

Doedd Tomos ddim yno pan wnaeth Iesu ymddangos i'r disgyblion. Dyma'r lleill yn dweud wrtho, "Dŷn ni wedi gweld yr Arglwydd!"

Ond ei ymateb oedd, "Nes i mi gael gweld ôl yr hoelion yn ei arddyrnau, a rhoi fy mys yn y briwiau hynny a rhoi fy llaw i mewn yn ei ochr, wna i byth gredu'r peth!"

Wythnos yn ddiweddarach roedd y disgyblion yn y tŷ eto, a'r tro hwn roedd Tomos yno gyda nhw. Er bod y drysau wedi eu cloi, daeth Iesu i mewn a sefyll yn y canol a dweud, "Shalôm!" Trodd at Tomos a dweud, "Edrych ar fy arddyrnau; rho dy fys i mewn ynddyn nhw. Estyn dy law i'w rhoi yn fy ochr i. Stopia amau! Creda!"

A dyma Tomos yn dweud, "Fy Arglwydd a'm Duw!"

400

ATGYFODIAID IESU

"Rwyt ti wedi dod i gredu am dy fod wedi fy ngweld i," meddai Iesu wrtho. "Mae'r rhai fydd yn credu heb weld yn mynd i gael eu bendithio'n fawr."

Gwelodd y disgyblion Iesu yn gwneud llawer o arwyddion gwyrthiol eraill, ond dw i ddim wedi ysgrifennu amdanyn nhw yma. Ond mae'r cwbl sydd yma wedi ei ysgrifennu er mwyn i chi gredu mai Iesu ydy'r Meseia, mab Duw. Pan fyddwch chi'n credu byddwch chi'n cael bywyd tragwyddol trwyddo.

ATGYFODIAID IESU

Diwrnod 333

Rhwyd yn llawn pysgod
(Ioan 21:1-14)

Dyma Iesu'n ymddangos eto i'w ddisgyblion wrth Lyn Tiberias. Roedd criw ohonyn nhw gyda'i gilydd.

"Dw i'n mynd i bysgota," meddai Simon Pedr wrth y lleill.

A dyma nhw'n ateb, "Dŷn ni am ddod hefyd." Felly aethon nhw allan mewn cwch, ond wnaethon nhw ddal dim drwy'r nos.

Pan oedd hi yn dechrau gwawrio dyma Iesu'n sefyll ar lan y llyn, ond doedd y disgyblion ddim yn gwybod mai Iesu oedd yno.

Galwodd arnyn nhw, "Oes gynnoch chi bysgod ffrindiau?"

"Nac oes," medden nhw.

Yna dwedodd Iesu, "Taflwch y rhwyd ar ochr dde'r cwch, a byddwch yn dal rhai." Dyma nhw'n gwneud hynny, a chafodd cymaint o bysgod eu dal nes eu bod nhw'n methu tynnu'r rhwyd yn ôl i'r cwch.

Dyma'r disgybl roedd Iesu'n ei garu'n fawr yn dweud wrth Pedr, "Yr Arglwydd ydy e!" A dyma Simon Pedr yn rhwymo dilledyn am ei ganol yna neidio i'r dŵr. Daeth y disgyblion eraill ar ei ôl yn y cwch, gan lusgo'r rhwyd oedd yn llawn o bysgod ar eu holau.

Ar y lan roedd tân golosg a physgod yn coginio arno, ac ychydig fara.

"Dewch a rhai o'r pysgod dych chi newydd eu dal," meddai Iesu wrthyn nhw.

Felly dyma Simon Pedr yn mynd i mewn i'r cwch a llusgo'r rhwyd i'r lan. Roedd hi'n llawn o bysgod mawrion, cant pum deg tri ohonyn nhw, ond er hynny wnaeth y rhwyd ddim rhwygo.

"Dewch i gael brecwast," meddai Iesu.

Doedd dim un o'r disgyblion yn meiddio gofyn iddo, "Pwy wyt ti?" – roedden nhw yn gwybod yn iawn mai'r Arglwydd oedd e.

Yna dyma Iesu'n cymryd y bara a'i roi iddyn nhw, a gwneud yr un peth gyda'r pysgod.

Dyma'r trydydd tro i Iesu adael i'w ddisgyblion ei weld ar ôl iddo ddod yn ôl yn fyw.

ATGYFODIAD IESU

Diwrnod 334

Iesu a Pedr
(Ioan 21:15-19)

Pan roedden nhw wedi gorffen bwyta, dyma Iesu'n troi at Simon Pedr a dweud, "Simon fab Ioan, wyt ti wir yn fy ngharu i fwy na'r rhain?"

"Ydw, Arglwydd," atebodd, "rwyt ti'n gwybod mod i'n dy garu di."

Dwedodd Iesu wrtho, "Gofala am fy ŵyn."

Yna gofynnodd Iesu eto, "Simon fab Ioan, wyt ti wir yn fy ngharu i?"

Dwedodd eto, "Ydw, Arglwydd, rwyt ti'n gwybod mod i'n dy garu di."

Meddai Iesu, "Arwain fy nefaid."

Yna gofynnodd Iesu iddo'r drydedd waith, "Simon fab Ioan, wyt ti'n fy ngharu i?"

Roedd Pedr yn ddigalon fod Iesu wedi gofyn eto'r drydedd waith, "Wyt ti'n fy ngharu i?" "Arglwydd," meddai, "rwyt ti'n gwybod pob peth; rwyt ti'n gwybod mod i'n dy garu di."

ATGYFODIAID IESU

Yna dwedodd Iesu, "Gofala am fy nefaid. Cred di fi, pan oeddet ti'n ifanc roeddet yn gwisgo ac yn mynd i ble bynnag oeddet ti eisiau; ond pan fyddi'n hen byddi'n estyn allan dy freichiau, a bydd rhywun arall yn dy rwymo di ac yn dy arwain i rywle dwyt ti ddim eisiau mynd." (Dwedodd Iesu hyn i ddangos sut roedd Pedr yn mynd i anrhydeddu Duw trwy farw.)

Yna dyma Iesu'n dweud wrtho, "Dilyn fi."

405

ATGYFODIAID IESU

ATGYFODIAID IESU

Diwrnod 335

Iesu yn mynd yn ôl at Dduw
(Actau 1:3-11)

Am bron chwe wythnos ar ôl iddo gael ei groeshoelio dangosodd Iesu ei hun iddyn nhw dro ar ôl tro, a phrofi y tu hwnt i bob amheuaeth ei fod yn fyw. Roedd yn siarad â nhw am beth mae teyrnasiad Duw yn ei olygu.

Un o'r troeon hynny dwedodd fel hyn: "Peidiwch gadael Jerwsalem nes byddwch wedi derbyn y rhodd mae fy Nhad wedi ei addo. Dych chi'n cofio fy mod wedi siarad am hyn o'r blaen. Roedd Ioan yn bedyddio gyda dŵr, ond mewn ychydig ddyddiau cewch chi'ch bedyddio gyda'r Ysbryd Glân. Bydd yr Ysbryd Glân yn disgyn arnoch chi, ac yn rhoi nerth i chi ddweud amdana i wrth bawb – yn Jerwsalem a Jwdea, yn Samaria, a drwy'r byd i gyd."

Yna ar ôl iddo ddweud hynny cafodd ei godi i fyny i'r awyr o flaen eu llygaid. Dyma gwmwl yn dod o'i gwmpas a diflannodd o'u golwg.

Tra roedden nhw'n syllu i'r awyr yn edrych arno'n mynd, yn sydyn dyma ddau ddyn mewn dillad gwyn yn ymddangos wrth eu hymyl nhw, a dweud, "Chi Galileaid, beth dych chi'n ei wneud yma yn syllu i'r awyr? Mae Iesu wedi cael ei gymryd i'r nefoedd oddi wrthoch chi. Ond yn union yr un fath ag y gweloch e'n mynd bydd yn dod yn ôl eto."

407

Diwrnod 336

Dydd y Pentecost
(Actau 2:1-13)

Ar ddiwrnod dathlu Gŵyl y Pentecost roedd pawb gyda'i gilydd eto. Ac yn sydyn dyma nhw'n clywed sŵn o'r awyr, fel gwynt cryf yn chwythu drwy'r ystafell lle roedden nhw'n cyfarfod. Ac wedyn roedd fel petai rhywbeth tebyg i fflamau tân yn dod i lawr ac yn gorffwys ar ben pob un ohonyn nhw. Dyma pawb oedd yno yn cael eu llenwi â'r Ysbryd Glân ac yn dechrau siarad mewn ieithoedd eraill. Yr Ysbryd oedd yn eu galluogi nhw i wneud hynny.

Bryd hynny roedd Iddewon crefyddol o wahanol wledydd wedi dod i aros yn Jerwsalem. Clywon nhw'r sŵn hefyd, ac roedd tyrfa fawr wedi casglu at ei gilydd i weld beth oedd yn digwydd.

Roedden nhw wedi drysu, am fod pob un ohonyn nhw yn clywed ei iaith ei hun yn cael ei siarad. Roedd y peth yn syfrdanol! "Onid o Galilea mae'r bobl yma'n dod?" medden nhw. "Sut maen nhw'n gallu siarad ein hieithoedd ni? Maen nhw'n dweud am y pethau rhyfeddol mae Duw wedi eu gwneud!" Dyna lle roedden nhw'n sefyll yn syn, heb ddim clem beth oedd yn digwydd. "Beth sy'n mynd ymlaen?" medden nhw.

Ond roedd rhai yno'n gwatwar a dweud, "Maen nhw wedi meddwi!"

408

Diwrnod 337

Pedr yn annerch y dyrfa
(Actau 2:14-36)

Dyma Pedr yn annerch y dyrfa: "Arweinwyr, bobl Jwdea, a phawb arall sy'n aros yma yn Jerwsalem – gwna i esbonio i chi beth sy'n digwydd. Dydy'r bobl yma ddim wedi meddwi fel mae rhai ohonoch chi'n dweud. Mae'n rhy gynnar i hynny! Naw o'r gloch y bore ydy hi! Na, beth sy'n digwydd ydy beth soniodd y proffwyd Joel amdano: 'Mae Duw yn dweud: Yn y cyfnod olaf bydda i'n tywallt fy ysbryd ar y bobl i gyd.'

"Bobl Israel, gwrandwch: Dangosodd Duw i chi ei fod gyda Iesu o Nasareth – dych chi'n gwybod hynny'n iawn, am fod Duw wedi gwneud gwyrthiau rhyfeddol trwyddo, a phethau eraill oedd yn dangos pwy oedd e. Roedd Duw'n gwybod ac wedi trefnu ymlaen llaw beth fyddai'n digwydd iddo. Gyda help y Rhufeiniaid annuwiol dyma chi'n ei ladd, drwy ei hoelio a'i hongian ar groes. Ond dyma Duw yn ei godi yn ôl yn fyw a'i ollwng yn rhydd o grafangau marwolaeth. Roedd yn amhosib i farwolaeth ddal gafael ynddo!

"Sôn am y Meseia'n dod yn ôl yn fyw oedd Dafydd pan ddwedodd na chafodd ei adael gyda'r meirw ac na fyddai ei gorff y pydru'n y bedd! A dyna sydd wedi digwydd! – mae Duw wedi codi Iesu yn ôl yn fyw, a dŷn ni'n lygad-dystion i'r ffaith! Bellach mae'n eistedd yn y sedd anrhydedd ar ochr dde Duw. Rhoddodd y Tad yr Ysbryd Glân oedd wedi ei addo, iddo ei dywallt arnon ni. Dyna dych chi wedi ei weld a'i glywed yn digwydd yma heddiw."

409

Diwrnod 338

Y disgyblion gydaʼi gilydd
(Actau 2:37-47)

Roedd pobl wedi eu hysgwyd iʼr byw gan beth ddwedodd Pedr, a dyma nhwʼn gofyn iddo ac iʼr apostolion eraill, "Frodyr, beth ddylen ni wneud?"

Dyma Pedr yn ateb, "Rhaid i chi droi cefn ar eich pechod, a chael eich bedyddio fel arwydd eich bod yn perthyn i Iesu y Meseia a bod Duw yn maddau eich pechodau chi. Wedyn byddwch chiʼn derbyn yr Ysbryd Glân yn rhodd gan Dduw. Mae Duw wedi addo hyn i chi ac iʼch disgynyddion, ac i bobl syʼn byw yn bell i ffwrdd – pawb fydd yr Arglwydd ein Duw yn eu galw atoʼi hun."

Aeth Pedr yn ei flaen i ddweud llawer iawn mwy wrthyn nhw. Roedd yn eu rhybuddio nhw ac yn apelioʼn daer.

YR EGLWYS FORE

A dyma'r rhai wnaeth gredu beth oedd Pedr yn ei ddweud yn cael eu bedyddio – tua tair mil ohonyn nhw y diwrnod hwnnw!

Roedden nhw'n dal ati o ddifri – yn dilyn beth oedd yr apostolion yn ei ddysgu, yn rhannu popeth, yn bwyta a dathlu Swper yr Arglwydd ac yn gweddïo gyda'i gilydd. Roedd pawb oedd yn credu yn teimlo eu bod nhw'n un teulu, ac yn rhannu popeth gyda'i gilydd. Roedden nhw'n gwerthu eu heiddo er mwyn gallu helpu pwy bynnag oedd mewn angen. Roedden nhw'n dal ati i gyfarfod bob dydd yng nghwrt y deml, ac yn bwyta a dathlu Swper yr Arglwydd yn nhai ei gilydd. Roedden nhw'n moli Duw, ac roedd agwedd pobl tuag atyn nhw yn bositif iawn. Roedd mwy a mwy o bobl yn ymuno â nhw, ac yn cael eu hachub gan Dduw, bob dydd.

411

YR EGLWYS FORE

Diwrnod 339

Iacháu dyn oedd yn methu cerdded
(Actau 3:1-4)

Un diwrnod, am dri o'r gloch y p'nawn, roedd Pedr ac Ioan ar eu ffordd i'r deml i'r cyfarfod gweddi. Wrth y fynedfa sy'n cael ei galw 'Y Fynedfa Hardd' roedd dyn oedd ddim wedi gallu cerdded erioed. Roedd yn cael ei gario yno bob dydd i gardota gan y bobl oedd yn mynd a dod i'r deml. Pan oedd Pedr ac Ioan yn pasio heibio gofynnodd iddyn nhw am arian. Dyma'r ddau yn edrych arno, a dyma Pedr yn dweud, "Edrych arnon ni." Edrychodd y dyn arnyn nhw, gan feddwl ei fod yn mynd i gael rhywbeth ganddyn nhw.

"Does gen i ddim arian i'w roi i ti," meddai Pedr, "ond cei di beth sydd gen i i'w roi. Dw i'n dweud hyn gydag awdurdod Iesu y Meseia o Nasareth – cod ar dy draed a cherdda." Yna gafaelodd yn llaw dde y dyn a'i helpu i godi ar ei draed. Cryfhaodd traed a choesau'r dyn yr eiliad honno, a dyma fe'n neidio ar ei draed a dechrau cerdded! Aeth i mewn i'r deml gyda nhw, yn neidio ac yn moli Duw.

412

YR EGLWYS FORE

Dyna lle roedd y cardotyn a'i freichiau am Pedr ac Ioan, a dyma'r bobl yn tyrru i mewn i lle roedden nhw. Pan welodd Pedr y bobl o'u cwmpas, dwedodd wrthyn nhw: "Pam dych chi'n rhyfeddu at hyn, bobl Israel? Pam syllu arnon ni fel petai gynnon ni'r gallu ynon ni'n hunain i wneud i'r dyn yma gerdded, neu fel tasen ni'n rhyw bobl arbennig o dduwiol? Duw sydd wedi gwneud y peth – Duw Abraham, Isaac a Jacob;

Duw ein cyndeidiau ni. Gwnaeth hyn i anrhydeddu ei was Iesu. Yr Iesu wnaethoch chi ei drosglwyddo i'r awdurdodau i gael ei ladd. Yr un wnaethoch chi ei wrthod pan oedd Peilat yn fodlon ei ryddhau. Ond dyma Duw yn dod ag e yn ôl yn fyw! Dŷn ni'n dystion i'r ffaith! Iesu roddodd y nerth i'r dyn yma o'ch blaen chi gael ei iacháu. Enw Iesu, a'r ffaith ein bod ni'n credu ynddo sydd wedi ei wneud yn iach o flaen eich llygaid chi."

Diwrnod 341

Y diwrnod wedyn dyma'r cyngor, sef yr arweinwyr a'r henuriaid a'r arbenigwyr yn y Gyfraith, yn cyfarfod yn Jerwsalem. Dyma nhw'n galw Pedr ac Ioan i ymddangos o'u blaenau a dechrau eu holi: "Pa bŵer ysbrydol, neu pa enw wnaethoch chi ei ddefnyddio i wneud hyn?"

Dyma Pedr, wedi ei lenwi â'r Ysbryd Glân, yn eu hateb: "Arweinwyr a henuriaid y genedl. Ydyn ni'n cael ein galw i gyfrif yma heddiw am wneud tro da i ddyn oedd yn methu cerdded? Os dych chi eisiau gwybod sut cafodd y dyn ei iacháu, dweda i wrthoch chi. Dw i am i bobl Israel i gyd wybod! Enw Iesu y Meseia o Nasareth sydd wedi iacháu y dyn yma sy'n sefyll o'ch blaen chi. Yr Iesu wnaethoch chi ei groeshoelio, ond daeth Duw ag e yn ôl yn fyw. Fe ydy'r unig un sy'n achub! Does neb arall yn unman sy'n gallu achub pobl."

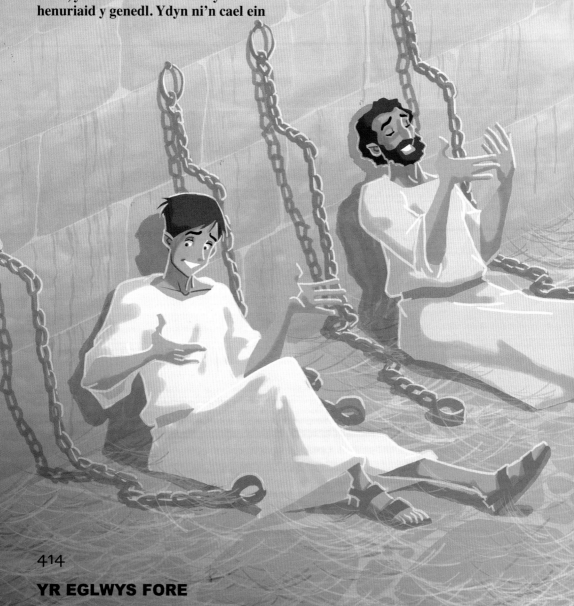

414

YR EGLWYS FORE

Roedd aelodau'r cyngor yn rhyfeddu fod Pedr ac Ioan mor hyderus. Dyma nhw'n eu hanfon allan o'r Sanhedrin er mwyn trafod y mater gyda'i gilydd. "Beth wnawn ni â'r dynion yma?" medden nhw. "Mae pawb yn Jerwsalem yn gwybod eu bod wedi cyflawni gwyrth anhygoel, a dŷn ni ddim yn gallu gwadu hynny. Ond mae'n rhaid stopio hyn rhag mynd ymhellach. Rhaid i ni eu rhybuddio nhw i beidio dysgu am yr Iesu yma byth eto."

Ond dyma Pedr ac Ioan yn ateb, "Beth ydych chi'n feddwl fyddai Duw am i ni ei wneud – gwrando arnoch chi, neu ufuddhau iddo fe? Allwn ni ddim stopio sôn am y pethau dŷn ni wedi eu gweld a'u clywed."

Diwrnod 342

Angel yn gollwng yr Apostolion yn rhydd
(Actau 4:32-35; 5:12-21)

Roedd undod go iawn ymhlith y credinwyr i gyd. Doedd neb yn dweud "Fi biau hwnna!" Roedden nhw'n rhannu popeth gyda'i gilydd. Roedd cynrychiolwyr Iesu yn cael rhyw nerth rhyfedd i dystio'n glir fod yr Arglwydd Iesu wedi dod yn ôl yn fyw, ac roedden nhw i gyd yn teimlo fod Duw mor dda tuag atyn nhw. Doedd neb ohonyn nhw mewn angen.

Roedd yr apostolion yn gwneud llawer o wyrthiau rhyfeddol ymhlith y bobl – gwyrthiau oedd yn dangos fod Duw gyda nhw.

Byddai'r credinwyr i gyd yn cyfarfod gyda'i gilydd yn y deml. Ac roedd mwy a mwy o bobl yn dod i gredu yn yr Arglwydd – yn ddynion a merched.

Roedd yr Archoffeiriad a'i gyd-Sadwceaid yn genfigennus. Felly dyma nhw'n arestio'r apostolion a'u rhoi yn y carchar. Ond yn ystod y nos dyma angel yr Arglwydd yn dod ac yn agor drysau'r carchar a'u gollwng yn rhydd. Dwedodd wrthyn nhw, "Ewch i'r deml, sefyll yno a dweud wrth bobl am y bywyd newydd yma."

Felly ar doriad gwawr dyma nhw'n mynd i'r deml eto a dechrau dysgu'r bobl.

YR EGLWYS FORE

Diwrnod 343

Steffan yn cael ei arestio

(Actau 6:8-15)

Roedd Steffan yn ddyn oedd â nerth Duw ar waith yn ei fywyd. Roedd yn gwneud gwyrthiau rhyfeddol ymhlith y bobl, oedd yn dangos fod Duw gydag e. Dyma Iddewon o Cyrene ac Alecsandria yn dechrau dadlau gydag e, ond doedden nhw ddim yn gallu ateb ei ddadleuon. Roedd e mor ddoeth, ac roedd yr Ysbryd Glân yn amlwg yn siarad trwyddo.

Felly dyma nhw'n defnyddio tacteg wahanol, ac yn perswadio rhyw ddynion i ddweud celwydd amdano: "Dŷn ni wedi clywed Steffan yn dweud pethau cableddus am Moses ac am Dduw." Wrth gwrs achosodd hyn stŵr ymhlith y bobl a'r henuriaid a'r arbenigwyr yn y Gyfraith.

Dyma nhw'n arestio Steffan ac roedd rhaid iddo ymddangos o flaen y Sanhedrin. Dyma rai yn dweud celwydd wrth roi tystiolaeth ar lw: "Mae'r dyn yma o hyd ac o hyd yn dweud pethau yn erbyn y deml ac yn erbyn Cyfraith Moses. Dŷn ni wedi ei glywed yn dweud y bydd yr Iesu yna o Nasareth yn dinistrio'r deml yma ac yn newid y traddodiadau wnaeth Moses eu rhoi i ni."

Dyma pob un o aelodau'r Sanhedrin yn troi i syllu ar Steffan. Roedd ei wyneb yn disgleirio fel wyneb angel.

416

Diwrnod 344

Lladd Steffan
(Actau 7:1, 51-60)

Gofynnodd yr archoffeiriad iddo, "Ydy'r cyhuddiadau yma'n wir?"

Atebodd Steffan, "Dych chi mor benstiff! Dych chi fel y paganiaid – yn ystyfnig a byddar! Dych chi'n union yr un fath â'ch hynafiaid – byth yn gwrando ar yr Ysbryd Glân! Fuodd yna unrhyw broffwyd gafodd mo'i erlid gan eich cyndeidiau? Nhw lofruddiodd hyd yn oed y rhai broffwydodd fod yr Un Cyfiawn yn dod – sef y Meseia. A dych chi nawr wedi ei fradychu a'i ladd e! Dych chi wedi gwrthod ufuddhau i Gyfraith Duw, a chithau wedi ei derbyn hi gan angylion!"

Roedd yr hyn ddwedodd Steffan wedi gwneud yr arweinwyr Iddewig yn wyllt gandryll. Dyma nhw'n troi'n fygythiol, ond roedd Steffan yn llawn o'r Ysbryd Glân, ac wrth edrych i fyny gwelodd ogoniant Duw, a Iesu yn sefyll ar ei ochr dde. "Edrychwch!" meddai, "dw i'n gweld y nefoedd ar agor! Mae Mab y Dyn wedi ei anrhydeddu – mae'n sefyll ar ochr dde Duw."

Dyma nhw'n gwrthod gwrando ar ddim mwy, a chan weiddi nerth eu pennau dyma nhw'n rhuthro ymlaen i ymosod arno. Ar ôl ei lusgo allan o'r ddinas dyma nhw'n dechrau taflu cerrig ato i'w labyddio i farwolaeth. Roedd y rhai oedd wedi tystio yn ei erbyn wedi tynnu eu mentyll, a'u rhoi yng ngofal dyn ifanc o'r enw Saul.

Wrth iddyn nhw daflu cerrig ato i'w ladd, roedd Steffan yn gweddïo, "Arglwydd Iesu, derbyn fy ysbryd i." Yna syrthiodd ar ei liniau a gweiddi'n uchel, "Arglwydd, paid dal nhw'n gyfrifol am y pechod yma." Ac ar ôl dweud hynny, buodd farw.

417

Diwrnod 345

Saul ar y ffordd i Damascus
(Acts 8:1-4; 9:1-9)

O'r diwrnod hwnnw ymlaen dyma Saul yn mynd ati i ddinistrio'r eglwys. Roedd yn mynd o un tŷ i'r llall ac yn arestio dynion a merched a'u rhoi yn y carchar. Roedd yn bygwth lladd dilynwyr yr Arglwydd. Aeth at yr Archoffeiriad i ofyn am lythyrau i synagogau Damascus yn rhoi'r hawl iddo arestio unrhyw un oedd yn dilyn y Ffordd.

Roedd yn agos at Damascus pan fflachiodd golau disglair o'r nefoedd o'i gwmpas. Syrthiodd ar lawr a chlywed llais yn dweud wrtho: "Saul? Saul? Pam rwyt ti'n fy erlid i?"

"Pwy wyt ti, syr?" gofynnodd Saul.

"Iesu ydw i," atebodd, "yr un rwyt ti'n ei erlid. Nawr cod ar dy draed a dos i mewn i'r ddinas. Cei di wybod yno beth mae'n rhaid i ti ei wneud."

Roedd y rhai oedd yn teithio gydag e yn sefyll yn fud; roedden nhw'n clywed y llais ond doedden nhw'n gweld neb. Cododd Saul ar ei draed, ond pan agorodd ei lygaid, doedd e ddim yn gallu gweld. Felly dyma nhw'n gafael yn ei law ac yn ei arwain i mewn i dre Damascus. Arhosodd yno am dri diwrnod. Roedd yn ddall ac yn gwrthod bwyta nac yfed dim.

Diwrnod 346

Saul yn cael ei fedyddio
(Actau 9:10-18)

Yn byw yn Damascus roedd disgybl o'r enw Ananias oedd wedi cael gwelediigaeth o'r Arglwydd yn galw arno – "Ananias!"

"Ie, Arglwydd," atebodd.

A dyma'r Arglwydd yn dweud wrtho, "Dos i dŷ Jwdas yn Stryd Union a gofyn am ddyn o Tarsus o'r enw Saul. Mae yno'n gweddïo."

"Ond Arglwydd," meddai Ananias, "dw i wedi clywed llawer o hanesion am y dyn yma. Mae wedi gwneud pethau ofnadwy i dy bobl di yn Jerwsalem.

Ond meddai'r Arglwydd wrth Ananias, "Dos! Dyma'r dyn dw i wedi ei ddewis i ddweud amdana i wrth bobl o genhedloedd eraill a'u brenhinoedd yn ogystal ag wrth bobl Israel. Bydda i'n dangos iddo y bydd e'i hun yn dioddef llawer am fy nilyn i."

Felly dyma Ananias yn mynd. Aeth i mewn i'r tŷ, gosod ei ddwylo ar Saul a dweud wrtho, "Saul, frawd. Mae'r Arglwydd Iesu wedi fy anfon i atat ti er mwyn i ti gael dy olwg yn ôl, a chei dy lenwi â'r Ysbryd Glân hefyd."

Yr eiliad honno dyma rywbeth tebyg i gen yn syrthio oddi ar lygaid Saul, ac roedd yn gallu gweld eto. Cododd ar ei draed a chafodd ei fedyddio. Wedyn cymerodd rywbeth i'w fwyta, a chael ei gryfder yn ôl.

Arhosodd Saul gyda'r disgyblion yn Damascus am beth amser.

Diwrnod 347

Saul yn dechrau pregethu
(Actau 9:20-31)

Aeth Saul ati ar unwaith i bregethu yn y synagogau a dweud mai Iesu ydy Mab Duw. Roedd pawb a'i clywodd wedi eu syfrdanu. "Onid dyma'r dyn wnaeth achosi'r fath drafferth i'r rhai yn Jerwsalem sy'n dilyn yr Iesu yna? Roedden ni'n meddwl ei fod wedi dod yma ar ran y prif offeiriaid i arestio'r bobl hynny a'u rhoi yn y carchar."

Roedd pregethu Saul yn mynd yn gryfach ac yn gryfach bob dydd, a doedd yr Iddewon yn Damascus ddim yn gallu dadlau yn ei erbyn wrth iddo brofi mai Iesu ydy'r Meseia.

Pan gyrhaeddodd Saul yn ôl yn Jerwsalem, ceisiodd fynd at y credinwyr yno, ond roedd ganddyn nhw ei ofn. Doedden nhw ddim yn credu ei fod wedi dod yn Gristion go iawn. Ond dyma Barnabas yn ei dderbyn, ac yn mynd ag e at yr apostolion. Dwedodd wrthyn nhw sut gwelodd Saul yr Arglwydd pan oedd yn teithio i Damascus, a beth oedd yr Arglwydd wedi ei ddweud wrtho. Hefyd dwedodd ei fod wedi pregethu am Iesu yn gwbl ddi-ofn pan oedd yn Damascus.

Ar ôl hyn cafodd yr eglwys yn Jwdea, Galilea a Samaria gyfnod o dawelwch a llwyddiant – roedd ffydd y credinwyr yn cryfhau ac roedd eu niferoedd yn tyfu hefyd.

419

YR EGLWYS FORE

Diwrnod 348

Pedr yn dod â Dorcas yn ôl yn fyw
(Actau 9:36-43)

Yna yn Jopa roedd disgybl o'r enw Tabitha (Dorcas fyddai ei henw yn yr iaith Roeg). Roedd hi bob amser wedi gwneud daioni a helpu pobl dlawd, ond tua'r adeg yna aeth yn glaf, a buodd farw. Cafodd ei chorff ei olchi a'i osod i orwedd mewn ystafell i fyny'r grisiau.

Pan glywodd y credinwyr fod Pedr yn Lyda (sydd ddim yn bell iawn o Jopa), dyma nhw'n anfon dau ddyn ato i ofyn iddo, "Plîs, tyrd ar unwaith!"

Aeth Pedr gyda nhw, ac wedi iddo gyrraedd dyma fynd ag e i fyny'r grisiau i'r ystafell. Roedd yr ystafell yn llawn o wragedd gweddwon yn eu dagrau yn dangos iddo'r mentyll a'r dillad eraill roedd Dorcas wedi eu gwneud iddyn nhw pan oedd hi'n dal yn fyw.

420

GWEINIDOGAETH SIMON PEDR

Dyma Pedr yn anfon pawb allan o'r ystafell, ac yna aeth ar ei liniau a gweddïo. Yna trodd at gorff y wraig oedd wedi marw, a dweud wrthi, "Tabitha, cod ar dy draed." Agorodd ei llygaid! A phan welodd Pedr eisteddodd i fyny. Gafaelodd Pedr yn ei llaw a'i helpu i sefyll ar ei thraed. Wedyn galwodd Pedr y credinwyr a'r gwragedd gweddwon yn ôl i mewn a dangos iddyn nhw fod Dorcas yn fyw.

Dyma'r newyddion yn mynd ar led drwy dre Jopa fel tân gwyllt, a daeth llawer iawn o bobl i gredu yn yr Arglwydd.

421

GWEINIDOGAETH SIMON PEDR

Diwrnod 349

Cynfas yn llawn anifeiliaid
(Actau 10:1-16)

Roedd dyn o'r enw Cornelius yn byw yn Cesarea, oedd yn swyddog milwrol yn y Gatrawd Eidalaidd. Roedd e a'i deulu yn bobl grefyddol a duwiol; roedd yn rhoi'n hael i'r Iddewon oedd mewn angen ac yn ddyn oedd yn gweddïo ar Dduw yn rheolaidd. Un diwrnod, tua tri o'r gloch y p'nawn, cafodd welediigaeth. Gwelodd un o angylion Duw yn dod ato ac yn galw arno, "Cornelius!"

Roedd Cornelius yn syllu arno mewn dychryn. "Beth, Arglwydd?" meddai. Atebodd yr angel, "Mae dy weddïau a'th roddion i'r tlodion wedi cael eu derbyn fel offrwm gan Dduw. Anfon ddynion i Jopa i nôl dyn o'r enw Simon Pedr."

Pan aeth yr angel i ffwrdd, dyma Cornelius yn galw dau o'i weision a milwr duwiol oedd yn un o'i warchodwyr personol. Dwedodd wrthyn nhw beth oedd wedi digwydd, a'u hanfon i Jopa.

Tua chanol dydd y diwrnod wedyn pan oedd gweision Cornelius bron â chyrraedd Jopa, roedd Pedr wedi mynd i fyny i ben y to i weddïo. Dechreuodd deimlo ei fod eisiau bwyd. Tra roedd cinio yn cael ei baratoi cafodd welediigaeth. Gwelodd yr awyr yn agor a rhywbeth tebyg i gynfas fawr yn cael ei gollwng i lawr i'r ddaear wrth ei phedair cornel. Y tu mewn i'r gynfas roedd pob math o anifeiliaid, ymlusgiaid ac adar. A dyma lais yn dweud wrtho, "Cod Pedr, lladd beth wyt ti eisiau, a'i fwyta."

"Dwyt ti ddim o ddifri, Arglwydd!" meddai Pedr. "Dw i erioed wedi bwyta dim byd sy'n cael ei gyfri'n aflan neu'n anghywir i'w fwyta."

Ond meddai'r llais, "Os ydy Duw wedi dweud fod rhywbeth yn iawn i'w fwyta, paid ti â dweud fel arall!"

Digwyddodd yn union yr un peth dair gwaith! Yna'n sydyn aeth y gynfas yn ôl i fyny i'r awyr.

GWEINIDOGAETH SIMON PEDR

Diwrnod 350

Pedr yn mynd i dŷ swyddog milwrol
(Actau 10:19-45)

Tra roedd Pedr yn pendroni am y weledigaeth gafodd, dwedodd yr Ysbryd Glân wrtho, "Simon, mae tri dyn yma'n edrych amdanat ti, felly dos i lawr atyn nhw. Dos gyda nhw, am mai fi sydd wedi eu hanfon nhw. Paid petruso."

Felly dyma Pedr yn mynd i lawr y grisiau a dweud wrth y dynion, "Fi dych chi'n edrych amdano. Pam dych chi yma?"

Atebodd y dynion, "Ein meistr ni, Cornelius, sydd wedi'n hanfon ni yma. Mae e'n ddyn da a duwiol sy'n cael ei barchu'n fawr gan yr Iddewon i gyd. Dwedodd angel wrtho am dy wahodd i'w dŷ iddo gael clywed beth sydd gen ti i'w ddweud."

Y diwrnod wedyn dyma Pedr yn mynd gyda nhw, ac aeth rhai o gredinwyr Jopa gydag e hefyd. Dyma nhw'n cyrraedd Cesarea. Roedd Cornelius yn disgwyl amdanyn nhw, ac wedi galw ei berthnasau a'i ffrindiau draw.

A dyma ddwedodd Pedr wrthyn nhw: "Dych chi'n gwybod fod ein Cyfraith ni'r Iddewon ddim yn caniatáu i ni gymysgu gyda phobl o genhedloedd eraill. Ond mae Duw wedi dangos i mi fod gen i ddim hawl i ystyried unrhyw un yn aflan. Dw i'n deall yn iawn, bellach, fod Duw ddim yn dangos ffafriaeth! Mae'n derbyn pobl o bob gwlad sy'n ei addoli ac yn gwneud beth sy'n iawn. Roedd Duw wedi eneinio Iesu o Nasareth â'r Ysbryd Glân ac â nerth rhyfeddol. Roedd yn mynd o gwmpas yn gwneud daioni. Roedd Duw gydag e! Dŷn ni'n llygad-dystion i'r cwbl! Cafodd ei ladd drwy gael ei hoelio ar bren, ond ddeuddydd yn ddiweddarach dyma Duw yn dod ag e'n ôl yn fyw! Fe ydy'r un mae'r proffwydi i gyd yn sôn amdano, ac yn dweud y bydd pechodau pawb sy'n credu ynddo yn cael eu maddau."

Tra oedd Pedr ar ganol dweud hyn i gyd, dyma'r Ysbryd Glân yn disgyn ar bawb oedd yn gwrando.

423

GWEINIDOGAETH SIMON PEDR

Diwrnod 351

Pedr yn cael ei arestio eto
(Actau 12:1-8)

Tua'r adeg yna dyma'r Brenin Herod Agripa yn cam-drin rhai o'r bobl oedd yn perthyn i'r eglwys. Cafodd Iago (sef brawd Ioan) ei ddienyddio ganddo – trwy ei ladd gyda'r cleddyf. Yna pan welodd fod hyn yn plesio'r arweinwyr Iddewig, dyma fe'n arestio Pedr hefyd a'i roi yn y carchar. Trefnwyd fod pedwar milwr ar wyliadwriaeth bob sifft. Bwriad Herod oedd dwyn achos cyhoeddus yn erbyn Pedr ar ôl y Pasg.

Tra roedd Pedr yn y carchar roedd yr eglwys yn gweddïo'n daer ar Dduw drosto.

Y noson cyn yr achos llys, roedd Pedr yn cysgu. Roedd wedi ei gadwyno i ddau filwr – un bob ochr iddo, a'r lleill yn gwarchod y fynedfa.

Yn sydyn roedd angel yno, a golau yn disgleirio drwy'r gell. Rhoddodd bwniad i Pedr yn ei ochr i'w ddeffro. "Brysia!" meddai, "Cod ar dy draed!", a dyma'r cadwyni'n disgyn oddi ar ei freichiau.

Wedyn dyma'r angel yn dweud wrtho, "Rho dy ddillad amdanat a gwisga dy sandalau." Ac ar ôl i Pedr wneud hynny, dyma'r angel yn dweud, "Tafla dy glogyn amdanat a dilyn fi."

Diwrnod 352

Pedr yn dianc o'r carchar
(Actau 12:9-17)

Dyma Pedr yn dilyn yr angel allan o'r gell – ond heb wybod os oedd y peth yn digwydd go iawn neu ai dim ond breuddwyd oedd y cwbl! Dyma nhw'n mynd heibio'r gwarchodwr cyntaf a'r

424

ail, a chyrraedd y giât haearn oedd yn mynd allan i'r ddinas. Agorodd honno ohoni ei hun! Wedi mynd trwyddi a cherdded i lawr y stryd dyma'r angel yn sydyn yn diflannu.

Dyna pryd daeth Pedr ato'i hun. "Mae wedi digwydd go iawn! – mae'r Arglwydd wedi anfon ei angel i'm hachub i o afael Herod, fel bod yr hyn roedd yr Iddewon yn ei obeithio ddim yn digwydd i mi."

Pan sylweddolodd hyn, aeth i gartref Mair, mam Ioan Marc. Roedd criw o bobl wedi dod at ei gilydd i weddïo yno. Dyma Pedr yn curo'r drws allanol, ac aeth morwyn o'r enw Rhoda i ateb y drws. Pan wnaeth hi nabod llais Pedr roedd hi mor llawen nes iddi redeg yn ôl i mewn i'r tŷ heb agor y drws! "Mae Pedr wrth y drws!" meddai hi wrth bawb.

"Ti'n drysu," medden nhw. Ond roedd Rhoda yn dal i fynnu fod y peth yn wir. "Mae'n rhaid mai ei angel sydd yna," medden nhw wedyn.

Roedd Pedr yn dal ati i guro'r drws, a chawson nhw'r sioc ryfedda pan agoron nhw'r drws a'i weld. Dyma Pedr yn rhoi arwydd iddyn nhw dawelu, ac esboniodd iddyn nhw sut roedd yr Arglwydd wedi ei ryddhau o'r carchar.

GWEINIDOGAETH SIMON PE

426

GWEINIDOGAETH PAUL

Diwrnod 353

Barnabas a Saul yn Cyprus

(Actau 13:1-12)

Roedd nifer o broffwydi ac athrawon yn yr eglwys yn Antiochia. Pan oedden nhw'n addoli Duw ac yn ymprydio, dyma'r Ysbryd Glân yn dweud, "Mae gen i waith arbennig i Barnabas a Saul ei wneud, a dw i am i chi eu rhyddhau nhw i wneud y gwaith hwnnw." Felly ar ôl ymprydio a gweddïo, dyma nhw'n rhoi eu dwylo ar y ddau i'w comisiynu nhw, ac yna eu hanfon i ffwrdd.

Dyma'r Ysbryd Glân yn eu hanfon allan, a dyma'r ddau yn mynd i lawr i borthladd Selwsia, ac yn hwylio drosodd i Ynys Cyprus. Ar ôl cyrraedd Salamis dyma nhw'n mynd ati i gyhoeddi neges Duw yn synagogau'r Iddewon. (Roedd Ioan gyda nhw hefyd fel cynorthwywr.)

Dyma nhw'n teithio drwy'r ynys gyfan, ac yn dod i Paffos. Yno dyma nhw'n dod ar draws rhyw Iddew oedd yn ddewin ac yn broffwyd ffug. Bar-Iesu oedd yn cael ei alw, ac roedd yn gwasanaethu fel aelod o staff y rhaglaw Sergiws Pawlus.

Roedd y rhaglaw yn ddyn deallus, ac anfonodd am Barnabas a Saul am ei fod eisiau clywed beth oedd y neges yma gan Dduw. Ond dyma Elymas ('y dewin' – dyna ystyr ei enw yn yr iaith Roeg) yn dadlau yn eu herbyn ac yn ceisio troi'r rhaglaw yn erbyn y ffydd.

Dyma Saul (oedd hefyd yn cael ei alw'n Paul), yn llawn o'r Ysbryd Glân, yn edrych i fyw llygad Elymas, ac yn dweud, "Pryd wyt ti'n mynd i stopio gwyrdroi ffyrdd yr Arglwydd? Mae Duw yn mynd i dy gosbi di! Rwyt ti'n mynd i fod yn ddall am gyfnod!"

Yr eiliad honno daeth rhyw niwl a thywyllwch drosto! Roedd yn ymbalfalu o gwmpas, yn ceisio cael rhywun i afael yn ei law. Pan welodd y rhaglaw beth ddigwyddodd, daeth i gredu. Roedd wedi ei syfrdanu gan yr hyn oedd yn cael ei ddysgu iddo am yr Arglwydd.

427

GWEINIDOGAETH PAUL

Diwrnod 354

Paul a Barnabas yn cael eu haddoli fel duwiau

(Actau 14:8-20)

Yn Lystra dyma nhw'n dod ar draws rhyw ddyn oedd ag anabledd yn ei draed; roedd wedi ei eni felly ac erioed wedi gallu cerdded. Roedd yn gwrando ar Paul yn siarad. Roedd Paul yn edrych arno, a gwelodd fod gan y dyn ffydd y gallai gael ei iacháu. Meddai wrtho yng nghlyw pawb, "Saf ar dy draed!", a dyma'r dyn yn neidio ar ei draed yn y fan a'r lle ac yn dechrau cerdded.

Pan welodd y dyrfa beth wnaeth Paul, dyma nhw'n dechrau gweiddi, "Mae'r duwiau wedi dod i lawr aton ni fel dynion!" Dyma nhw'n penderfynu mai y duw Zews oedd Barnabas, ac mai Hermes oedd Paul (gan mai fe oedd yn gwneud y siarad). Dyma offeiriad o deml Zews, oedd ychydig y tu allan i'r ddinas, yn dod â theirw a thorchau o flodau at giatiau'r ddinas, gyda'r bwriad o gyflwyno aberthau iddyn nhw.

Ond pan ddeallodd y ddau beth oedd yn digwydd, dyma nhw'n rhwygo eu dillad ac yn rhuthro allan i ganol y dyrfa, yn gweiddi: "Na! Na! Ffrindiau! Pam dych chi'n gwneud hyn? Pobl gyffredin fel chi ydyn ni! Dŷn ni wedi dod â newyddion da i chi! Rhaid i chi droi cefn ar y pethau diwerth yma, a chredu yn y Duw byw. Dyma'r Duw wnaeth greu popeth – yr awyr a'r ddaear a'r môr a'r cwbl sydd ynddyn nhw!"

Ond wedyn dyma Iddewon o Antiochia ac Iconium yn cyrraedd yno a llwyddo i droi'r dyrfa yn eu herbyn. A dyma nhw'n dechrau taflu cerrig at Paul a'i lusgo allan o'r dref, gan dybio ei fod wedi marw. Ond ar ôl i'r credinwyr yno gasglu o'i gwmpas, cododd ar ei draed a mynd yn ôl i mewn i'r dref.

GWEINIDOGAETH PAUL

429

GWEINIDOGAETH PAUL

430

GWEINIDOGAETH PAUL

Diwrnod 355

Paul a Silas yn y carchar
(Actau 16:16-24)

Rhyw ddiwrnod arall pan oedden ni ar ein ffordd i'r lle gweddi, dyma ni'n cyfarfod caethferch oedd ag ysbryd ynddi yn ei galluogi i ragweld y dyfodol. Roedd hi'n ennill arian mawr i'w pherchnogion drwy ddweud ffortiwn. Dechreuodd ein dilyn ni, gan weiddi, "Mae'r dynion yma yn weision i'r Duw Goruchaf! Maen nhw'n dweud wrthoch chi sut i gael eich achub!"

Aeth hyn ymlaen am ddyddiau lawer. Yn y diwedd, roedd hi wedi mynd ar nerfau Paul cymaint nes iddo droi rownd a dweud wrth yr ysbryd drwg oedd ynddi, "Yn enw Iesu y Meseia, tyrd allan ohoni!" A dyma'r ysbryd yn ei gadael hi yr eiliad honno.

Pan welodd ei meistri fod pob gobaith o wneud elw trwyddi wedi mynd, dyma nhw'n gafael yn Paul a Silas a'u llusgo o flaen yr awdurdodau yn sgwâr y farchnad. "Mae'r Iddewon yma yn codi twrw yn y dre," medden nhw wrth yr ynadon "ac maen nhw'n annog pobl i wneud pethau sy'n groes i'n harferion ni Rufeiniaid."

Ymunodd y dyrfa yn yr ymosod ar Paul a Silas, a dyma'r ynadon yn gorchymyn tynnu dillad y ddau a'u curo â ffyn. Wedyn ar ôl eu curo'n ddidrugaredd, dyma nhw'n eu taflu nhw i'r carchar. Cafodd swyddog y carchar orchymyn i'w gwylio nhw'n ofalus, felly rhoddodd y ddau ohonyn nhw yn y gell fwyaf diogel a rhoi eu traed mewn cyffion.

431

Diwrnod 356

Canu yn y carchar

(Actau 16:25-40)

Tua hanner nos roedd Paul a Silas wrthi'n gweddïo ac yn canu emynau o fawl, ac roedd y carcharorion eraill i gyd yn gwrando. Yna'n sydyn dyma ddaeargryn mawr yn ysgwyd y carchar i'w sylfeini. Dyma'r drysau i gyd yn agor, a'r cadwyni yn disgyn i ffwrdd oddi ar bawb! Pan ddeffrodd swyddog y carchar a gweld y drysau ar agor, roedd yn meddwl fod y carcharorion wedi dianc. Gafaelodd yn ei gleddyf gan fwriadu lladd ei hun. Ond dyma Paul yn gweiddi, "Paid! Dŷn ni i gyd yma!"

Galwodd y swyddog am oleuadau, a rhuthro i mewn i gell Paul a Silas, a syrthio i lawr o'u blaenau yn crynu mewn ofn. Yna aeth a nhw allan a gofyn iddyn nhw, "Beth sydd raid i mi ei wneud i gael fy achub?"

Dyma nhw'n ateb, "Credu yn yr Arglwydd Iesu, dyna sut mae cael dy achub." A dyma nhw'n rhannu'r newyddion da am yr Arglwydd Iesu gyda'r swyddog a phawb arall yn ei dŷ. Aeth y swyddog â nhw yng nghanol y nos i lanhau eu briwiau. Wedyn cafodd e a phawb arall yn ei dŷ eu bedyddio. Yna aeth â nhw i'w gartref a rhoi pryd o fwyd iddyn nhw. Roedd pawb yn ei dŷ mor hapus eu bod nhw wedi credu yn Nuw.

Yn gynnar y bore wedyn dyma'r ynadon yn anfon plismyn i'r carchar i ddweud wrth y swyddog am ollwng Paul a Silas yn rhydd. Dyma'r swyddog yn dweud wrth Paul, "Mae'r ynadon wedi dweud eich bod chi'ch dau yn rhydd i fynd."

Ond meddai Paul wrth y plismyn: "Maen nhw wedi'n curo ni'n gyhoeddus a'n taflu ni i'r carchar heb achos llys, a ninnau'n ddinasyddion Rhufeinig! Ydyn nhw'n meddwl nawr eu bod nhw'n gallu cael gwared â ni'n ddistaw bach? Dim gobaith! Bydd rhaid iddyn nhw ddod yma eu hunain i'n hebrwng ni allan!"

Dyma'r plismyn yn mynd i ddweud wrth yr ynadon beth oedd wedi digwydd. Pan glywon nhw fod Paul a Silas yn ddinasyddion Rhufeinig roedden nhw wedi dychryn. Felly dyma nhw'n dod i'r carchar i ymddiheuro. Ar ôl mynd â nhw allan o'r carchar, dyma nhw'n pwyso ar y ddau dro ar ôl tro i adael y ddinas. Felly dyma Paul a Silas yn mynd i dŷ Lydia i gyfarfod y credinwyr a'u hannog nhw i ddal ati, ac wedyn dyma nhw'n gadael Philipi.

GWEINIDOGAETH PAUL

433

GWEINIDOGAETH PAUL

Diwrnod 357

Paul a Silas yn Thesalonica
(Actau 17:1-9)

Dyma Paul a'i ffrindiau yn cyrraedd Thesalonica, lle roedd synagog Iddewig. Aeth Paul i'r cyfarfodydd yn y synagog yn ôl ei arfer, ac am dri Saboth yn olynol buodd yn trafod yr ysgrifau sanctaidd gyda'r bobl yno. Dangosodd iddyn nhw'n glir a phrofi fod rhaid i'r Meseia ddioddef, a dod yn ôl yn fyw ar ôl marw. "Yr Iesu dw i'n sôn amdano ydy'r Meseia," meddai wrthyn nhw.

Cafodd rhai o'r Iddewon oedd yno eu perswadio, a dyma nhw'n ymuno â Paul a Silas. Daeth nifer fawr o'r Groegiaid oedd yn addoli Duw i gredu hefyd, a sawl un o wragedd pwysig y dre.

Ond roedd arweinwyr yr Iddewon yn genfigennus; felly dyma nhw'n casglu criw o ddynion oedd yn loetran yn sgwâr y farchnad a'u cael i ddechrau codi twrw. Dyma nhw'n mynd i dŷ Jason i chwilio am Paul a Silas er mwyn dod â nhw allan at y dyrfa. Ond ar ôl methu dod o hyd iddyn nhw, dyma nhw'n llusgo Jason a rhai o'r Cristnogion eraill o flaen swyddogion y ddinas. Roedden nhw'n gweiddi: "Mae'r dynion sydd wedi bod yn codi twrw ar hyd a lled y byd wedi dod i'n dinas ni, ac mae Jason wedi eu croesawu nhw i'w dŷ! Maen nhw'n herio Cesar, trwy ddweud fod brenin arall o'r enw Iesu!"

Roedd y dyrfa a'r swyddogion wedi cyffroi wrth glywed y cyhuddiadau yma. Ond dyma'r swyddogion yn penderfynu rhyddhau Jason a'r lleill ar fechnïaeth.

434

GWEINIDOGAETH PAUL

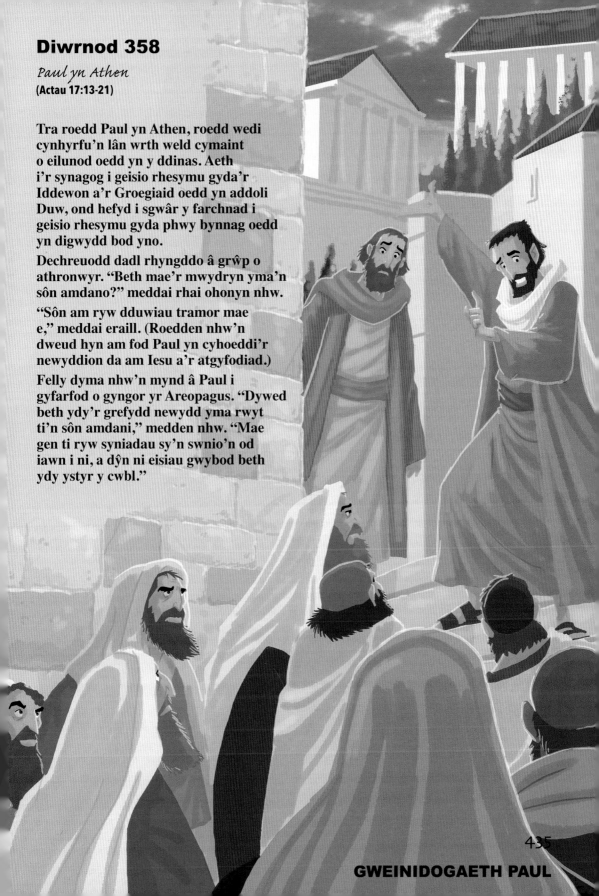

Diwrnod 358

Paul yn Athen
(Actau 17:13-21)

Tra roedd Paul yn Athen, roedd wedi cynhyrfu'n lân wrth weld cymaint o eilunod oedd yn y ddinas. Aeth i'r synagog i geisio rhesymu gyda'r Iddewon a'r Groegiaid oedd yn addoli Duw, ond hefyd i sgwâr y farchnad i geisio rhesymu gyda phwy bynnag oedd yn digwydd bod yno.

Dechreuodd dadl rhyngddo â grŵp o athronwyr. "Beth mae'r mwydryn yma'n sôn amdano?" meddai rhai ohonyn nhw.

"Sôn am ryw dduwiau tramor mae e," meddai eraill. (Roedden nhw'n dweud hyn am fod Paul yn cyhoeddi'r newyddion da am Iesu a'r atgyfodiad.)

Felly dyma nhw'n mynd â Paul i gyfarfod o gyngor yr Areopagus. "Dywed beth ydy'r grefydd newydd yma rwyt ti'n sôn amdani," medden nhw. "Mae gen ti ryw syniadau sy'n swnio'n od iawn i ni, a dŷn ni eisiau gwybod beth ydy ystyr y cwbl."

435

GWEINIDOGAETH PAUL

Diwrnod 359

Paul yn siarad yn yr Areopagus
(Actau 17:22-34)

Dyma Paul yn sefyll ar ei draed o flaen cyngor yr Areopagus, a'u hannerch fel hyn:

"Bobl Athen! Dw i'n gweld tystiolaeth ym mhobman eich bod chi'n bobl grefyddol iawn. Dw i wedi bod yn cerdded o gwmpas yn edrych yn ofalus ar yr hyn dych chi'n ei addoli. Yng nghanol y cwbl des i o hyd i un allor oedd â'r geiriau yma wedi eu cerfio arni: I'R DUW ANHYSBYS. Dyma'r Duw dw i'n mynd i ddweud wrthoch chi amdano – yr un dych chi'n ei addoli ond ddim yn ei nabod.

"Fe ydy'r Duw wnaeth greu'r byd a phopeth sydd ynddo. Mae'n Arglwydd ar y nefoedd a'r ddaear. Dydy e ddim yn byw mewn temlau sydd wedi eu hadeiladu gan bobl, a dydy pobl ddim yn gallu rhoi unrhyw beth iddo – does dim byd sydd arno'i angen! Y Duw yma sy'n rhoi bywyd ac anadl a phopeth arall i bawb. Fe ydy'r Duw wnaeth greu y dyn cyntaf, a gwneud ohono yr holl genhedloedd gwahanol sy'n byw drwy'r byd i gyd. Fel dwedodd un o'ch beirdd chi, 'Dŷn ni'n byw, yn symud ac yn bod ynddo fe.' Ac mae un arall yn dweud, 'Ni yw ei blant.'

"Felly, os ydyn ni'n blant Duw, ddylen ni ddim meddwl amdano fel rhyw ddelw o aur neu arian neu faen – sef dim byd ond cerflun wedi ei ddylunio a'i greu gan

GWEINIDOGAETH PAUL

grefftwr! Ydy, mae Duw wedi diystyru'r fath ddwli yn y gorffennol, ond bellach mae'n galw ar bobl ym mhobman i droi ato. Mae e wedi dewis diwrnod pan fydd y byd i gyd yn cael ei farnu'n gwbl deg. Mae wedi dewis dyn i wneud y barnu, ac mae wedi dangos yn glir ei fod yn mynd i wneud hyn drwy ddod â'r dyn hwnnw yn ôl yn fyw ar ôl iddo farw."

Pan glywon nhw am y syniad o rywun yn dod yn ôl yn fyw ar ôl marw, dyma rhai ohonyn nhw yn dechrau gwneud sbort, ond meddai rhai eraill, "Fasen ni'n hoffi dy glywed di'n siarad am y pwnc yma rywbryd eto." Felly dyma Paul yn mynd allan o'r cyfarfod. Ond roedd rhai wedi credu beth roedd Paul yn ei ddweud a dechrau ei ddilyn.

437

GWEINIDOGAETH PAUL

Diwrnod 360

Reiat yn Effesus
(Actau 19:23-31)

Buodd yna dwrw mawr yn Effesus
ynglŷn â Ffordd yr Arglwydd. Roedd
gof arian o'r enw Demetrius yn rhedeg
busnes gwneud modelau bach o deml
y dduwies Artemis, ac yn cyflogi nifer
o weithwyr. Daeth â'r gweithwyr i gyd
at ei gilydd, a gwahodd pobl eraill oedd
â busnesau tebyg. Dwedodd wrthyn
nhw, "Ffrindiau, y busnes yma ydy'n
bywoliaeth ni – mae'n gwneud arian da
i ni. Ond, fel dych chi'n gwybod, mae'r
dyn Paul yma wedi llwyddo i berswadio
lot fawr o bobl bod y delwau dŷn ni'n eu

gwneud ddim yn dduwiau o gwbl mewn
gwirionedd. Mae peryg nid yn unig i'n
busnes ni fynd i'r wal, ond hefyd i deml
Artemis golli ei dylanwad, ac i'r dduwies
fawr ei hun, sy'n cael ei haddoli ar hyd a
lled Asia, golli ei statws!"

Wrth glywed beth oedd gan Demetrius
i'w ddweud, dyma'r dyrfa'n cynhyrfu'n
lân a dechrau gweiddi: "Artemis
yr Effesiaid am byth!" Cyn bo hir
roedd y ddinas i gyd yn ferw gwyllt.
Dyma nhw'n dal Gaius ac Aristarchus
(dau o Macedonia oedd wedi bod yn
teithio gyda Paul), a'u llusgo nhw i'r
amffitheatr enfawr oedd yno.

Roedd Paul eisiau mynd i mewn i
wynebu'r dyrfa, ond wnaeth y disgyblion
ddim gadael iddo. A dyma rai o
swyddogion y dalaith, roedd Paul yn
ffrindiau â nhw, yn anfon neges ato i
bwyso arno i beidio mentro i mewn.

438

GWEINIDOGAETH PAUL

Diwrnod 361

Paul i gael ei arestio
(Actau 20:17-38)

Anfonodd Paul neges i Effesus yn galw arweinwyr yr eglwys i ddod draw i'w gyfarfod.

Pan gyrhaeddon nhw, dyma oedd ganddo i'w ddweud wrthyn nhw: "Dych chi'n gwybod yn iawn sut fues i'n gweithio i'r Arglwydd pan oeddwn i gyda chi yn nhalaith Asia, ac mor anodd roedd hi'n gallu bod am fod yr Iddewon yn cynllwynio yn fy erbyn i. Dw i wedi dweud yn glir wrth yr Iddewon a phawb arall fod rhaid iddyn nhw droi at Dduw, a chredu yn yr Arglwydd Iesu.

"A nawr dw i'n mynd i Jerwsalem. Mae'r Ysbryd wedi dweud fod rhaid i mi fynd, er nad ydw i'n gwybod beth fydd yn digwydd i mi ar ôl i mi gyrraedd yno. Yr unig beth dw i'n wybod ydy mod i'n mynd i gael fy arestio a bod pethau'n mynd i fod yn galed – mae'r Ysbryd Glân wedi gwneud hynny'n ddigon clir dro ar ôl tro. Sdim ots! Cyn belled â'm bod i'n gwneud y gwaith mae'r Arglwydd Iesu wedi ei roi i mi – sef dweud y newyddion da am gariad a haelioni Duw wrth bobl."

Ar ôl dweud hyn i gyd, aeth ar ei liniau i weddïo gyda nhw. Dyma pawb yn dechrau crïo wrth gofleidio Paul a'i gusanu. Roedden nhw'n arbennig o drist am ei fod wedi dweud y bydden nhw ddim yn ei weld byth eto.

Wedyn dyma nhw'n mynd i lawr at y llong gydag e.

439

Diwrnod 362

Y mob yn ymosod ar Paul
(Actau 21:27-36; 22:23-24)

Yn Jerwsalem dyma ryw Iddewon o dalaith Asia yn gweld Paul yn y deml. Dyma nhw'n llwyddo i gynhyrfu'r dyrfa a gafael ynddo gan weiddi, "Bobl Israel, helpwch ni! Dyma'r dyn sy'n dysgu pawb ym mhobman i droi yn erbyn ein pobl ni a'n Cyfraith, a'r Deml yma!

Ac mae wedi halogi'r lle sanctaidd yma drwy ddod â phobl o genhedloedd eraill i mewn yma!"

Dyma'r cynnwrf yn lledu drwy'r ddinas i gyd, a phobl yn rhedeg yno o bob cyfeiriad. Dyma nhw'n gafael yn Paul a'i lusgo allan o'r deml, ac wedyn cau'r giatiau. Roedden nhw'n mynd i'w ladd, ond clywodd capten y fyddin Rhufeinig fod reiat yn datblygu yn Jerwsalem. Aeth yno ar unwaith gyda'i filwyr a rhedeg i'r lle roedd y dyrfa. Roedd rhai

wrthi'n curo Paul, ond pan welon nhw'r milwyr dyma nhw'n stopio.

Dyma'r capten yn arestio Paul ac yn gorchymyn ei rwymo gyda dwy gadwyn. Wedyn gofynnodd i'r dyrfa pwy oedd, a beth roedd wedi ei wneud. Ond roedd rhai yn gweiddi un peth, ac eraill yn gweiddi rhywbeth hollol wahanol. Roedd hi'n amhosib darganfod beth oedd y gwir yng nghanol yr holl dwrw, felly dyma'r capten yn gorchymyn i'r milwyr fynd â Paul i'r barics milwrol yn Antonia.

Erbyn i Paul gyrraedd y grisiau roedd y dyrfa wedi troi'n dreisgar, ac roedd rhaid i'r milwyr ei gario. Roedd y dyrfa yn ei dilyn nhw yn gweiddi, "Rhaid ei ladd! Rhaid ei ladd!"

Felly dyma'r capten yn gorchymyn mynd â Paul i mewn i'r barics i gael ei groesholi gyda'r chwip.

GWEINIDOGAETH PAUL

Diwrnod 363

Paul yn apelio i Gesar
(Actau 24:24-27; 25:8-12)

Dyma'r llywodraethwr Ffelics yn anfon am Paul. Roedd ei wraig Drwsila (oedd yn Iddewes) gydag e, a dyma nhw'n rhoi cyfle i Paul ddweud wrthyn nhw am y gred mai Iesu oedd y Meseia. Wrth iddo sôn am fyw yn gyfiawn yng ngolwg Duw, yr angen i ddisgyblu'r hunan, a'r ffaith fod Duw yn mynd i farnu, daeth ofn ar Ffelics. "Dyna ddigon am y tro!" meddai, "Cei di fynd nawr. Anfona i amdanat ti eto pan fydd cyfle."

Byddai'n anfon am Paul yn aml iawn i siarad ag e, ond un rheswm am hynny oedd ei fod yn rhyw obeithio y byddai Paul yn cynnig arian iddo i'w ryddhau.

Aeth dros ddwy flynedd heibio, a dyma Porcius Ffestus yn olynu Ffelics fel llywodraethwr.

Dyma Paul yn cyflwyno ei amddiffyniad o flaen Ffestus: "Dw i ddim wedi torri'r Gyfraith Iddewig na gwneud dim yn erbyn y Deml yn Jerwsalem na'r llywodraeth Rufeinig chwaith."

Ond gan fod Ffestus yn awyddus i wneud ffafr i'r Iddewon, gofynnodd i Paul, "Wyt ti'n barod i fynd i Jerwsalem i sefyll dy brawf o'm blaen i yno?"

Atebodd Paul: "Dw i'n sefyll yma o flaen llys Cesar, a dyna lle dylid gwrando'r achos. Dych chi'n gwybod yn iawn fy mod i heb wneud dim yn erbyn yr Iddewon. Os ydw i wedi gwneud rhywbeth sy'n haeddu'r gosb eithaf, dw i'n fodlon marw. Ond, os nad ydy'r cyhuddiadau yma'n wir, does gan neb hawl i'm rhoi fi yn eu dwylo nhw. Felly dw i'n cyflwyno apêl i Gesar!"

Ar ôl i Ffestus drafod y mater gyda'i gynghorwyr, dyma fe'n ateb: "Rwyt ti wedi cyflwyno apêl i Gesar. Cei dy anfon at Cesar!"

442

GWEINIDOGAETH PAUL

443

GWEINIDOGAETH PAUL

Diwrnod 364

Ar y ffordd i Rufain
(Actau 27)

Cafodd Paul a nifer o garcharorion eraill eu rhoi yng ngofal swyddog milwrol o'r enw Jwlius, i hwylio i'r Eidal.

Roedd hi'n fordaith araf iawn ac yn sydyn cafodd y llong ei dal mewn storm. Roedd hi'n amhosib hwylio yn erbyn y gwynt, felly cawson ni ein cario i ffwrdd ganddo. Dyma'r storm yn para'n ffyrnig am ddyddiau lawer, a doedd dim sôn am haul na sêr. Roedd pawb yn meddwl ei bod hi ar ben arnon ni.

Roedd pedair noson ar ddeg wedi mynd heibio ers i'r storm ddechrau. Tua hanner nos dyma'r morwyr yn synhwyro ein bod ni'n agos at dir. Rhag ofn i ni gael ein hyrddio yn erbyn creigiau dyma nhw'n gollwng pedwar angor o'r starn ac yn disgwyl am olau dydd.

Pan ddaeth hi'n olau dydd, roedd bae i'w weld a dyma nhw'n penderfynu ceisio cael y llong i dirio ar y traeth. Felly dyma nhw'n torri'r angorau'n rhydd a'u gadael yn y môr a datod y rhaffau oedd yn dal y llyw. Wedyn agor yr hwyl flaen i ddal y gwynt ac anelu am y traeth. Ond dyma'r llong yn taro banc tywod, ac roedd tu blaen y llong yn hollol sownd. Dyma'r starn yn dechrau dryllio wrth i'r tonnau gwyllt hyrddio yn erbyn y llong. Rhoddodd Jwlius orchymyn i'r rhai oedd yn gallu nofio i neidio i'r dŵr a cheisio cyrraedd y lan. Roedd pawb arall i geisio dal gafael mewn planciau neu ddarnau eraill o'r llong. A dyna sut gyrhaeddodd pawb y tir yn saff!

GWEINIDOGAETH PAUL

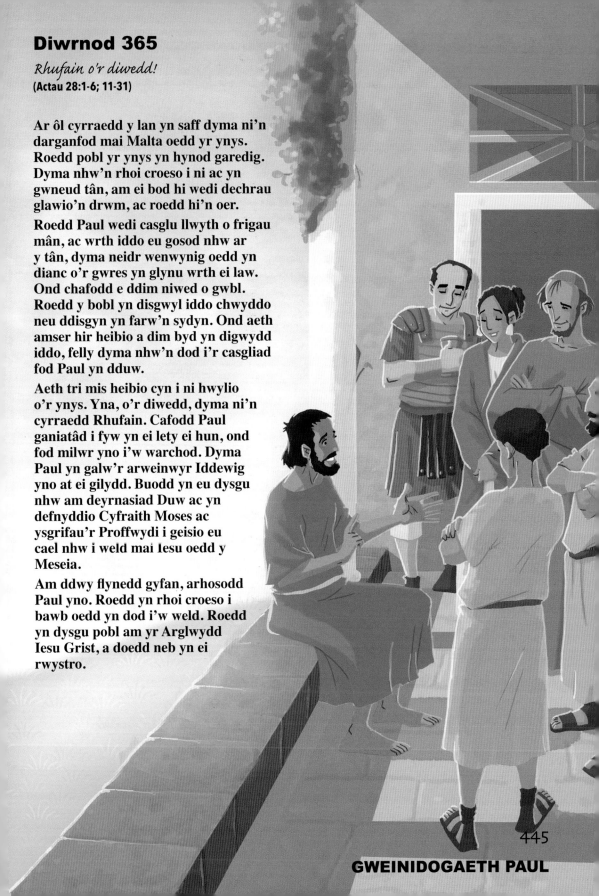

Diwrnod 365

Rhufain o'r diwedd!

(Actau 28:1-6; 11-31)

Ar ôl cyrraedd y lan yn saff dyma ni'n darganfod mai Malta oedd yr ynys. Roedd pobl yr ynys yn hynod garedig. Dyma nhw'n rhoi croeso i ni ac yn gwneud tân, am ei bod hi wedi dechrau glawio'n drwm, ac roedd hi'n oer.

Roedd Paul wedi casglu llwyth o frigau mân, ac wrth iddo eu gosod nhw ar y tân, dyma neidr wenwynig oedd yn dianc o'r gwres yn glynu wrth ei law. Ond chafodd e ddim niwed o gwbl. Roedd y bobl yn disgwyl iddo chwyddo neu ddisgyn yn farw'n sydyn. Ond aeth amser hir heibio a dim byd yn digwydd iddo, felly dyma nhw'n dod i'r casgliad fod Paul yn dduw.

Aeth tri mis heibio cyn i ni hwylio o'r ynys. Yna, o'r diwedd, dyma ni'n cyrraedd Rhufain. Cafodd Paul ganiatâd i fyw yn ei lety ei hun, ond fod milwr yno i'w warchod. Dyma Paul yn galw'r arweinwyr Iddewig yno at ei gilydd. Buodd yn eu dysgu nhw am deyrnasiad Duw ac yn defnyddio Cyfraith Moses ac ysgrifau'r Proffwydi i geisio eu cael nhw i weld mai Iesu oedd y Meseia.

Am ddwy flynedd gyfan, arhosodd Paul yno. Roedd yn rhoi croeso i bawb oedd yn dod i'w weld. Roedd yn dysgu pobl am yr Arglwydd Iesu Grist, a doedd neb yn ei rwystro.

445

GWEINIDOGAETH PAUL

"Cymerodd Iesu y pum torth a'r ddau bysgodyn
ac offrymu gweddi o ddiolch i Dduw.
Torrodd y bara a rhoi'r torthau i'w ddisgyblion,
a dyma'r disgyblion yn eu rhannu i'r bobl."

Mathew 14:19

"Roedd pobl ddall a rhai cloff
yn dod ato i'r deml,
ac roedd yn eu hiacháu nhw."

Mathew 21:14